D1128078

Lo que dicen tus ojos

FLORENCIA BONELLI

Lo que dicen tus ojos

SUMA de letras

c/o Guillermo Schavelzon & As. Agencia Literaria
www.schavelzon.com

Av. Leandro N. Alem 720 (1001) Ciudad Autónoma de Buenos Aires.
www.sumadeletras.com/ar
www.florenciabonelli.com

ISBN: 978-987-04-1654-8

Diseño de cubierta: Raquel Cané
Fotografía de contratapa: Alejandra López

Hecho el depósito que indica la ley 11.723
Impreso en la Argentina. *Printed in Argentina*.
Primera edición en Suma de Letras: marzo de 2011
Sexta reimpresión: enero de 2014

Bonelli, Florencia
Lo que dicen tus ojos. - 1a ed. 6a reimp. - Buenos Aires: Aguilar, Altea, Taurus, Alfaguara, 2014.
336 p. ; 24x15 cm.

ISBN 978-987-04-1654-8

1. Narrativa. 2. Novela Histórica. I. Título
CDD 863

A mi padre, por dos razones: por haberme inculcado el hermoso hábito de la lectura y por presumir de mí.
A mi madre. No hay amor más grande que el de ella.
A mi adorado sobrino Tomás, mi hacedor personal de milagros, con la gracia de Dios.

«Los ojos son los labios del espíritu».

Christian Friedrich Hebbel

CAPÍTULO I

Estancia Arroyo Seco, Sierras de Córdoba.
Enero de 1961.

Apostada en la loma que dominaba el maizal, Francesca pensó: «Siempre amaré este lugar, aunque pasen años, aunque nunca más vuelva a verlo». Bajó corriendo y, por la alameda, tomó el camino que conducía al casco de la estancia. «¿Y por qué no he de volver a verlo?», se preguntó.

Reconoció de lejos al señor Esteban Martínez Olazábal, que, montado en su alazán, impartía órdenes a don Cívico, el capataz. No se ocultó del patrón y continuó caminando; le tenía aprecio, siempre había sido bueno con ella.

—¡Eh, Francesca! —se sorprendió Martínez Olazábal—. No te esperábamos hasta el sábado.

—Buenas tardes, señor. Buenas tardes, don Cívico.

—Niña —respondió el hombre, y se quitó la boina.

—Los planes eran que llegara el sábado —retomó Francesca—, pero mi tío Alfredo me dio permiso y pude venir hoy.

—¡Ese Alfredo sí que te hace trabajar! —comentó Esteban, risueño.

—Me gusta mi trabajo, señor —aseguró Francesca, y la respuesta complació a Martínez Olazábal, que le palmeó la mejilla.

—¿Cómo andan las cosas por Córdoba?

—Todo bien, señor. No hay ninguna novedad en la casa; excepto Onofrio, que...

—¿Qué le pasó?

—Por fortuna, nada grave, señor. Mientras arreglaba las pizarras sueltas del techo, resbaló y...

—¡Dios mío! ¡Se cayó!

—No, señor, pero, al aferrarse a la cornisa, se lastimó la muñeca y hubo que enyesársela.

Martínez Olazábal saludó con premura y espoleó el caballo, que se perdió en dirección al casco.

—¡A la perinola, que te me has puesto guapa! —exclamó Cívico, después de saber lejos al patrón.

Francesca le dedicó una sonrisa antes de arrojarse a los brazos del hombre que quería como a un abuelo.

—Ya contábamos los días con la Jacinta, para que llegara el sábado, digo. La niña Sofía —explicó Cívico, refiriéndose a la menor de don Esteban— nos mandó avisar que venías ese día. ¡Cosa buena es que te hayas aparecido antes!

Se encaminaron a la casa de don Cívico, que, pese a la buena remozada de años atrás, con materiales seguros y de calidad, no había podido quitarse el mote de «rancho». Blanqueada a la cal y con tejas españolas, envuelta en un eterno caos de gallinas, perros y cosas viejas arrumbadas, constituía para Francesca uno de los recuerdos más gratos de su infancia. Entraron, apartando el trapo que servía para mantener a raya a los insectos, y enseguida los envolvió el aroma a pella caliente y a tortas fritas. Jacinta, la mujer de Cívico, arrojaba los pedazos de masa en la olla con grasa hirviendo y canturreaba en voz baja.

—¡Dígnate a mirar, mujer! —le pidió el hombre.

—¿Pa'qué? ¿Pa'vé a un fulero como vo'?

—¡No, qué va! —repuso el capataz—. Mirá a quién te traigo.

Jacinta, con las manos llenas de amasijo y la frente manchada de harina, se dio vuelta fingiendo un disgusto que se le esfumó nada más ver a Francesca en medio de la pieza. Apenas atinó a limpiarse con el repasador antes de abrazarla y llenarla de elogios. Se sentaron a la mesa; el mate cimarrón, como le gustaba a Cívico, comenzó la primera vuelta, mientras las tortas fritas desaparecían del plato.

—Contanos, Panchita, qué es de tu vida —inquirió Jacinta.

—Nada nuevo. Sigo trabajando en el diario, con mi tío Fredo. Me prometió que este año va a darme una columna.

—¿Una qué?

—Me va a dejar escribir algo y publicarlo.

—¡Mirámela vos, che Jacinta! ¡Si se nos va a hacer importante la mocosa!

En menos de una hora, el matrimonio la puso al tanto de las novedades del campo: chismes de peones y hasta de patrones, nacimientos de animales y resultados de cosechas, fiestas patronales, casamientos y «rejuntes», como llamaban a los amancebamientos.

—Y la Paloma —se refería a la menor de sus seis hijos— está por el cuarto mes. Dice la Chaira, la vidente, ¿te acordás? Bueno, dice que será machito nomás.

—¿Y cómo lo van a llamar? —se interesó Francesca.

—Se han de fijar en el santoral —dedujo Cívico.

—Sí, mejor en el santoral y no en el almanaque, como hizo el bruto de tu viejo, que a quien salir tenés, que por nacer un 9 de julio va, se fija y ve «día cívico», y ahí te mancilló la gracia.

—¡Bah, que no es tan malo! —se quejó el hombre.

A Francesca la atraía la sencillez de esa gente, más allá de que en ocasiones la sorprendían con una sabiduría que no había encontrado siquiera en su tío Fredo, una mezcla de misericordia, resignación y afán por la vida; personas que no le temían al hambre, al frío o a la falta de lo indispensable, y en las que la ausencia de tanto no había conseguido envilecerles los sentimientos ni ensombrecerles la mirada.

—Y allá, por la casa grande, ¿cómo andan las cosas? —se interesó Jacinta.

—Acabo de llegar y no vi a nadie, ni siquiera a Sofía. Supongo que como siempre —expresó Francesca, con desánimo—. La señora Celia, insufrible, al igual que Enriqueta, y el señor Esteban, soportando.

—Y la niña Sofía, ¿se repuso de..., bueno, de aquello?

Francesca hizo un gesto elocuente, y Cívico y Jacinta bajaron la vista y suspiraron. Le tenían cariño a la más chica del patrón Esteban pese a las contadas ocasiones en que la habían visto; en realidad, la conocían a través de Francesca, que la adoraba.

—Hoy llega el niño Aldo —comentó Cívico para disipar el nubarrón de tristeza—. Me lo acaba de decir el patrón.

—¡Uy, pero si a ése de niño no le debe de quedar ni un pelo! —aseguró Jacinta—. ¿Cuántos años hace que no aparece por acá?

—A ver... —dijo Cívico, y se rascó la coronilla—. Más o menos, diez años. Tenía como dieciocho cuando lo mandaron a estudiar a las Europas. Anda por los veintiocho.

—¿Y está reciencito llegado de las Europas?

—No —aclaró el capataz—, hace más o menos tres años que volvió, pero se quedó en Buenos Aires. Encontraría a los porteños más de su talla.

—Vos ni te acordás de él, ¿no? —se dirigió Jacinta a Francesca.

—Cuando mi mamá se empleó en lo de Martínez Olazábal, yo tenía seis años, era muy chica. Algo me acuerdo de Aldo, pero poco. Sólo iba los fines de semana a la casa porque estaba pupilo en el La Salle, un colegio camino a Saldán —aclaró—. Pero nunca crucé palabra con él; se la pasaba encerrado en la biblioteca, leyendo. Con Sofía eran bastante compinches. Recuerdo que ella sufrió mucho cuando lo enviaron al extranjero.

—¡Pucha, che! —se quejó Cívico—. Esta familia tiene tristezas por los cuatro costados. Tanto, tanto, para nada.

Y cuando el nubarrón amenazaba nuevamente, Jacinta intervino:

—Che, Cívico, ¿qué estás esperando? Llevala a la Panchita a donde realmente quiere estar, que no es aquí, con nosotros, dos viejazos aburridos. Andá, llevala con el morito; el pobre debe de estar medio loco, seguro que ya la olió en el aire.

Francesca agradeció con una sonrisa la intuición de Jacinta y no se avergonzó de que la impaciencia por ver a Rex, su caballo, se le notara tanto, pues nadie conocía mejor que Jacinta y Cívico el amor que le inspiraba el semental. Camino al potrero, el capataz le comentó que el morito —así lo llamaba por tratarse de un purasangre árabe— seguía saludable, esbelto y mañero, y que, como ninguno de los peones se animaba a acercársele porque tenía el vicio de tirar mordiscos, él mismo se encargaba de varearlo, bañarlo y cepillarlo.

—A vos te conoce —explicó Francesca.

—Me respeta porque sabe que soy tu amigo, si no, bien que me levantaría las patas y me clavaría esos dientazos que Dios le dio. Ando con ganas de castrarlo.

—Ni se te ocurra, Cívico —amenazó la joven.

—El señor Esteban me lo anduvo sugiriendo hoy mismo.

—A mi caballo nadie le toca un pelo.

—Pero si no es tu caballo, Panchita, es de la niña Enriqueta. ¿Te acordás que te conté que se lo regalaron para los quince?

—Sí, claro que me acuerdo, pero esa mojigata no se atrevió a acercársele a diez metros. Ni se acuerda de que Rex existe.

—A veces me arrepiento de haberte dejado encariñar tanto con un bicho que no es tuyo. Me pregunto qué pasaría si el patrón decidiese venderlo.

Pero Francesca ya no lo escuchaba. Corrió el último tramo y saltó la tranquera con agilidad. Al distinguir a su caballo —el único completamente negro— en medio de la manada, se tomó unos instantes para solazarse con su estampa majestuosa e imponente.

Lo llamó. Rex, que ya la había olfateado, al sonido de su voz comenzó a dar coces y a piafar. El resto de la caballada se alejó asustada y el morito se quedó solo en el potrero.

—Dejá de dar ese espectáculo lamentable —lo amonestó Francesca— y vení que te quiero ver de cerca.

El caballo se aproximó relinchando y sacudiendo la cabeza. Después de acariciarlo durante un rato en la testuz, decidió montarlo.

—¡Al menos esperá que te traiga la montura! —gritó Cívico, desde la tranquera—. ¡Aunque sea ponele este apero!

—¡A pelo! —fue la respuesta de la joven, que se encaramó con maestría sobre el caballo y, sujeta de las crines, lo incitó con un sonido que el animal conocía bien.

Al atardecer, el cielo parecía una paleta de rojos y violetas. Francesca permaneció recostada sobre la hierba, con la cabeza apoyada en sus manos. Rex pastaba alejado. Se escuchaban el canto de los benteveos y de los pechitos amarillos, y el chirrido de los primeros insectos nocturnos. Inspiró el aire fresco colmado de los aromas que ella sólo relacionaba con Arroyo Seco. Se levantó de mal humor, debía regresar o su madre se preocuparía; además, había prometido ayudarla con la cena, eran varios comensales esa noche.

—Vamos, Rex, tenemos que volver.

Dejó el caballo en el potrero y, desganada, se encaminó hacia el casco. Por el camino de la alameda entretuvo su mirada en el paisaje y, aunque había visto el espectáculo muchas veces, volvió a azorarse con el sol, que, completo y refulgente minutos antes, ahora se esfumaba en un tenue resplandor detrás de las sierras azules. ¿En qué momento se había ido? La tarde se extinguía a una velocidad insospechada y esa agonía le resultaba opresiva. «Ahora, hija, ahora se esconde el sol, no quiere encontrarse con la luna». ¿Olvidaría alguna vez la voz de su padre en el mirador del parque Sarmiento, los sábados por la tarde, mientras contemplaban el fin del día tomados de la mano?

—¿En qué momento te fuiste, papá? —se preguntó.

El ruido de un motor la sacó del trance. Se secó las lágrimas y atinó a esconderse detrás de un álamo antes de que el automóvil deportivo levantara polvareda cerca de ella. Distinguió tres figuras en el interior: el señorito Aldo y dos mujeres. Sacudió los hombros con desinterés y continuó su camino. Era la primera vez en mucho tiempo que veía a Aldo

Martínez Olazábal. Diez años atrás se había marchado a Francia para estudiar en La Sorbona. Rico, buen mozo, con un título bajo el brazo y el prestigio de quien vuelve del extranjero, Francesca pensó con sarcasmo que debía de tratarse del soltero más codiciado de Córdoba.

Apresuró el paso, sin dejar de lado el soliloquio. Se dijo que ahora que trabajaba en el periódico de su tío podría juntar algún dinero para independizarse y llevar a su madre lejos de la mansión de Martínez Olazábal; aunque debía ser realista, no la sacaría tan fácilmente de allí, en especial por la amistad que había trabado con otros miembros de la servidumbre, sobre todo con Rosalía; en verdad, parecía encantada de vivir en el palacete. Tal vez partiría sola, pero ni en un millón de años dejaría allí a Sofía, tan vulnerable e indefensa, y se prometió que lo haría con ella.

Al cruzar el portón que delimitaba los confines del casco, avistó a la familia Martínez Olazábal en la galería que circundaba la vieja casona: la señora Celia, como una reina dando audiencia, apoltronada en su sillón de mimbre de alto respaldo; Enriqueta, la hija del medio, con la vista clavada en su madre, que hablaba con elocuentes gestos; Sofía, alejada y ausente como de costumbre, con el gato persa sobre la falda; el hijo mayor, el joven Aldo, rubio y de piel clara como la señora Celia, apenas sesgaba los labios en una sonrisa forzada. Francesca se preguntó quiénes serían la muchacha sentada a su lado y la mujer que conversaba con la patrona Celia. Se ocultó en las sombras de la noche inminente; llevaba los pantalones de montar de Sofía y ya podía imaginar el interrogatorio de la patrona si la descubría.

Aldo se reclinó sobre su hermana Sofía, le tomó la mano y se la besó. El gato maulló enojado por la interrupción y volvió a acomodarse cuando la joven retomó los mimos.

Con los últimos destellos del día, Aldo contempló el parque que rodeaba la casa, asombrado por la prolijidad y la pulcritud; le llamó la atención el césped, una alfombra perfecta que cubría las lomas en un juego de subidas y bajadas que se perdían hacia los confines del campo. El patio español, un encantador sitio cerca de la galería, con fuente y bancos cubiertos por mayólicas, le recordó la frescura de las siestas de su niñez, cuando recostado bajo el nogal, leía hasta quedar dormido. Más allá, cerca de la piscina, el mirador, una elevación natural del terreno a la que su abuelo Mario había coronado con una balaustrada donde las damas solían sentarse a admirar el paisaje serrano.

—¡Qué lindo está el parque! —comentó, y Sofía se limitó a levantar la vista—. Nada que ver con el campo de Pergamino —aseguró—. Se nota que Cívico es eficiente y trabajador. Además de estar en orden —continuó—, este campo rinde más que el de Pergamino, aunque sus tierras son diez veces menos fértiles. Ya le dije a papá que el capataz de Pergamino, don Tarso, ¿te acordás? —Sofía no dio muestras de interesarse—. No es como Cívico. Don Tarso es un desastre. Hasta me llegaron cuentos de que nos roba ganado y que lo vende por su cuenta.

—Don Cívico es un gran hombre —susurró Sofía—. Así que estuviste en Pergamino —añadió.

—Sí, una semana. Desde que vivo en Buenos Aires, papá me pide que vaya de tanto en tanto a resolver algunos asuntos. Después de estar en la estancia, regresé a la ciudad, pasé a buscar a Dolores y a su madre, y nos vinimos para acá. ¿Qué opinas de Dolores? ¿Te gusta?

Dolores Sánchez Azúa, la prometida de Aldo Martínez Olazábal, era la única heredera de una de las más importantes fortunas de Buenos Aires. En ese momento, Dolores conversaba en un aparte con su futura cuñada, Enriqueta, complacida por la atención que le dispensaba esa señorita. La madre de Dolores, Carmen Ferreira, una aristócrata cordobesa que, según se decía, había realizado el mejor matrimonio de su época al desposarse con el estanciero porteño Carlos Sánchez Azúa, no refrenaba la lengua para describir su mansión de la calle Cerrito a su amiga de la niñez, Celia Pizarro y Pinto.

—¿Te gusta, sí o no? —insistió Aldo.

—No me gusta el nombre. ¿Desde cuándo un hijo es un dolor? O muchos, como en este caso.

—No te conocía esa veta de ironía —repuso él, risueño—. ¿Quién te enseñó?

—La vida, supongo —respondió la muchacha con marcado cinismo.

Aldo bajó la mirada. Sofía, arrepentida de haberse mostrado sarcástica con una de las personas que más quería, concedió:

—Es hermosa, nadie puede negarlo. ¿Cómo la conociste?

—Una de las veces que mamá fue a visitarme a Buenos Aires, invitó a la señora Carmen y a Dolores a tomar el té. Así la conocí.

—Conque mamá... —farfulló Sofía, pero Aldo no la escuchó—. Lo único que tengo que reprocharte —prosiguió— es que no hayas elegido a una cordobesa. No me parece justo, Aldo, después de tantos años de ausencia ahora se te ocurre echar raíces en Buenos Aires porque una porteña te tiene loco. Seguro que, si se casan, los veré sólo para Pascuas y Navidad.

—¡Un momento, señorita! No me tiene tan loco. Y eso del matrimonio está por verse.

Sofía no dijo nada más, levantó la mano con evidente disimulo y sonrió hacia la lejanía. Aldo miró desconcertado y vislumbró entre la maraña de plantas a una joven que se dirigía al otro sector de la casa.

—¿Quién es?

—Francesca, la hija de Antonina, la cocinera. ¿No te acordás de ella?

—Vagamente.

—Francesca es mi mejor amiga —aseguró Sofía.

—Decile que se acerque, quiero saludarla.

—¡Estás loco! —reaccionó la joven—. Si mamá la ve a diez pasos de aquí le larga los perros. No, ni se te ocurra llamarla.

Ante la sorpresa de Aldo, Sofía le explicó:

—No quiere que seamos amigas. ¡Si supiera que lo somos desde hace quince años y que nunca dejaremos de serlo!

Celia interrumpió la conversación con doña Carmen y dirigió un cumplido a su futura nuera y una recomendación para Aldo, que se quedó con las ganas de averiguar algo más sobre la hija de la cocinera. Por iniciativa de la anfitriona, marcharon a sus dormitorios a prepararse para la cena que se serviría una hora más tarde. Aldo se demoró en la galería y siguió con la mirada la figura que se alejaba por el camino de la parra hacia el sector de la cocina. Tuvo suerte, pues alguien encendió las luces al final del recorrido, y pudo ver que se trataba de una muchacha alta, de buenas formas.

«¡Qué hermoso pelo tiene!», pensó.

Francesca se presentó en la cocina y encontró a su madre que, junto a tres criadas, se afanaba en los refinados platos que había exigido la señora Celia en vista de la importancia de las comensales. A pesar de los años, las penas y el trabajo duro, Antonina conservaba las líneas esbeltas de la juventud y la belleza de su rostro siciliano.

—¡Por fin te dignas! —le reprochó a su hija, al descubrirla bajo el dintel.

Antes de seguir con Francesca, ordenó a las criadas que se dirigieran al comedor y pusieran la mesa con la vajilla de loza inglesa, los candelabros de plata, las copas de cristal de Bohemia y el mantel de hilo blanco. Las muchachas salieron mientras seguían cotilleando acerca de la prometida del niño Aldo.

—Discúlpeme, *mamma*, me entretuve con Jacinta y Cívico y, después, estuve un rato con Rex.

La madre reprimió su intención de sermonearla por montar el caballo de la niña Enriqueta, convencida de que era en vano: Francesca siempre hacía lo que quería. Le echó un vistazo y sonrió con orgullo al descubrir en su mirada el carácter seguro e irreverente del padre.

—El señor Esteban se fue a la ciudad, pero antes me anduvo preguntando por el accidente de Onofrio —comentó Antonina—. ¿No te dijo Rosalía que mantuvieras la boca cerrada respecto de lo de Onofrio para no preocupar al señor?

Antonina echó un vistazo furioso a su hija, que la enfrentó sin atisbos de arrepentimiento. «Nunca tendría que haberle contado lo del señor Esteban y Rosalía», se dijo, aunque la tranquilizaba la certeza de que su hija jamás lo daría a conocer. Francesca husmeó las ollas, probó la ambrosía y metió el dedo en la crema pastelera antes de defenderse.

—Que se haga cargo —expresó—. Además, quería alejarlo de los corrales para charlar con don Cívico y montar a Rex. Si hubiera visto, *mamma*, la cara que puso cuando le dije que Onofrio casi se cae del tejado. Apuró al caballo y salió como loco.

Por un rato y mientras Francesca se cambiaba en el dormitorio, Antonina se remontó diez años atrás, y la cocina de la casa de los Martínez Olazábal se materializó frente a ella; en medio, Rosalía, su amiga del alma, y el patrón Esteban enredados en un beso que hubiese abrumado al más experimentado. Se escondió en el lavadero y aguardó a que el señor se marchara. Al regresar a la cocina, notó la sonrisa de satisfacción de Rosalía, que se acomodaba el delantal y se mesaba el cabello desordenado. La miró sin fingir ignorancia. Rosalía, avergonzada, se desplomó en una silla y se llevó las manos al rostro, mientras sollozaba al decir que debía de creerla una cualquiera. A Antonina le costó calmarla y, cuando lo consiguió, le pidió que le contara.

Rosalía Bazán, una atractiva mestiza de Traslasierra, con cautivadores ojos marrones, cabello pesado y oscuro y una figura de tentadoras curvas, abandonó el rancho familiar para huir de una vida que poco a poco acabaría con ella. En Córdoba se empleó como camarera en un bar de mala muerte, que por encontrarse cerca de la zona de los burdeles, atendía a quienes ya habían satisfecho otras sedes. Allí conoció a Esteban Martínez Olazábal, apuesto y simpático, que la cautivó con palabras dulces y maneras de señor. «Me enamoré perdidamente de él», admitió. Tiempo después, Esteban le confesó su compromiso con una dama de la alta sociedad cordobesa, Celia Pizarro y Pinto, a la cual no amaba, según juró. En su simpleza, Rosalía le preguntó por qué se uniría a una mujer que no quería; Esteban no contestó y escondió la mirada. Arrebatada por los celos y la furia de saber cobarde y frívolo a su amante, le espetó que era un mal hombre y que no volvería a verlo.

Meses después, Esteban supo que Rosalía esperaba un hijo suyo. Él ya se había casado con Celia, que también estaba embarazada. Su vida transcurría suspendida entre los recuerdos de su amor perdido y la esperanza del hijo que Rosalía iba a darle. Y pese a que luchó por enamorarse de Celia, la frialdad y superficialidad de su mujer le impidieron siquiera tomarle cariño. Desesperado, hizo acopio de valentía y fue a buscar a Rosalía, que, celosa y herida en su orgullo, lo rechazó. Durante días, Esteban la visitó en el bar sin lograr que cambiase su actitud, pero Rosalía continuaba amándolo, tanto que semanas más tarde le concedió el perdón. La muchacha, que llegó a casa de los Martínez Olazábal con una maleta vieja y un bebé en brazos llamado Onofrio, pasó a formar parte de la servidumbre de la mansión. Nadie supo nunca la verdad, ni siquiera el pequeño, hasta aquel día en que Antonina los sorprendió besándose en la cocina.

Francesca regresó cambiada y aseada. Ni ella ni su madre dijeron nada, cada una siguió inmersa en sus recuerdos y planes, mientras cortaban fruta para la macedonia, condimentaban salsas, glaseaban jamones, batían las claras del merengue italiano y maceraban frutillas.

Sofía entró en la cocina y sorprendió a su amiga por detrás. Hacía semanas que no se veían y, en medio de la emoción, las palabras se les agolpaban desordenadamente. Antonina recibió su porción de cariño sin sorpresas; sabía que Sofía la quería como a una madre, pues, ante el desamor de Celia, la joven se había aferrado casi con desesperación a ella, una mujer simple, más bien ignorante, aunque gentil y cariñosa, que siempre olía a vainilla y a pan recién horneado.

—Comería con ustedes —dijo Sofía—, pero mi madre está de un humor de mil demonios con esto de que mi padre se volvió intempestivamente a Córdoba. Está furiosa porque dice que es un papelón con la señora Carmen y con Dolores, la novia de Aldo. ¿Qué habrá hecho volver a mi padre a la ciudad?

Francesca acompañó a su amiga, pero no se aproximó a la casa: en su mayestática silla de la galería, la señora Celia, cambiada para la cena, hojeaba una revista. Se despidieron al final del camino de la parra y, mientras contemplaba cómo Sofía eludía a su madre y entraba por la puerta lateral, volvió a experimentar la culpa de su gran secreto como una carga pesada que la dejaba casi sin respiración. Hacía tiempo que no se sentía así, lo creía superado, pero esa tarde al ver a su amiga —deliberadamente apartada y absorta, en medio de la algarabía de su familia—, supo con certeza en quiénes pensaba.

Las monjas del colegio 25 de Mayo le habían enseñado a Sofía que debía mantener lejos a los muchachos; las sensaciones de efervescencia y el golpeteo desenfrenado del corazón, sin duda, eran artilugios del demonio. En esos casos, un trago de vinagre y el rosario de rodillas sobre sal gruesa constituían santo remedio para despejar la mente y alejar a Lucifer. Sofía, obnubilada por el atractivo de Nando y por la efervescencia y el golpeteo en el pecho, olvidó el vinagre, el rosario y la sal gruesa, y se entregó sin prudencia. Francesca, que nunca se había enamorado, vivió con excitación el frenesí de su amiga y, confidente de sus aventuras, cómplice de sus escapadas, sintió ansias de amar igual.

Tiempo después, su naturaleza racional la llevó a comprender que los patrones jamás aceptarían a Nando, un muchacho de Mina Clavero que había marchado como tantos otros a la capital en busca de fortuna. Empleado en la oficina de Martínez Olazábal como cadete, aspiraba a reunir dinero para comprar un campo en su pueblo natal y vivir allí con Sofía. «Vos te encargarás de la casa y de los hijos, y yo, de la tierra», le decía. Siempre atento, apuntaba en una libreta todo cuanto escuchaba acerca de vacas, cosechas, semillas, veterinarios, cría y engorde. En la Biblioteca Mayor, la del Rectorado, investigó sobre el suelo cordobés, poco apto para la siembra, excepto al sur, y más propicio para la cría de ganado. Sostenía largas conversaciones con don Cívico cuando éste visitaba la ciudad, «porque sabe más que los libros», le aseguraba a Sofía, y ella lo acallaba con un beso, deseosa de que le hiciera el amor.

Cuando se quedó embarazada, Sofía no supo qué hacer. Temía decírselo a Nando, segura de que la rechazaría, pues un hijo complicaría sus planes de fortuna. Jamás pensó en sus padres, pero al confesarle la verdad a Francesca, juntas concluyeron que no existía otra salida: los señores debían saberlo. «Tu padre te protegerá, Sofi, no te preocupes», la animó Francesca inocentemente y aún pagaba el estúpido consejo con el tormento de la culpa.

La tarde que su amiga entró en el dormitorio de su madre con el gesto de un condenado a muerte, Francesca esperó con la oreja pegada en la puerta. Pronto llegaron los «¡Ramera! ¡Desfachatada! ¡Desvergonzada!» de la señora Celia y los gritos de Sofía. Francesca intervino para evitar que la golpeara y, fuera de sí, le echó en cara a doña Celia mil rencores que se le habían atragantado a lo largo de los años. Estupefacta, la señora Celia reaccionó nuevamente a la voz de su esposo, que, recién llegado, mandó callar a Francesca y le pidió que se retirara. Al salir, fueron los ojos aterrorizados de su amiga lo último que vio.

Sofía permaneció en su dormitorio, del cual sólo la señora Celia tenía llave. Por consejo de Rosalía, que había hablado con Martínez Olazábal, Antonina envió a su hija a pasar una temporada con su tío Fredo. Para Nando fue una sorpresa que el señor Esteban le pusiera un sobre con dinero en la mano y le dijera que no lo necesitaba más. Seguro de que había hecho el trabajo a la perfección, vivió el despido como un cachetazo. Esa misma tarde esperó a Sofía en el portón trasero de la mansión y se asombró cuando Antonina, con la vista llorosa, se aproximó y le dijo que la niña se había ido de viaje por mucho tiempo, que a lo mejor no volvía más. Destrozado, sin trabajo y sin amor, Nando regresó a la pensión de Alto Alberdi, tomó sus misérrimos petates y se marchó a probar suerte en otro sitio.

—Nunca volveré a Córdoba —aseguró—, todo me recuerda a ella.

Sofía partió en un viaje del cual nadie sabía el destino ni la duración. Pasaron días antes de que Esteban autorizara a Francesca a regresar del *exilio,* con el claro mensaje que se mantuviera lejos de la señora Celia y que, por el bien de Sofía, no hablara del «asunto» ni hiciera preguntas. Fue un año duro para Francesca, sola y aturdida por los remordimientos. «Debimos escapar, irnos lejos para tener el bebé. Tío Fredo nos habría ayudado», se reprochaba. Perdió peso, interés en el colegio, no leía —síntoma que alarmó a su madre más que los otros— y pasaba horas en el parque de la mansión caminando y discurriendo en monólogos silenciosos. Nunca recibió cartas de Sofía ni se atrevió a averiguar la dirección para escribirle. Un silencio de muerte ahogó el recuerdo de la menor de los Martínez Olazábal, no se la mencionaba en absoluto y, si a alguien se le deslizaba el nombre, la mirada filosa de Celia destruía el conato de evocación.

Sofía reapareció en Córdoba un año más tarde, y, en el primer abrazo, Francesca supo que tenía el alma quebrada. Sin pronunciar palabra, lloraron en la vieja buhardilla que les había servido de escondite en la infancia. Lo hicieron por el amor perdido, por las culpas que las atormentaban, por el hijo que nunca sería, por el egoísmo y la hipocresía.

—Mi bebé nació muerto, Francesca. Nadie lo quería y él no quiso vivir.

Francesca habría preferido no enterarse de que, en realidad, el bebé, convertido en un paquete, había salido con vida de la casa cercana a París donde Sofía había transcurrido su embarazo, para ser entregado al hospicio en el cual, según arreglos previos, se lo esperaba desde hacía días, pues, según le confesó Esteban a Rosalía, jamás habría admitido un aborto. «No era cuestión de arreglar un pecado con otro», remató el hombre.

A Francesca la verdad le pesaba más que la culpa por el mal consejo, y durante días meditó si debía revelársela a su amiga, pero la mirada ausente de Sofía, su voz insegura y el temblor permanente de sus manos la ayudaron a comprender que, si lo hacía, le asestaría el golpe de gracia a su debilitada cordura. Calló, aunque ignorando si obraba correctamente.

Francesca regresó por el camino de la parra y entró en la cocina, donde su madre le indicó que se pusiera el uniforme; como no quería servir la mesa, lo hizo refunfuñando.

—¿Por qué no le pidió a Paloma que se quedase a ayudarla? No estoy de humor para las impertinencias de Enriqueta; le advierto que a la primera le pongo el plato de sombrero.

Antonina trató de esconder una sonrisa y mostrarse contrariada; le aseguró que no tendría que presentarse en el comedor ni soportar a la niña Enriqueta, se quedaría preparando los platos en la antesala.

Aldo saludó educadamente a Antonina y, más avanzada la cena, la elogió al asegurarle que no había probado tales manjares ni en los mejores restaurantes de París. La mujer, consciente del fastidio que la cortesía del joven provocaba en la patrona, se limitó a asentir con la cabeza, sin levantar la vista.

—¿Qué le decía el señor Aldo? —se interesó Francesca.

—Que le gusta la comida. Es muy amable.

Se asomó al comedor y, por un instante, su mirada se cruzó con la del patrón joven. Se ocultó tras el marco, entre avergonzada y ansiosa. Ese instante, ese cruce fugaz de miradas sin importancia, inexplicablemente, la había afectado sobremanera.

* * *

Más tarde, en la galería, la familia y sus invitadas compartieron el tradicional capuchino con masas. Ya ni Celia hablaba tanto; el cansancio y la noche serena del campo los habían tornado silenciosos; incluso a algunos, melancólicos. Sofía fue la primera en desear las buenas noches y marchar hacia la zona de la servidumbre, sin reparar en la mirada condenatoria de su madre. Luego Celia, que conminó a Enriqueta y a la señora Carmen a imitarla.

Aldo y Dolores quedaron solos. Ella acercó la silla, tomó la mano de su prometido y le susurró que lo veía muy apuesto. Aldo se esforzó por sonreírle y dedicarle a su vez un cumplido. Ciertamente, Dolores, con sus cabellos de oro y esa palidez satinada en las mejillas, poseía una belleza que dejaba sin aliento a más de uno. Sin embargo, eran los ojos negros que acababa de cruzar durante la cena los que mantenían a Aldo más caviloso y parco que de costumbre. Dolores se dio por vencida con claras muestras de hastío de las que su prometido no acusó recibo, pues prosiguió con la vista perdida en la inmensidad del jardín.

—Vamos a dormir, querida —sugirió Aldo—. Estoy cansado. No te importa, ¿verdad?

—Si es eso lo que quieres...

Aferrada al deseo de avivar en su prometido el mismo amor apasionado de ella, Dolores había esperado un acercamiento en el campo, ilusionada con las noches estrelladas, las cabalgatas a lugares vírgenes y con algunas costumbres agrestes que, secretamente, la excitaban. No obstante, resultaba evidente que a Aldo nada lo conmovía. Se puso de pie y marchó al interior de la casa sin aguardarlo.

Ya en el dormitorio, Aldo no pudo conciliar el sueño. El calor, los mosquitos a pesar de los espirales, y el colchón demasiado blando lo obligaron a dejar la cama. Se hallaba inquieto, su cabeza saltaba de un tema a otro. Encendió un cigarrillo y fumó cerca de la ventana. ¿Cómo había llegado a enredarse tanto con Dolores? Encandilado por su belleza, también lo habían cautivado su educación y maneras delicadas; ahora, disipado el fulgor del primer momento, su cercanía llegaba a provocarle auténtico fastidio.

Un ruido en el parque, un sonido a ramas secas que se quiebran, desentonó con el concierto al que se había acostumbrado. Se asomó por la ventana. En medio de la negrura, la figura de blanco que volaba hacia el mirador lo dejó estupefacto. Regresaron a su cabeza las historias de ánimas y espectros que don Cívico le relataba en su niñez. La fantasmal aparición se detuvo cerca de la balaustrada del mirador para luego perderse entre las matas que rodeaban la piscina. Apagó el cigarrillo, se echó la bata encima y abandonó el dormitorio. Cruzó el parque casi corriendo y subió de dos en dos los escalones que conducían a la piscina. El fantasma se había convertido en una hermosa mujer que tentaba el agua con el pie y cantaba a media voz un aria en italiano. Se acomodó tras los arbustos y la observó el tiempo que duró su baño de luna. Esa criatura, entre sobrenatural y terrena, que se movía con gracia dentro del agua, lo hechizó, le hizo olvidar sus problemas y le quitó el aliento cuando se despojó del traje de baño y se envolvió en la bata blanca. Y al cubrirse con la capucha, volvió a ser el ánima que lo había guiado hasta allí y que ahora se perdía en la oscuridad del camino de la parra.

CAPÍTULO
II

La noche siguiente —a pesar de las quejas de su madre—, Francesca volvió a la piscina. Aquélla era una aventura que repetía año tras año desde su niñez, que había comenzado como un desafío a la autoridad de la señora Celia y que ahora la atraía por el encanto de las noches y la paz que hallaba. Antes de tomar su baño, dispensó unos minutos para admirar el reflejo de la luna sobre el agua, que la teñía de un gris plateado. Miríadas de luciérnagas se encendían entre los setos, algo a lo que estaba acostumbrada, pero que siempre le resultaba mágico. El croar lejano de las ranas se confundía con el gorjeo de las lechuzas; también los sapos revelaban su presencia y se atrevían a acercase a la piscina y, aunque Francesca les tenía aprensión, no los molestaba; don Cívico le había explicado lo útiles que eran para el control de plagas.

El agua se había templado durante la jornada calurosa, y la encontró agradable. Caminó desde la parte baja hasta sumergirse por completo en la profunda, donde permaneció quieta y con los ojos cerrados; emergió agitada, la cabeza le retumbaba y necesitó segundos para volver a percibir los sonidos nocturnos. Nadó de un extremo al otro, a veces de espaldas para admirar el cielo que se le presentaba como una cúpula gigante y oscura. Cruzó la piscina bajo el agua una vez más y, al emerger cerca de las escalerillas, dos pies la aguardaban. Recorrió la figura que se proyectaba frente ella, y sus ojos se toparon con los del señor Aldo. La respiración fatigosa por el esfuerzo y el corazón palpitante jugaron en su contra y no pudo hablar.

—Hola —saludó Aldo, y Francesca no discernió si lo hacía con sarcasmo o con amabilidad.

—¿Qué hace aquí? —inquirió ella, y la pregunta sonó más impertinente de lo que habría deseado.

—¿No te parece que soy yo quien debería preguntarte eso?

—Permiso —dijo Francesca, y salió de la piscina.

Aldo la siguió con la mirada mientras ella caminaba en busca de la bata. De cerca, le pareció más hermosa aún. Francesca se cubrió, se calzó a medias las zapatillas y se dirigió hacia el parque. Aldo le salió al cruce antes de que alcanzara las escaleras.

—¿Adónde vas? —dijo.

—Mire, señor —empezó Francesca—, quizá esto sirva para que, de una vez y por todas, su madre despida a la mía y yo pueda llevármela lejos de su familia.

—¿De qué estás hablando?

Francesca relajó el ceño y Aldo le sonrió con evidente simpatía.

—¿Pensabas que iba a decírselo a mi madre? Te equivocás... ¿Francesca, verdad? Así te llamás, ¿no es cierto?

—Francesca De Gecco, señor.

—Yo soy Aldo, el hermano de Sofía.

—Lo sé.

—Sí, claro.

—Buenas noches —saludó Francesca, e intentó sortearlo.

—¡Esperá! —prorrumpió él, y la tomó por el brazo—. ¿Por qué te vas?

—Esto ha sido una imprudencia, señor. Prometo que no volverá a repetirse. En realidad, es usted muy amable al no delatarme con la señora Celia. No volveré a usar la piscina, se lo aseguro. Buenas noches. —Intentó zafarse, pero Aldo la retuvo con tozudez.

—Podés usar la piscina todas las noches, es más, me gustaría que siguieras viniendo. Parecés disfrutarla mucho, te estuve observando.

—¿Se burla de mí, señor?

—¡No! ¿Cómo se te ocurre? —Luego, con menos bríos, Aldo añadió—: Me pregunto cómo deben de haberte tratado en mi casa para que tomes una muestra de cortesía como un insulto.

—Soy la hija de la cocinera, señor. He recibido el trato que corresponde. Ahora, le suplico, déjeme ir, mi madre debe de estar preocupada.

—¿Volverás mañana?

—Ya le dije que no.

—Te lo ordeno —bromeó Aldo, y sonrió ante el gesto de Francesca—. Regresá mañana, nadie lo sabrá y podrás usar la piscina el tiempo que desees, te lo aseguro.

Francesca sintió que la presión en su brazo cedía, mientras Aldo le indicaba con un gesto galante el camino hacia el parque. Al llegar al dormitorio, su madre la recibió preocupada y volvió a sermonearla por su temeridad.

—¿Por qué tardaste tanto? —quiso saber, a punto de perder los estribos.

—El agua estaba deliciosa, y nadé un poco más, eso es todo —mintió.

Al día siguiente el anhelo por regresar a la piscina no tenía nada que ver con el agua cálida ni con el encanto de la noche y, pese a que trataba de combatir el deseo, rogaba que el señor Aldo apareciera nuevamente.

Ayudó a su madre a servir la cena en la antesala sin atreverse a espiar el comedor, aunque, atenta a las voces, descubrió que Aldo apenas si lanzaba monosílabos. Luego, en la galería, la familia jugó a la canasta y tardó más de lo usual en retirarse a dormir. La última luz de la casa grande se apagó y Francesca emprendió su carrera hacia la piscina.

Aldo ya se encontraba allí, incluso había tomado un baño y, recostado sobre la laja, con las manos bajo la cabeza, contemplaba el firmamento. Se puso de pie de un brinco al escucharla y salió a recibirla con una sonrisa.

—La idea de los baños de luna me sedujo —comentó, para romper el hielo—. ¿No te importa que haya venido?

—Pero, señor, ¿qué dice? Si la piscina es suya.

—No me llamés señor, me hacés sentir viejo. Llamame Aldo.

—De seguro sólo puedo llamarlo por su nombre de pila si estamos solos —espetó Francesca, con una ironía que lamentó de inmediato.

—Me apena el rencor que sentís por los míos; sé que mi madre puede ser muy dura si se lo propone.

No volvieron a hablar por un buen rato. Cada uno se mantuvo aparte, como si se hallaran en absoluta soledad, aunque la presencia del otro, rotunda como la de la luna llena en el cielo, los puso nerviosos e incómodos. Aldo habló primero, comentó algo sobre la belleza de los árboles, y Francesca asintió con la cabeza. La cortedad de su respuesta la obligó a pensar en un comentario; explicó, entonces, que esos eucaliptos habían sido plantados hacía casi cien años por el primer dueño de Arroyo Seco, un tal Pedro de Ávila. Aldo le confesó que poco sabía de la historia de su propia estancia; entonces, Francesca le refirió lo que don Cívico le había contado.

Volvieron a encontrarse noche tras noche. La incomodidad del primer momento se diluía y una confianza de viejos amigos tomaba su lugar. Las charlas se prolongaban hasta muy entrada la madrugada y, si bien ninguno lo admitía abiertamente, les costaba una inmensidad despedirse. Habrían deseado perpetuar la noche, que el sol nunca volviese a salir, que no existiera nada, excepto ellos, la piscina y la oscuridad que los ocultaba de aquellos que jamás aprobarían su amistad.

Francesca notó que Aldo era un joven triste y, cuando se animó a mencionárselo, lo tomó por sorpresa, pues, según dijo, nunca se había detenido a pensar en ello. Admitió una personalidad melancólica y más bien solitaria, que justificó como herencia de familia.

—Pues yo estaría muy triste si mi madre fuera como la suya —aseguró Francesca, sin visos de insolencia.

Aldo se quedó atónito y, en vez de ofenderse, soltó una corta carcajada que Francesca interpretó como el desacuerdo a su afirmación. Sin embargo, el muchacho terminó por reconocer que su madre era frívola y desapegada.

—En cambio, tu madre —continuó— es una mujer maravillosa. Al menos, así lo cree Sofía, que la quiere muchísimo. Te envidio —concedió, finalmente.

—A pesar de ser estricta y poco complaciente, mi madre es lo que más quiero en este mundo. Cuando enviudó, yo tenía seis años. Estaba sola, en un país que no conocía, casi no hablaba castellano. No tuvo miedo y salió adelante. Claro que hubo amigos que la ayudaron. El padre Salvatore, al que mi madre conocía de Sicilia, la recomendó para el trabajo en su casa. Pero sobre todo mi tío Fredo, él fue quien más nos apoyó.

—¿Hermano de tu padre? —se interesó Aldo.

—No. En realidad, no hay lazo de sangre entre nosotros. Mis padres y tío Fredo se conocieron en el barco que los trajo de Italia. Se hicieron muy amigos, y cuando yo nací, lo nombraron mi padrino. Después de mi madre, es la persona que más quiero.

La mirada de Aldo se ensombreció con unos celos inexplicables.

Esa noche habían jugado como niños a las carreras en el agua. Más tarde, agitados y plenos de vida, sentían una felicidad novedosa que los hacía reír de tonterías, comentar nimiedades y desear ocultamente que el tiempo no pasara. Para ambos, las mañanas se habían vuelto insoportables, preludios de largas horas de espera que nunca morían.

—Estoy famélico —admitió Aldo, y se tendió al lado de Francesca—. Me contó Sofía que sabes cocinar tan bien como tu madre. Vamos a la cocina y me preparás algo, ¿qué te parece?

La idea la tomó por sorpresa. La piscina, apartada de la casa grande y oculta tras los setos, los protegía de la hostilidad externa; pensar en violar ese ámbito y adentrarse en zonas prohibidas le provocó un mal presagio.

—¿Qué te pasa? —preguntó Aldo, con ternura—. Si no tenés ganas, no vamos.

—No se trata de eso. Es que si alguien llega a vernos... Bueno, podría malinterpretarlo.

—Nadie va a vernos, todos duermen —aseguró Aldo, y le tendió la mano—. Vamos.

En la cocina, Francesca le sirvió un poco de la cena y preparó una ensalada de tomates y aceitunas que condimentó con aceite de oliva, orégano, pimienta negra y sal. Mientras lo disponía todo, la extrema atención de Aldo sobre ella la mantenía en vilo y, sin levantar la vista, prosiguió como un autómata su tarea, simulando empeño y concentración.

Aldo devoró la comida en silencio. Francesca, con un peso en el estómago, apenas se llevó dos trozos de carne a la boca; en cambio, se dedicó a contemplar al hombre que tenía enfrente, joven y hermoso, de maneras galantes, las de un caballero, se dijo. Tenía la mirada clara y los cabellos rubios, cortos y prolijos. ¿Qué estaba haciendo en la cocina con el hijo de los patrones? ¿Y cada noche en la piscina? ¿Qué esperaba? ¿Había enloquecido? Sí, se había vuelto loca, loca de amor por Aldo. «Aldo, amor mío», pensó, y dejó la mesa para que sus ojos no la delataran.

—Voy a lavar los platos. Mi madre podría sospechar —dijo, dándole la espalda.

—¿Por qué? ¿No le contaste de nuestros encuentros?

—Jamás lo aprobaría. ¿Acaso se lo contó usted a la suya?

Aldo rió por lo bajo. Apuró el último trago de vino, encendió un cigarrillo y se estiró en la silla. Fumó lentamente, saboreando el tabaco, complacido por la brisa fresca con olor a rocío que entraba por la ventana y por el simple hecho de encontrarse allí. Un impulso lo llevó a dejar la mesa y a aferrar la cintura de Francesca, que soltó lo que lavaba. Le apartó el cabello y le besó la nuca.

—Estoy loco por vos —susurró.

Francesca cerró los ojos y respiró profundamente, abrumada por el contacto íntimo, feliz por la confesión. Su cuerpo, lleno de sensaciones novedosas, la obligó a voltear. Aldo la apretó contra su pecho y la besó en los labios.

—Francesca, amor mío, decime que me amás —imploró, hundido en su cuello.

—Sí, sí, te amo —juró ella, y volvió a sentir esos labios anhelantes sobre los suyos.

Aldo esgrimía excusas inverosímiles para ausentarse gran parte de la tarde, y a la noche culpaba al cansancio para retirarse a dormir, aunque la ansiedad que revelaban su voz y sus movimientos no se condecía con el agotamiento en el que insistía.

Dolores sospechaba que había otra. ¿Quién, allí, en medio del campo? La hija de algún peón quizá. No se preocuparía entonces; pronto la dejaría y volvería a ella. Sin embargo, la traición la mortificaba y le arrancaba lágrimas por las noches. Después de todo y tras dejar a un lado principios y creencias, se había entregado a él para satisfacerlo incluso en sus instintos más bajos. ¿Por qué buscaba en otra lo que ella ya le había dado?

A la hora de la siesta, Francesca montaba a Rex y esperaba a Aldo cerca del tanque australiano, y juntos, él sobre su alazán, recorrían lugares fascinantes por los que ella no había incursionado en veranos anteriores. Las tardes les resultaban cortas y, en el consuelo de la noche en la piscina, se despedían con esfuerzo en una tormenta de besos febriles y promesas de amor eterno.

Aldo tenía la felicidad entre las manos por primera vez. No recordaba los años de desdicha inconsciente. El desapego de su madre, la indiferencia de su padre, el pupilaje en el La Salle y los días de desarraigo en París, que le habían moldeado un espíritu resentido y triste, nada de eso contaba: ahora existía Francesca, tan real como esa desdicha que había acarreado por largo tiempo sin darse cuenta. Podía aspirar a la felicidad, la vida le había levantado la condena y le extendía la mano con una oportunidad.

Por su parte, Francesca se preguntaba cómo enfrentaría a los Martínez Olazábal si ni siquiera reunía el coraje para contárselo a su madre o a Sofía. «Jamás me aceptarán», se desalentaba, a pesar del entusiasmo de Aldo. Ella siempre sería la hija de la cocinera para la señora Celia. No contarían su educación, tan esmerada como la de Sofía o la de Enriqueta, ni su cultura, adquirida tras años de lectura incansable, ni su comportamiento y maneras elegantes; en fin, no contaría aquello que valorarían si su origen fuese otro. ¿Y Aldo? ¿Qué pensaba él? Le juraba de mil maneras que la amaba sobre cualquier cosa, que nada contaba excepto ella y, pese a que se aferraba a esas palabras encendidas, su naturaleza analítica no cejaba de alertarla, en especial, por la presencia tan cercana y real de Dolores Sánchez Azúa, la prometida oficial. Aldo no la mencionaba y Francesca se mordía la lengua antes de preguntar, porque, aunque sospechaba que él no la quería, al menos no como a ella, temía descubrir que finalmente Dolores sería la señora Martínez Olazábal y ella, la Rosalía Bazán del cuento.

Todas las noches, Enriqueta se llevaba la botella de whisky de su padre al dormitorio y, prácticamente ebria, lograba dormirse. Esa noche, más sobresaltada que de costumbre a causa de otra discusión con su madre, había optado por la sala a oscuras y, echada sobre el diván, bebía a ritmo regular.

Algo andaba mal, podía sentirlo; la vida le pesaba como plomo en las espaldas y no hallaba el sentido de empezar y terminar un día. «¿Qué mueve a la gente a levantarse por las mañanas?», se preguntaba. Por un tiempo, la idea de estudiar Bellas Artes la había entusiasmado. Sin embargo, la negativa rotunda de su madre se repitió con constancia, más allá de los ruegos pacientes y mesurados o de la furia que desató como último recurso para batallar por su vocación. Pensó en fugarse y desistió más tarde, acobardada. Abandonó la lucha y optó por la sumisión antes que quedar sola en un mundo que no conocía y para el cual nadie la había preparado.

Por eso envidiaba a Francesca, porque era libre. Desde pequeña, su desenfado y atrevimiento la habían hecho atractiva a los ojos de todos: Esteban Martínez Olazábal le dispensaba atenciones que no tenía con sus hijos; Miss Duffy, la institutriz, le enseñaba inglés y la protegía en sus travesuras; Sofía experimentaba un encandilamiento que los años no le habían quitado; y, entre todos los demás, destacaba Alfredo Visconti, el famoso tío Fredo, a quien Enriqueta amaba secretamente desde la adolescencia. Su aversión por la hija de la cocinera no la halagaba en absoluto pues resultaba estúpido engañarse: le habría gustado ser como Francesca.

Inmersa en sus cavilaciones, escanciaba el whisky sin respiro y, a medida que se repetían las copas, una somnolencia la hundía en el diván y le embotaba los sentidos. La luz de la galería se escurría por una ventana y bañaba el retrato de su padre y de su madre el día de la boda; serios y enhiestos, no se tocaban, parecían desconocidos. Enriqueta sonrió lastimosamente.

Un ruido atrajo su atención. Dejó la botella a un lado y se incorporó con dificultad. ¿Aldo? ¿Aldo levantado a esas horas, paseando por la sala? ¿Qué llevaba en la mano? ¿Una toalla? Permaneció en silencio, mortificada ante la posibilidad de que su hermano la descubriese bebiendo, pues aunque la familia conocía su debilidad, nadie la mencionaba.

Aldo abrió la contraventana con sigilo y salió. ¿Por qué volvía al jardín si acababa de entrar después de un paseo con Dolores? Le resultó extraño y decidió seguirlo. Al incorporarse comprobó que la bebida había comenzado a surtir efecto; con todo, aún podía mantenerse en pie. Desde la galería vio a su hermano perderse entre los arbustos que bordeaban la piscina. ¿Por qué iría a la piscina en la madrugada? Jamás lo había atraído, ni siquiera de niño, cuando prefería leer en el dormitorio.

Enriqueta cruzó el parque y alcanzó la escalerilla que conducía a la alberca. Al alcanzar el último escalón, levantó la vista y debió sostenerse de la baranda para no sucumbir a la conmoción: Aldo besaba apasionadamente a Francesca, que respondía con igual vehemencia. El whisky le había alterado las facultades y ahora alucinaba. Se restregó los ojos y la escena se le presentó más nítida aún. La risa pícara de Francesca le crispó los oídos y la mirada encendida de Aldo chocó con la imagen timorata y silenciosa que desde pequeña se había formado de él. El último de los Martínez Olazábal había caído bajo el hechizo de Francesca De Gecco.

Un primer impulso casi la precipita a revelar su presencia, pero, ante la maliciosa idea de dejar el asunto en manos de su madre, calló y volvió a la casa.

Los ronquidos de Celia la amilanaron y pensó en no despertarla. Luego, animada por la noticia que le traía, tomó coraje y la llamó.

—¿Qué pasa, Enriqueta? —la voz de Celia sonó dura y la joven dio un paso atrás.— ¡Apestás a alcohol! ¡Estás borracha! ¡Salí de aquí!

La mirada de Enriqueta se nubló, pero prefería morir antes que llorar frente a su madre. No se lo había permitido de niña, menos aún a los veinticuatro años.

—Tengo algo importante para contarle —manifestó, y la seguridad de su propia voz le dio ínfulas—. No se va a arrepentir de escucharme.

—¿No puede esperar hasta mañana? ¡Las cuatro y media de la madrugada! —exclamó, y soltó el despertador.

—Es algo muy importante —insistió, y el tono de intriga atrapó la curiosidad de Celia.

—Bueno, contame de una vez y dejame dormir.

Enriqueta detalló cuanto había presenciado en la piscina entre Aldo y Francesca, con pormenores que la obligaban a ocultar la vista y bajar la voz para fingir vergüenza. Su madre la instaba a proseguir con un anhelo morboso.

—Y, mamá, ¿qué vamos a hacer? —preguntó, terminada la confesión.

—Vos, nada —espetó Celia—. Ahora te das un baño para quitarte el olor a whisky y te vas a la cama a dormir un rato. Parecés un cadáver.

—Pero, mamá...

—Y más vale que mantengas la boca cerrada sobre este asunto. Si alguien se entera, será por tu boca, y te las tendrás que ver conmigo.

Enriqueta abandonó la habitación de su madre con el rostro desencajado por el llanto reprimido; en la esperanza de una palabra amable, un «gracias, hija», el desprecio de Celia la había humillado profundamente. Llegó a su dormitorio y se echó a llorar.

Celia, ajena al tormento de Enriqueta, se concentró en la revelación, peligrosa ahora que sus planes tenían sólo un nombre: Dolores Sánchez Azúa. Si Aldo fuera mujeriego, sabría que el interés por la hija de la cocinera pasaría pronto; pero conociendo la naturaleza sensible de su primogénito, lo creía capaz de enamorarse de una cualquiera y olvidar los deberes para con el apellido que portaba.

—¡Muchacho estúpido! Caíste como un idiota en las redes de esa arpía.

Una furia ciega se apoderó de ella y habría golpeado a Francesca de tenerla enfrente.

—¡Francesca, *figlia,* levantate! —ordenó Antonina—. Vamos, *gioia mia* —probó, en un tono más dulce.

Antonina sabía que su hija se había acostado entrada la madrugada. Cada noche, las escapadas se prolongaban riesgosamente. De todas formas, ¿quién podía verla a esa hora? Parecía disfrutar tanto, con una vitalidad y energía envidiables: el campo, las cabalgatas sobre Rex, las noches en la piscina. La contempló serenamente, y la lozanía y la salud de Francesca volvieron a insuflarle ganas de vivir, como siempre desde la muerte de su esposo Vincenzo.

—Por fin, ¿vas a despertarte?

—*Cosa c'è, mamma?* —preguntó Francesca, con impaciencia, medio dormida—. ¡Qué temprano! —se quejó, al echar un vistazo al reloj.

—La señora Celia ha decidido que vos y yo volvamos a Córdoba, hoy mismo, ahora mismo. El chófer nos está esperando en el automóvil.

Francesca se sentó en el borde de la cama, confundida.

—¿Tenemos que volver a Córdoba? ¿Por qué? El verano no ha terminado aún.

—No sé, Francesca. Hace unos minutos la señora vino a decírmelo y, por lo que pude entender, vos y yo nos marchamos, el resto de la familia se queda. Paloma se hará cargo de la cocina en mi lugar.

—No quiero irme —rezongó Francesca, que de inmediato vislumbró las consecuencias de la decisión—. Todavía tengo algunos días de vacaciones antes de regresar al periódico, ¿por qué tengo que volver?

—Esto no es un hotel. Aquí es donde trabaja tu madre y vos estás aquí porque el señor Esteban lo permite con la condición de que me ayudes. Ya eres lo suficientemente grande para entenderlo.

Antonina disfrutaba el campo, pero quería volver a la ciudad y reencontrarse con sus amigos: Rosalía, Ponce, el jardinero, y Félix, el mayordomo. Además, en los últimos días, una incómoda ansiedad alteraba sus jornadas en Arroyo Seco, usualmente tranquilas y placenteras, al recordar a Fredo.

Francesca se vistió rezongando y echó su ropa dentro del bolso con rabia. La señora Celia tenía la extraña cualidad de arruinar las cosas buenas. Con lo intempestivo de la partida, no se despediría de Cívico ni de Jacinta y no volvería a montar a Rex hasta el año siguiente. La rabia cedió un instante y la tristeza le nubló la mirada al colegir que no vería a Aldo en semanas; esto en el mejor de los casos, pues si él decidía regresar a Buenos Aires sin pasar por Córdoba, no tenía idea de cuándo volvería a verlo.

Francesca se sentó en la cama y apretó las mandíbulas para no llorar.

CAPÍTULO III

Aquella tarde de enero de 1961, Alfredo Visconti terminó de dictar la carta a Nora, su secretaria, y le indicó que podía retirarse. La mujer lo contempló brevemente, tomó las notas y se marchó. Alfredo se estiró en la butaca y puso los pies sobre el escritorio. Pensó en los sucesos del país, que conocía al dedillo y de los cuales se había convertido en cronista muchos años atrás. En esa instancia, como director de *El Principal*, el diario de mayor tirada de la provincia de Córdoba, conocía sus posibilidades, que sobrepasaban los lindes de una simple crónica, para formar opinión y comunicar ideologías. Entre sus colegas, no sólo de Córdoba sino de Buenos Aires y países limítrofes, Alfredo gozaba de respeto y admiración fundados en su inteligencia y sagacidad, y también en sus valiosos contactos y fuentes que habían demostrado su peso en varias ocasiones, como aquella vez en el 51 cuando realizó algunos llamados telefónicos a *La Prensa*, el periódico porteño más hostil al régimen peronista, para advertirles que se gestaba una represalia feroz contra ellos.

—¿De qué hablás, Fredo? —había inquirido, casi con sorna, Gonzalo Paz, el director.

—Paren la mano —había aconsejado él—, los peronistas no se están con vueltas. Ellos manejan otros códigos, Gonzalo. Eva los tiene marcados y no descansará hasta aplastarlos, literalmente hablando. Lo sé de buena fuente, creéme.

Semanas más tarde, entrado el mes de marzo, el histórico edificio de *La Prensa* sobre la avenida de Mayo ardió desde los sótanos repletos de papel y elementos inflamables. Completamente destruido, el tradicional periódico de los Paz, la aristocrática familia porteña que, según Eva Duarte, encarnaba a la oligarquía *vendepatria*, detuvo sus rotativas y cerró sus puertas. Un mes más tarde, le asestaron el golpe de gracia a través de una ley por la cual fue expropiado.

Alfredo giró la butaca y clavó la vista en un óleo colgado detrás de su escritorio: la Villa Visconti, en la región del Valle d'Aosta, al norte de Italia, a un paso de Francia y de Suiza. Esa villa conservaba los mejores recuerdos de su infancia y primera juventud. La belleza del paisaje realzaba la imponencia del palacete que por generaciones había pertenecido a los Visconti, de las familias más arraigadas de la zona. La mano maestra del pintor había plasmado en el lienzo la majestuosidad de los Alpes en contraste con el límpido cielo y el verde esmeralda que circundaba la casa paterna.

Suspiró. La manera en que su padre, Giovanni Visconti, lo había perdido todo, incluso el honor, constituía su más doloroso recuerdo, que pese a los años, no lograba olvidar ni perdonar. Después de la muerte de su esposa, a la que Alfredo apenas recordaba, Giovanni, presa de la desesperación, cayó bajo el influjo de la bebida y, tiempo más tarde, del juego. Dilapidó la fortuna sin consideración por sus hijos ni por su apellido. Los amigos de la familia comenzaron a excluirlos de las tertulias, se cruzaban de acera y los miraban de reojo.

En la ruina, devastado moralmente, Giovanni se suicidó. Sus hijos, Alfredo y Pietro, dos jovenzuelos asustados e inexpertos, liquidaron lo que quedaba de la fortuna y huyeron de la ciudad, agraviados injustamente. En Génova se embarcaron en el *Stella del mare* y abandonaron Italia con alivio. Alfredo llegó a la Argentina a los veinticuatro años y se asentó en Córdoba. Pietro, más propenso al ruido y a la grandiosidad, prefirió Buenos Aires, donde murió tres años más tarde a causa de una extraña infección en la garganta. La muerte de su hermano golpeó duramente a Alfredo, que no se habría sobrepuesto de no existir para esa época la pequeña Francesca.

Conoció al siciliano Vincenzo De Gecco en la cubierta del *Stella del mare,* y sorprendido por su sensatez y prudencia, se sintió atraído también por la fuerza y el empeño con los que pensaba hacer frente al mundo, muy adverso en ese momento. Al igual que él, Vincenzo había huido de su pueblo natal, Santo Stefano di Camastra, un villorrio al norte de la isla, a orillas del mar Tirreno, donde sólo se esperaba de él que se dedicara a la pesca. Entre otros conflictos, la familia no aceptaba a su prometida, Antonina D'Angelo, oriunda de un pueblo cercano enemistado ancestralmente con Santo Stefano. La joven de diecinueve años, huérfana, criada por una vieja tía, no dudó en escapar a Palermo aquella noche con su amado, desde donde marcharon hacia Génova tras contraer matrimonio. Allí se embarcaron en la primera nave que los llevase a la Argentina, de la cual tanto habían escuchado.

Alfredo estaba seguro de que Vincenzo jamás había completado su educación; sin embargo, demostraba avidez por el conocimiento y devoraba cuanto libro caía en sus manos. Vincenzo se aferró a Fredo, como lo apodó, al descubrir en él al hombre culto y refinado que le habría gustado ser. Tiempo después, ya instalados en Córdoba, se hermanaron en el dolor del desarraigo y en la añoranza de la patria.

Alfredo no conoció a la esposa de su amigo sino hasta varios días después; el primer tiempo de navegación, la joven permaneció en el camarote atacada de náuseas y mareos que la mantenían postrada en la litera, a dieta de té y galletas marineras.

—El movimiento del barco y su embarazo no le dan respiro —explicó Vincenzo.

En una siesta, Alfredo salió a cubierta para aprovechar la soledad del momento. Caminaba con la vista perdida en el horizonte y la mente llena de cuestionamientos, y allí la vio, de perfil, levemente reclinada sobre la barandilla, con una palidez en el rostro que se acentuaba por el carmesí de sus labios y el negro de sus cejas. La delicadeza de los rasgos armonizaba con el resto del cuerpo, menudo y bien formado. Decidido a conocerla, dio unos pasos, pero se detuvo súbitamente al ver a Vincenzo que se le acercaba y la tomaba por la cintura. La jovencita se dio vuelta y le echó los brazos al cuello.

Alfredo dejó la butaca con una exclamación de hastío y caminó en círculos. ¡Ah, cómo amaba a Antonina! Más de veinte años no habían podido con ese amor que lo había atormentado doblemente, por la traición que encarnaba y por la indiferencia de Antonina, que sólo tenía ojos para su esposo. Ni siquiera después de la muerte de Vincenzo, seis años más tarde de la llegada a Córdoba, Alfredo se atrevió a confesarle la pasión que lo consumía, pues resultaba evidente que la desaparición de Vincenzo no había borrado la adoración que Antonina sentía por él.

Le pareció escuchar la voz de Francesca en la antesala. Sacudió la cabeza, desilusionado: la confundía con la de otra persona, aún faltaban días para su regreso del campo. «Francesca», dijo para sí, «¿qué sería de mi vida sin tu cariño?». Había permanecido en Córdoba por ella, pese a saber que el dinero y el poder del país se hallaban en Buenos Aires. Pietro, bien asentado en la gran capital, lo instaba a mudarse con él. Habría sido sensato aceptar la propuesta de su hermano y ahorrarse años de martirio voluntario cerca de una mujer a la que amaba desesperadamente y de la cual sólo obtenía amistad. Pero Francesca, que llegó a este mundo para iluminarle la oscuridad y arrancarle una sonrisa cada vez que se lo proponía, se convirtió en su razón de vivir. Desde la primera vez que la tuvo entre sus brazos, un lazo fuerte como el de la sangre los unió, y harto de mendigar cariño y nunca obtenerlo, a Fredo le complació que la relación con su ahijada fuera recíprocamente intensa; sabía que, frente a las pérdidas de los seres queridos y a las adversidades del destino, los dos se habían buscado con el mismo ahínco.

Francesca saludó a Nora, secretaria y amante de su tío desde algún tiempo. Un pañuelo de seda y, días después, un par de aretes en el departamento de Fredo le recordaron que se los había visto a Nora en la oficina. Y, si bien con su tío platicaba libremente y sin tapujos, no pudo mencionárselo, avergonzada y celosa como estaba. En un principio canalizó la rabia hacia Nora, que, de hecho, le parecía una joven bonita, inteligente y simpática. La saludaba adustamente, no le pasaba los mensajes y le escondía papeles y expedientes. Hasta que encontró a Nora llorando a mares en el baño del periódico. La secretaria le contó que había perdido un documento importantísimo que el señor Visconti le reclamaba desde la mañana.

—¡Yo lo dejé en el archivero ayer antes de irme! —exclamó—. Si no aparece ese papel, me va a matar, perderé mi empleo.

Francesca corrió a su escritorio, tomó el mentado documento del cajón y lo devolvió al archivero, disimulándolo entre otros papeles. Apareció Nora con la nariz enrojecida y los ojos hinchados. Por iniciativa de Francesca, vaciaron cajas, cajones, estantes y carpetas hasta dar con el documento. Nora experimentó una alegría y alivio inefables; se abrazó a Francesca, que, tiesa, le aseguraba que no había hecho nada del otro mundo, sólo volver a revisar con cuidado y tranquilidad.

—Ahora sé por qué tu tío te quiere tanto —afirmó la secretaria, en un rapto de sinceridad.

«Después de todo, tío Fredo tiene derecho a enamorarse», aceptó Francesca a regañadientes, con los celos aún a cuestas. Cambió su actitud con Nora: la saludaba con cortesía e, incluso, en ocasiones, le daba charla. Sin embargo y pese al esfuerzo que hacía por tomarle cariño, no veía feliz a Fredo, sus ojos continuaban tristes y su andar, cansado.

Entró en el despacho de su tío sin llamar. Sorprendido y feliz, Fredo la envolvió en su pecho y le besó varias veces la coronilla. Hacía tiempo que había descubierto que el rostro de su tío se iluminaba al verla y que el tono de su voz, usualmente monocorde y apagado, se le aclaraba. También lo había notado en presencia de su madre.

—¡Qué sorpresa! —repitió el hombre por enésima vez—. ¡Faltaban tantos días para que regresaras!

—Ni tantos, tío. Sólo una semana.

—Para mí, demasiado. ¿Por qué volviste antes? ¿Ya te aburrieron tus amigos del campo?

—No, ni en mil años —aseguró—. Como siempre, la señora Celia arruinándolo todo. No sé qué nueva chifladura se le cruzó por la cabeza, pero esta mañana, tempranísimo, nos dijo que nos volviéramos a Córdoba.

—Ah, entonces tu mamá también regresó —expresó Fredo.

—Sí, ella también —afirmó Francesca, y agregó—: ¡Estoy tan desilusionada! No pude despedirme de Jacinta ni de Cívico. Espero que Sofía les explique lo que sucedió, si no, se ofenderán. Y tampoco me despedí de Rex. ¡Ay, tío, qué desilusión!

Aunque por un instante la asaltó el deseo de hablarle de Aldo, se detuvo y guardó silencio.

Aldo se vistió de mal humor. Eran las ocho de la mañana y apenas había conciliado el sueño tres horas atrás después de haber dado vueltas en la cama con el cuerpo aún excitado por el recuerdo de Francesca. La deseaba, la amaba.

El rostro de Dolores se le apareció como un relámpago y arrojó lejos una bota. «¡Jamás debí tocarle un pelo!», exclamó, para sus adentros. ¿Cómo haría para romper el compromiso después de haberla llevado a la cama, a ella, una joven tan aferrada a sus creencias? Sería un escándalo familiar. Sus padres, en especial su madre, querían emparentarse con los Sánchez Azúa, pues según decían, las dos fortunas unidas constituirían una de las más poderosas del país. No resultaría fácil romper con la heredera y casarse con la hija de la cocinera.

En medio del dilema, Aldo recordó que Celia había mandado por él. Terminó de vestirse y salió del dormitorio. Lo inquietaba la idea de una reunión a solas con ella. Desde niño, su madre lo había atemorizado; ahora, veintiocho años después, se avergonzaba al reconocer que seguía albergando el mismo sentimiento cobarde. La mirada de Celia poseía el talento de amedrentarlo como pocas cosas en el mundo; el rictus de su boca, entre despectivo y amargo, le ponía la mente en blanco. Recordaba con honda tristeza haber preferido el pupilaje del La Salle a convivir con ella. «Pues yo estaría muy triste si mi madre fuera como la suya». La sinceridad inocente y sin malicia de Francesca le arrancó una sonrisa. «Es cierto», pensó Aldo, «pero ahora que te tengo, nada me importa, excepto que seas mía». Llamó a la puerta.

—Hoy quiero que lleves a Dolores y a su madre a conocer Alta Gracia —ordenó Celia, apenas su hijo entró en el dormitorio—. Pasan la noche en el Sierras, se divierten en el casino y regresan mañana.

Aldo la miró estupefacto. ¿Desde cuándo su madre decidía acerca de sus actividades? Dispuesto a replicar, avanzó unos pasos. Celia arremetió nuevamente y lo paró en seco.

—La tenés abandonada a Dolores. Carmen me lo hizo notar ayer, muy consternada.

—No creo que ni usted ni la señora Carmen deban inmiscuirse en mis asuntos con Dolores. Ambos somos mayores de edad y sabemos lo que queremos.

Celia levantó una ceja y sonrió sarcásticamente.

—Así que vos sabés lo querés, ¿verdad? ¿Y qué querés? ¿Embarazar a la hija de la cocinera y tener un bastardo de ella?

Aldo se sintió enfermo y no supo replicar. El miedo atávico que se esparció como veneno en su cuerpo lo dejó inerme y anuló el coraje que había experimentado antes de entrar en la habitación.

—El jueguito con la chirusita terminó y quiero que mañana mismo, cuando regreses de Alta Gracia, anuncies la boda con Dolores; a más tardar, para el mes que viene.

—¿Y quién carajo se cree usted para decirme con quién tengo que casarme? —reaccionó Aldo.

Con una velocidad impensable en una mujer de su edad, Celia estuvo sobre su hijo y lo abofeteó. Aldo se echó en una silla y, con la cabeza entre las manos, intentó calmarse.

—Mire, mamá —empezó, al fin—, no voy a pretender que usted me entienda; no lo hizo cuando era un niño, menos ahora que soy un hombre. Pero quiero que sepa que amo a Francesca y que estoy dispuesto a casarme con ella si me acepta.

—¿Casarte con ella? ¿Un Martínez Olazábal con la hija de unos inmigrantes incultos y burdos? ¡La hija de la cocinera! ¡Nunca si yo puedo impedirlo!

—¿Y cómo va a impedírmelo? Ya no soy aquel chiquillo muerto de miedo al que usted dominaba a su antojo. Soy un hombre y haré lo que me venga en gana. Me casaré con Francesca y basta.

—¿Un hombre? —porfió Celia—. ¿Un hombre que no trabaja y que vive de la mensualidad que le dan sus padres? ¿Eso es un hombre para vos? Porque ni se te ocurra que seguirás recibiendo un centavo de mi bolsillo si te unís a esa mujerzuela.

—¡No la llame así! ¡No se lo permito!

—No seas tonto, Aldo —intentó Celia, en un tono amigable—. Si lo que querías con Francesca era un poco de diversión fácil, está bien, lo comprendo.

—No sabe lo que dice. Entre Francesca y yo jamás pasó nada. Ella es una dama.

Celia no ocultó su asombro; después de todo, si no había habido sexo, la relación se presentaba seria y comprometida.

—Mejor —expresó, refugiada en su sarcasmo—, al menos no tendremos que soportar el chantaje por un bastardo.

Aldo optó por abandonar la habitación: una insolencia más y no respondía de sí. Antes de cruzar el dintel, las palabras de Celia lo alcanzaron como un latigazo.

—Te casas con Dolores o te despides de vivir con los lujos y las larguezas a las que estás acostumbrado.

—No me importa —aseguró Aldo, de espaldas.

—Ya veremos si no te importa trabajar como un esclavo dando clases en la universidad con un sueldo de hambre. Porque con la carrera que elegiste, Filosofía —acotó con displicencia—, no podrás hacer otra cosa. Se te acabarán los viajes a Europa, ser miembro del Jockey, los trajes de Londres y los zapatos italianos. Alquilarás un cuartucho de dos por dos y comerás puchero a diario. Eso sí, junto a tu adorada Francesca.

Aldo salió dando un portazo.

Al morir Vincenzo, Alfredo propuso a Antonina mantenerla, a ella y a la niña, pero la joven viuda se ofendió y amenazó con romper la amistad si volvía a mencionarlo. Fredo ofreció entonces asistencia económica sólo para Francesca, y adujo que, después de todo, se trataba de su ahijada. Finalmente, tras mucho discutir, Alfredo consiguió que Antonina le permitiera pagar la educación de la niña.

Desde los primeros años, Francesca recibió el estímulo de su tío y tomó pasión por la lectura y todo tipo de manifestación artística. Amante de los grandes de la literatura, Fredo surtió la biblioteca de su ahijada con Shakespeare, Cervantes, Dante, Goethe y otros; Francesca, por su parte, tomó afición a las hermanas Brönte y a Jane Austen, y lamentaba que hubieran muerto tan jóvenes y que su obra no fuera más extensa. *Orgullo y prejuicio,* que había leído tres veces, una de ellas en inglés con la ayuda de Miss Duffy, y *Jane Eyre,* con el fascinante Edward Rochester como enigmático galán, eran de sus tesoros más preciados.

El amor por la ópera y por Beethoven nació en ella con naturalidad y Alfredo, feliz de encontrar una discípula siempre pronta a escuchar sus explicaciones acerca de cavatinas, *allegros,* sopranos, tenores y directores, no dudó en transmitirle cuanto conocía. Solían concurrir a las veladas del Teatro San Martín con la esperanza, siempre pospuesta, de una memorable visita al Colón, que, según Fredo, tenía la mejor acústica del mundo. Francesca, fascinada con eso de «la mejor acústica del mundo», esperaba una ópera en la capital desde hacía años, pero su madre se mostraba renuente a dejarla partir.

La elección del colegio al que asistiría su ahijada no presentó mayores dilemas: simplemente optó por el mejor, el Sagrado Corazón, gestionado por unas monjas francesas conocidas por su espíritu estricto. En realidad, para Fredo poco contaban las cuestiones religiosas o protocolares que, por cierto, Francesca asimiló en sus doce años de educación. Le importaba más bien el aprendizaje del francés, que la niña terminó por manejar con una fluidez increíble. Miss Duffy, la institutriz de las Martínez Olazábal, había aceptado darle clases de inglés en sus horas libres por una suma irrisoria. «Le acepto el dinero, señor Visconti», le había dicho la irlandesa, «porque, de seguro, Antonina se opondrá a que lo haga gratis. Pero sepa que he tomado tanto cariño a esta chiquilla que, de buen grado, lo haría por nada». Con su madre, Francesca hablaba el siciliano, dialecto cerrado, difícil de pronunciar y de entender, pero que le sirvió de base para aprender el italiano que Fredo se encargó de enseñarle.

Alfredo contempló a Francesca empeñada en la corrección de un artículo, y pensó, henchido de orgullo, que era su obra maestra. «La siento carne de mi carne, sangre de mi sangre», caviló.

—Pensaba que estabas en la reunión con el jefe de redacción —comentó la muchacha al levantar la vista y encontrárselo.

—Acabo de llegar —aseguró Fredo— y te miraba, tan concentrada en tu trabajo, que pensé que mereces la tarde libre.

Francesca aceptó; la noche anterior no había pegado ojo y tenía sueño. Casi a finales de febrero —hacía un mes que su madre y ella habían dejado Arroyo Seco— aún seguía sin noticias de Aldo. La carcomían la ansiedad por saber y el deseo de verlo. Le costaba dormirse, no tenía apetito y debía hacer grandes esfuerzos para concentrarse en la oficina. Por Rosalía, sabía que Aldo, Dolores y la señora Carmen continuaban en la estancia y que no hablaban de regresar a Buenos Aires. Por un lado, eso la tranquilizaba, él aún estaba cerca; sin embargo, la presencia siempre amenazante de Dolores la inquietaba sobremanera.

Las oficinas de *El Principal*, sobre el bulevar Chacabuco, quedaban a pocas cuadras del palacio Martínez Olazábal, que era como los cordobeses llamaban a aquella imponente mansión estilo francés. Frente a la Plaza España, en el corazón del barrio Nueva Córdoba, la edificación, que ocupaba una pequeña manzana, se erguía en medio de un parque ornado con fuentes y estatuas de mármol, circundado por una reja de hierro forjado de tres metros de alto que el abuelo de Esteban había hecho traer de Francia.

Como miembro de la servidumbre, Francesca tenía vedado el acceso al *palacio* por el portón principal sobre la avenida Hipólito Irigoyen; en cambio, debía usar «el de los plebeyos», como lo llamaba irónicamente, que se abría sobre el bulevar Chacabuco. Cruzó Derqui y, a media cuadra del ingreso, la sorprendió un automóvil deportivo rojo que salía de la mansión haciendo chirriar las gomas sobre la vereda. El corazón le dio un vuelco al reconocer a Aldo al volante. Corrió el último trecho.

—¡Aldo! —lo llamó, pero el automóvil no se detuvo.

Francesca lo siguió con la mirada hasta que Ponce, el jardinero, se acercó y le dijo que su madre la esperaba dentro. Caminó hasta la cocina, donde Janet, la vieja ama de llaves, daba órdenes a diestro y siniestro, alborotando al resto de la servidumbre. Rosalía murmuraba con Antonina y reía, mientras Timoteo, el chófer, comentaba lo que «sería el acontecimiento social del año».

—¿Qué pasa, Timoteo? ¿Por qué tanto alboroto? —se interesó Francesca.

Al escucharla, Janet le preguntó, con su habitual mueca de superioridad:

—¿No te has enterado? En tres semanas la mansión estará de fiesta: el niño Aldo contraerá matrimonio con la señorita Sánchez Azúa.

CAPÍTULO IV

En medio de su dolor, Francesca le confesó a su madre que estaba enamorada del joven Martínez Olazábal. Le detalló la primera noche, la noche en que Aldo la sorprendió en la piscina, y también las que siguieron; le refirió las tardes que compartieron y las promesas de amor que intercambiaron. Antonina escuchó serenamente, sin atisbos de asombro ni de condena, y le permitió desahogarse y quedar exánime en sus brazos. Pasaron unos minutos silenciosos, Antonina la mecía en su regazo y le besaba la cabeza.

—Él me dijo que me amaba —repitió Francesca— y yo le creí porque parecía sincero.

Antonina le tomó el rostro por el mentón mientras le secaba las mejillas con un pañuelo. No fue dura al decir:

—No debiste fijarte en el joven Aldo, *figliola*. No debiste responder a sus insinuaciones. Ya sabés cómo son estas gentes. ¿Es que la historia de Rosalía no te resulta suficiente?

—Yo soy distinta a Rosalía —replicó Francesca, con enojo.

—Claro que lo sos —admitió Antonina—. Gracias a tu tío Fredo, has recibido una excelente educación. Sin embargo, para ellos siempre serás la hija de la cocinera. La señora Celia jamás admitirá que su primogénito se case con una mujer a quien considera muy por debajo. Les hará la vida imposible, utilizará todas las artimañas que conoce, y jamás lo permitirá.

—Yo sé que él me quiere, *mamma*, lo sé, lo siento aquí —dijo, y se llevó la mano al corazón.

—Probablemente el joven Aldo está perdidamente enamorado de vos, pero siempre ha dicho y hecho lo que su madre le ha indicado. Le teme hasta el punto, ya ves, de casarse con quien ella ha elegido para él. No te ilusiones, Francesca —suplicó Antonina—, el joven Aldo se ha comprometido con la señorita Dolores y se casarán en breve. Te pido que te mantengas lejos de él y que evites problemas.

Más tarde, Francesca llevó a Sofía a la buhardilla y, con la vista nublada pese a que se había propuesto no llorar, se lo contó todo sobre su romance con Aldo. Sofía, afectada en un primer momento, salió rápidamente en defensa de su hermano al asegurar que, sin duda, ese matrimonio era obra de su madre y de la señora Carmen, pues ella no veía enamorado a Aldo, ya que su hermano trataba con frialdad a su prometida y, en los últimos días en el campo, incluso con desprecio.

—Entonces —dedujo Francesca—, sólo puedo pensar que Aldo es un cobarde que se deja dominar por dos arpías y que no es capaz de luchar por lo que ama. ¡Oh! ¡Soy una idiota por creer que alguna vez me amó! Para él sólo fui un juego para amenizar sus aburridos días en el campo. ¡Pero yo sí lo amo con todo mi corazón!

Sofía sintió como un golpe el recuerdo de Nando y de su bebé; abrazó a Francesca y cada una lloró sus penas.

Esa noche, Francesca llevó un vaso con leche y vainillas a su habitación para no compartir la mesa con los demás sirvientes que sólo abrían la boca para referirse a la boda del joven Aldo. Se puso el camisón y, sentada en su cama, comió y bebió mientras leía. A pesar de que el libro era interesante, su cabeza se hallaba en otro sitio, a varios kilómetros, en la piscina de Arroyo Seco, donde todo había comenzado. Por fin, dejó el libro a un lado y permitió que los recuerdos la inundaran y le arrancaran suspiros y tímidas sonrisas. No le hacía bien recordar cuando debía olvidar, borrar a Aldo Martínez Olazábal de su mente y de su corazón, dejar de amarlo, odiarlo si fuera posible, o simplemente ignorarlo. Pero sabía que no lo lograría fácilmente, incluso sospechaba que, por el momento, se trataba de una empresa inútil.

Un golpeteo en el postigo de la ventana la sobresaltó. Debía de tratarse de Sofía, que solía invitarla a recorrer el parque de noche para hallar la serenidad que no encontraba dentro del palacio. Abrió los postigos de par en par y la sonrisa se desvaneció en sus labios: frente a ella, Aldo, que la contemplaba con creciente intensidad. Amagó con cerrar la ventana, pero Aldo puso la mano y volvió a abrirla casi violentamente.

—Dejame entrar —ordenó de mal modo.

—Ésta es su casa, usted puede entrar si quiere —replicó Francesca—, pero antes de que lo haga, yo voy a salir.

—Francesca, por favor —dijo Aldo, con menos prepotencia—, tenemos que hablar.

—Nada tenemos que decirnos, señor. Entre usted y yo todo ha terminado.

—¡Carajo, Francesca! —estalló Aldo, y descargó el puño sobre el postigo—. No seas tan orgullosa. Dejame que te explique. Voy a entrar —amenazó Aldo, y se trepó al alféizar para saltar dentro.

—Está bien, está bien —concedió Francesca—, yo saldré, pero, por favor, no entres.

Francesca se echó encima el salto de cama y se calzó las pantuflas. Subió a la cama y luego se paró sobre el alféizar, desde donde rechazó la ayuda que Aldo le ofreció al tenderle los brazos. Se recogió la bata y el camisón y, de un brinco, cayó sobre el césped. Se acomodó el cabello y se ajustó el cinto de la bata.

—¡Oh, Francesca, mi amor! —dijo Aldo, y la empujó contra la pared.

La besó apasionadamente, sin darle tiempo a reaccionar, mientras deslizaba las manos dentro del salto de cama y le apretaba la cintura. Francesca gimió de placer y se abandonó al beso como si las cavilaciones negras de momentos atrás no hubiesen tenido lugar. Había añorado tanto el cuerpo de Aldo, sus labios sobre los de ella, sus palabras ardorosas susurradas al oído y sus promesas de amor, que la decepción y la furia se disolvieron sin esfuerzo.

Aldo se arrodilló frente a Francesca y la obligó a hacer lo mismo. La tumbó delicadamente sobre el césped y se recostó sobre ella. Como en trance, la muchacha seguía a pie juntillas las indicaciones que las manos de Aldo le impartían. La sensación resultaba tan placentera y cautivante que le había aflojado los músculos y la dominaba a su antojo. Francesca sólo podía pensar: «Aldo sigue amándome como en Arroyo Seco, sigue amándome a pesar de que va a casarse con Dolores».

La frase se repitió en su mente con la intensidad de un alarido y la sacudió del éxtasis con el efecto arrollador de un balde de agua sobre quien duerme plácidamente. Comenzó a tomar desesperadas bocanadas de aire y a zarandear los brazos para quitárselo de encima. Ajeno al cambio operado en Francesca, Aldo siguió besándola y tocándola, hechizado por una pasión que no había experimentado con otra mujer.

—¡Basta! ¡Dejame! ¡Basta!

Aldo se apartó apenas y la contempló con perplejidad. Francesca aprovechó para moverse debajo de él y ponerse de pie.

—¿Qué te has propuesto? —lo increpó, mientras se cubría—. ¿Tomarme aquí, en el jardín, como si yo fuera una cualquiera?

—Francesca, por favor —suplicó Aldo, e intentó aferrarla por el brazo, pero la muchacha se apartó con displicencia.

—No vuelvas a tocarme. No vuelvas a intentarlo. Ya no tenés derecho siquiera de mirarme. Lo nuestro acabó esta tarde cuando me enteré de que ibas a casarte con Dolores Sánchez Azúa.

—Yo no la quiero. Yo estoy loco por vos, Francesca. Loco por vos —repitió—. Quiero hacerte el amor para demostrártelo. Aquí, ahora mismo.

Francesca lanzó un bufido y se apartó en dirección a la ventana. Antes de que pudiera trepar al alféizar, Aldo la tomó por la cintura y la obligó a volverse hacia él. Por un instante, la ira de Francesca cedió al descubrir en la claridad celeste de los ojos de Aldo que no le mentía, que sí la amaba. Parecía triste y desesperado.

—Aldo —dijo, con paciencia—, no hagas esto más difícil. Dejame volver a mi dormitorio. Vas a casarte con otra mujer.

—Pero yo te amo a vos, Francesca. ¡Con locura! —exclamó y, aferrándola por la nuca, volvió a besarla.

Francesca lo dejó hacer y no opuso resistencia, se mantuvo quieta y fría. Aldo se apartó de ella y la interrogó con la mirada.

—¿Qué pasa? ¿Acaso ya no me querés?

—Aldo, no fui yo quien terminó con nuestra relación —expresó Francesca, con ecuanimidad—. Fuiste vos cuando decidiste casarte con otra.

—Que yo vaya a casarme con otra no significa que nuestra relación tenga que terminar.

—¿Qué estás insinuando? —increpó Francesca.

—Alejarte de mi vida es imposible. Ya sé que no puedo vivir sin vos. Todos esos días en Arroyo Seco lejos de vos me hicieron comprender que sos vital para mí. —Hizo una pausa en la que tomó coraje para proponerle—: Te compraré un departamento, lo pondré a tu nombre. Irás a vivir allí con tu madre, te pasaré una mensualidad, no les faltará nada...

Francesca le cruzó el rostro de una bofetada. Aldo se cubrió la mejilla con la mano y no volvió a levantar la vista.

—¡Cobarde! ¡Poco hombre! ¿Cómo te atrevés a tratarme como a una mujerzuela? ¿Quién creés que soy? Que sea la hija de la cocinera no te da derecho a insultarme.

—No quise insultarte —musitó Aldo—. Perdoname. Te ruego que me perdones.

—Me doy cuenta de que no valés nada, Aldo Martínez Olazábal. Fuiste sólo una ilusión. Andá, casate con la ricachona de Dolores aunque no la quieras. Andá, corré y hacele caso a tu madre. ¡Poco hombre! —remató.

—No me digas eso —suplicó Aldo—. Por favor, no lo soporto. Me lastimás como nada. Yo te amo a vos pero tengo que casarme con Dolores. Debo casarme con Dolores. Ella y yo... En fin, yo la convencí y ella... ella se me entregó. Yo fui su primer y único hombre...

—No quiero escuchar esto —dijo Francesca, severamente—. No me importan tus asuntos con esa mujer. Si tenés que casarte con ella, hacelo, pero no vuelvas a molestarme. Vos y yo hemos terminado.

Aldo amagó con tomarla del antebrazo, pero una mirada furibunda de Francesca lo dejó quieto en su sitio. La vio trepar al alféizar con agilidad y saltar dentro de su dormitorio. Se miraron fijamente antes de que Francesca cerrara los postigos con un fuerte golpe.

Con el correr de los días, Francesca fue endureciéndose y, sin remedio, llegó a experimentar un resentimiento tal por los Martínez Olazábal que les deseó toda clase de tormentos y males. Los evitaba, dejaba la mansión temprano por la mañana y no regresaba hasta bien entrada la noche, y, aunque habría preferido mudarse a casa de su tío, sólo pernoctaba en el departamento de la avenida Olmos contadas veces para no interferir en la relación con Nora. Se había dado cuenta de que, si bien Fredo no la amaba, Nora estaba perdida por él y, solidaria con la joven secretaria, Francesca volvía al «infierno», como llamaba al palacio.

En un intento por arreglar el embrollo, Sofía propuso a Francesca hablar con Aldo. Su hermano y ella siempre habían sido confidentes, sabía que la escucharía y que no le negaría una aclaración a semejante desaire.

—Te prohíbo siquiera que menciones mi nombre a tu hermano —ordenó Francesca, y Sofía se impresionó ante la dureza de su amiga—. Yo no seré una de la alta sociedad cordobesa, pero tengo mi orgullo.

Sin embargo, pese a la furia y al resentimiento, Francesca moría de amor por Aldo. No podía quitarse de la cabeza las noches en la piscina, noches fascinantes, llenas de promesas y besos candentes; jamás olvidaría los paseos a caballo que siempre terminaban en un picnic a la sombra de un árbol. Guardaría esos momentos como tesoros, aunque la lastimaran. «El amor», se repetía a diario, «puede llevarte a las nubes y dejarte suspendida en el aire cálido del verano, mientras un coro entona las más bellas canciones, o puede arrojarte sin piedad al foso más profundo, oscuro y sórdido».

Alfredo sospechaba que Francesca tenía problemas, pues la notaba dispersa y seria. Su rostro macilento y ojeroso, el andar cansado y la voz taciturna confirmaban a gritos la presunción. Nora lo puso en la pista al sugerirle que, quizá, se trataba de un asunto del corazón.

—Si esta vez Francesca no te ha contado lo que le sucede es porque, seguramente, se trata de algún muchacho. Tendrá vergüenza de decírtelo —concluyó Nora.

La novedad de Francesca enamorada lo fastidió y la refutó de mal modo.

—Tu ahijada es una jovencita muy hermosa, con una personalidad cautivadora, ¿por qué no pensar que un hombre se haya enamorado de ella? No tienes idea de la cantidad de muchachos en el periódico que desean invitarla a salir.

Fredo dejó la cama refunfuñando y se encerró en el baño, convencido de que despediría a todo aquel que osara insinuarse a su pequeña. El espejo le devolvió el semblante de un hombre que, por viejo y lastimado, se había vuelto absurdo e insensato. ¿Sería tan egoísta de no desear para Francesca aquello por lo que él daría la vida? Regresó a la cama, donde Nora lo envolvió con sus brazos.

Tras aceptar su incapacidad para hablar abiertamente con Francesca, Alfredo se encaminó a lo de Martínez Olazábal decidido a transmitir a Antonina su preocupación. No se veían desde la fiesta de Año Nuevo y el reencuentro los afectó a ambos por igual. Incómodos como adolescentes, balbuceaban formalismos y sorbían nerviosos el jugo. Fredo preguntó por los días en Arroyo Seco y, después de un «Muy lindos, gracias» de Antonina, manifestó que, según él, no lo habían sido para Francesca. A continuación, detalló minuciosamente los cambios en su ahijada y, sin demoras, remató con un «¿Usted sabe algo, Antonina?»

La mujer admitió que las presunciones eran ciertas: su hija no se encontraba bien, en realidad, sufría muchísimo.

—El niño Aldo la enamoró en la estancia y ahora va a casarse con la señorita Dolores.

Antonina detuvo a Fredo cuando se disponía a buscar a «ese bastardo» por toda la casa para romperle la cara a golpes, y lo obligó a sentarse nuevamente. Le tomó la mano y Alfredo, en medio de su turbación, sintió un escalofrío en la espalda.

—Alfredo, no se inquiete. Francesca es una chica fuerte, lo superará. Lo de su amor por el joven Aldo es un imposible. ¿Usted cree que la señora Celia los habría dejado en paz alguna vez?

—¡Alguien tiene que pedirle cuentas a ese hijo de...! Yo soy casi el padre de Francesca, a mí me debe una explicación.

—Deje las cosas como están —insistió Antonina.

—¿Usted cree...? En fin... Bueno, que... Entre ellos...

Antonina bajó la vista y negó con la cabeza, y Alfredo soltó un suspiro.

La ceremonia religiosa se llevó a cabo en una habitación de la planta baja del palacio Martínez Olazábal y fue el mismo obispo de Córdoba quien la ofició. La fiesta se desarrolló en el gran salón y ocupó otros lugares aledaños, atestados igualmente de mesas y gente. Celia echó un vistazo a su alrededor: las tres arañas de cristal regaban de luz las *boiseries* doradas; las mesas, dispuestas incluso en el jardín de invierno, con manteles blancos de hilo, vajilla inglesa y cubiertos de plata, se habían ganado el beneplácito de la propia Carmen; a través de las puertaventanas, se vislumbraba el parque, donde sus famosos rosales descollaban entre las fuentes y las estatuas; los invitados, de etiqueta los hombres, de largo las mujeres, lucían complacidos con sus copas llenas de champán y los bocados de centollo y caviar.

—¡Qué hermosa pareja hacen! —comentó Celia a su consuegra y a su hija Enriqueta, y las obligó a mirar hacia el centro del salón, donde Aldo y su esposa saludaban a los invitados—. Jamás habría consentido que Aldo desposara a otra. Dolores es la mujer perfecta para él.

—¿No les parece que está más hermosa que nunca esta noche? —preguntó retóricamente la madre de la novia. Ambas mujeres dijeron que sí.

Aldo dejó a Dolores en compañía de unos parientes. La cantidad de gente lo sofocaba y el alcohol, que comenzaba a subírsele a la cabeza, lo abrumaba, pues había empezado a beber temprano ese día. Buscó el fresco del jardín sorteando saludos y cumplidos. Alcanzó la balaustrada de la terraza, donde se aflojó la corbata y encendió un cigarrillo. La belleza del parque y el aroma del rocío lo transportaron a otras noches donde la felicidad le había pertenecido. Se llevó la mano a la frente y apretó los ojos, tratando de olvidar. Buscó apoyo en la baranda, agobiado de pronto, pues la vida se le presentaba como una larga condena inapelable, días eternos de desdicha ensombrecían el futuro y no encontraba el valor para enfrentarlos. «Habría sido más fácil si no la hubiese conocido», se dijo. Como quien nace ciego o en cautiverio, aún caminaría en la oscuridad o viviría en la ignorancia del esclavo sin penas ni reproches, ajeno a los sentimientos que ahora lo atormentaban despierto o dormido.

Lo tentaba la idea de correr al dormitorio de Francesca e implorarle que huyeran. Escapar era una idea recurrente desde que había dicho «sí» en el altar improvisado en el estudio de su padre, como si el rito y la posterior fiesta le hubieran otorgado la real dimensión de la obligación que acababa de echarse a los hombros. En cierto modo, hasta el último momento había mantenido la ilusión de que el embrollo con Dolores Sánchez Azúa se resolvería y que él no tendría que casarse con ella. Sonrió burlonamente y se llamó «idiota» y «cobarde». Arrojó la colilla y la pisoteó hasta deshacerla.

Caminó por el jardín y entró en la casa por la cocina, donde los mozos y las criadas no advirtieron su presencia. Se deslizó por el corredor hasta la zona de la servidumbre y abrió la puerta de la habitación de Francesca sin llamar. Estaba vacía. Regresó a la fiesta y llamó aparte a Sofía.

—Decime dónde está Francesca.

—¿Para qué? ¿Para que vayas a molestarla y angustiarla más de lo que ya has hecho? —repuso la muchacha—. No te lo diré.

—Sofía, sos mi hermana, es a mí a quien le debés lealtad. Decime dónde está. Tengo que hablar con ella, pedirle perdón.

—Ya es tarde.

Aldo la tomó por el brazo y le clavó los dedos en la carne al sacudirla levemente.

—No estoy para caprichos, Sofía. Decíme dónde está o me pondré a gritar el nombre de Francesca aquí mismo, en medio del salón.

Sofía sonrió con ironía y sacudió los hombros.

—Nada me divertiría más que te pusieras a gritar en medio del salón y le arruinaras la fiesta a mamá.

La amenaza de Aldo no surtió el mismo efecto en Antonina. La mujer se puso pálida y debió apoyar en una mesa la bandeja con copas vacías.

—Señor Aldo, por favor, ¿qué dice? ¿Ponerse a llamar a mi hija en este momento? Ya no insista con ese asunto. Déjela en paz, por el bien de ella y también por el suyo. Usted acaba de casarse, ¿no querrá poner en riesgo su matrimonio con semejante locura?

—Me importa un ardite mi matrimonio. Contaré hasta cinco y si no me dice dónde está Francesca, comenzaré a gritar. Uno, dos...

—Señor Aldo, por amor de Dios, ¿ha perdido el juicio?

—Tres, cuatro...

—Está bien, está bien —claudicó Antonina.

—Y no me mienta —apremió Aldo—. Si lo hace, volveré y cumpliré mi promesa de llamar a su hija a gritos en medio del salón.

—Está en casa de su tío Fredo —confesó al cabo Antonina.

—Conozco el edificio. Una vez llevé a mi padre hasta allí. Pero no sé qué departamento es.

—Sexto B —agregó Antonina, y se alejó en dirección a la cocina.

Aldo tomó una copa de champán y la bebió de un trago, luego otra y otra más hasta llamar la atención de su padre, que, desde el extremo opuesto del salón, lo observaba con alarma: la rapidez con la que crecía la borrachera de su hijo no se correspondía con el momento. Reconocía que había existido cierta presión por parte de Celia y de Carmen para que se adelantara la boda, especialmente después de saberse que Aldo y Dolores habían mantenido relaciones, pero, seguro de que su hijo estaba enamorado, no comprendía el gesto desesperado en su rostro. Lo llevaría a la cocina y le pediría a Rosalía una taza de café bien cargado.

Esteban siguió a Aldo hasta el jardín y más allá también, cuando enfiló en dirección a la parte posterior de la casa, donde se encontraban las cocheras. Sus ojos no dieron crédito al ver que su hijo se subía rápidamente en su automóvil deportivo y abandonaba la casa a toda velocidad.

Francesca daba vueltas en la cama. Ni en un millón de años habría imaginado que su amor por Aldo terminaría de esa forma; aquello tan hermoso de Arroyo Seco se había degradado hasta el punto de hacerla sentir culpable y poca cosa; era un espejismo que sólo ella había visto. Para ese momento, Aldo y Dolores ya serían marido y mujer, y la fiesta se hallaría en su apogeo. La embargaba un pesimismo impropio de su carácter que le trastornaba las perspectivas futuras, llevándola a pensar que no sentiría dicha ni se enamoraría nuevamente. Odiaba a Aldo, no sólo porque la había lastimado, sino porque había hecho de ella una mujer resentida, incapaz de volver a sonreír.

Oyó el timbre del portero eléctrico, que resonó en la quietud de la noche. Aguardaría a que su tío Fredo se levantase y despachara al gracioso que se atrevía a bromear a esa hora. Pero pasaban los segundos sin que ningún sonido se escuchase en el dormitorio de su tío. El timbre volvió a sonar. Francesca se bajó de la cama, se calzó las pantuflas y, con la bata encima, se encaminó hacia la cocina.

—¿Quién es? —preguntó de mal talante.

—Francesca, soy yo, Aldo.

El corazón le dio un vuelco, la boca se le secó repentinamente y no logró articular palabra.

—Francesca —insistió Aldo—, abrime. Necesito hablar con vos, necesito decirte algo muy importante.

—No —dijo.

—Abrime, vengo a decirte que te amo.

—No —repitió, y colgó el auricular.

El timbre volvió a sonar, reiteradas veces. Tío Fredo apareció en la cocina.

—¿Qué pasa? —preguntó, con voz soñolienta—. ¿Quién es?

—Es Aldo Martínez Olazábal, tío. Él y yo...

—Lo sé todo. Tu madre me contó. —Fredo descolgó el auricular e indicó duramente—: Ya bajo.

Esteban Martínez Olazábal estacionó su automóvil a unos metros del de Aldo y de inmediato reconoció el edificio de Alfredo Visconti, su gran amigo.

—¿Qué diantres hace aquí? —masculló, inclinado sobre el volante para ver mejor los movimientos de su hijo. Bajó del automóvil y se aproximó con cautela.

—Francesca, soy yo, Aldo. Francesca, abrime. Necesito hablar con vos, necesito decirte algo muy importante. Abrime, vengo a decirte que te amo.

A pasos de Aldo, Esteban quedó estupefacto. La escena parecía reírse en su cara con sarcasmo: la historia se repetía como un ciclo morboso. Primero, él con Rosalía; ahora, su primogénito con la hija de la cocinera. Impotente, contemplaba el dolor de su querido Aldo, su predilecto, que, alcanzado por la cruel sentencia bíblica, pagaba con creces los pecados del padre.

—Aldo, hijo —pronunció suavemente para no sobresaltarlo, en vano, pues Aldo dio un respingo y lo miró con espanto.

—¿Qué hace aquí? ¡Váyase! ¡Déjeme en paz!

—Vamos, hijo —insistió Esteban con una dulzura que nunca había empleado con sus hijos—. Nada tenés que hacer aquí. Dejá en paz a esa muchacha.

—¡No! ¡Jamás! —replicó con una furia que Esteban no le conocía—. Francesca es mía y no renunciaré a ella. ¿Entiende? Nunca renunciaré a ella.

Se abrió la puerta y apareció Alfredo Visconti. Al ver a Esteban, su gesto abandonó la mueca belicosa por una de pasmo.

—¿Qué hacés aquí, Esteban?

—Sigo a mi hijo, que abandonó su fiesta de bodas intempestivamente.

—Llevalo de regreso —expresó Fredo, con dureza—. No quiero que moleste a mi sobrina. Ella ya ha sufrido demasiado a causa del irresponsable de tu hijo.

—¡Necesito verla! —insistió Aldo.

—Ella no quiere verte, Aldo —interpuso Fredo.

—Necesito hablar con ella —repitió, y sus bríos languidecieron.

—Vamos, Aldo —dijo Esteban, y lo tomó por los hombros—. Vamos.

Horas más tarde, acabada la fiesta, Esteban permanecía recostado en el diván de su estudio con un vaso de whisky en la mano. A pesar de su semblante agotado, su mente trabajaba con rapidez.

CAPÍTULO V

Aldo y Dolores pasaban la noche en el Sussex, el hotel de lujo de la ciudad. La familia Martínez Olazábal aún dormía después de la fiesta. La servidumbre, al mando de Janet, ponía orden en el baqueteado salón. Una puerta se abrió en la planta alta y llamó la atención de las criadas: era el señor Esteban. Se notaba a la legua que había pasado la noche en el diván del estudio.

Esteban, con el chaqué arrugado, la espalda dolorida y mal sabor de boca, necesitaba un baño. Después, se vistió con ropas cómodas y bajó a desayunar. Rosalía lo esperaba en el comedor con el café como a él le gustaba y las tarteletas de manzana, sus preferidas. Le deseó buenos días sin mirarlo y, tras servirlo, se marchó. Tuvo que apretar los puños para vencer el deseo de abrazarla y besarla; el resto del servicio doméstico pululaba por doquier y no podía arriesgarse. ¿Y si de una vez y por todas se arriesgaba? ¿Y si dejaba de ser un cobarde?

Lo golpeó el semblante marcado por el dolor de la mujer que amaba y, al desprenderse de la venda de egoísmo que lo había cegado durante años, comprendió el martirio que Rosalía soportaba día tras día, sin reclamos ni quejas, sin celos ni escándalos, con una sonrisa, siempre dispuesta. La había humillado de todas las formas posibles. «Rosalía, amor mío, ¿podrás perdonarme algún día?», y enseguida agregó: «Francesca no merece esto». Dejó el comedor y se topó con Aldo, que salía del vestíbulo.

—Buen día, papá —saludó, sin mirarlo a los ojos.

—Buen día, hijo. ¿Y Dolores?

—Todavía duerme en el hotel. Vine a buscar unas cosas. —Aldo hizo ademán de subir las escaleras, pero regresó.— Papá, quería decirle que he decidido asentarme en Córdoba. Después de la luna de miel, Dolores y yo vendremos a vivir a esta casa.

—No creo que a Dolores le agrade la idea —sugirió Esteban—. Está muy arraigada en Buenos Aires, y Córdoba le parecerá una aldea.

—Yo soy su esposo ahora, yo decido. Tanto quería casarse, bueno, ahora que se atenga a las consecuencias.

—Pensé que eras feliz casándote con Dolores. Si hubiera sabido que entre Francesca y vos...

Aldo levantó la mano y lo mandó callar. Subió rápidamente los peldaños y se encerró en su dormitorio.

Esteban Martínez Olazábal llamó a la puerta de Alfredo. Éste lo invitó a pasar y le ofreció un whisky que Esteban aceptó de buen grado. Se conocían desde hacía muchos años y con el tiempo habían llegado a ser buenos amigos. A Esteban le gustaba visitar el departamento de Fredo en la avenida Olmos, un lugar caótico, con libros, papeles y carpetas por doquier, paredes abarrotadas de cuadros, muebles antiguos, piezas de arte y un espeso aroma a tabaco holandés en cada habitación. Sí, le gustaba ese cubil, le gustaba la calidez acogedora que no encontraba en los salones del palacio Martínez Olazábal.

Alfredo le señaló el sofá, le alcanzó el vaso y se sentó frente a él.

—¿Francesca está aquí? —se interesó Esteban.

—No. Fue a misa.

Sobrevino un silencio incómodo. En un momento, sus miradas se encontraron y se estudiaron detenidamente, tratando de descifrar el pensamiento del otro, buscando, asimismo, las palabras correctas para abordar tan espinoso tema. Alfredo se puso de pie y caminó hacia la ventana.

—Quiero que sepas —dijo de espaldas— que si no le llené la cara de golpes a tu hijo fue por los ruegos de Antonina, que no quería problemas. Yo de buena gana lo habría hecho.

—Quizá habría sido lo más justo —aceptó Esteban—. De todos modos, yo soy el menos indicado para juzgar a Aldo, y vos bien sabés por qué te lo digo. Más allá de eso —retomó Esteban—, estoy aquí por Francesca. Lo de ella y Aldo es imposible.

—¿Porque es la hija de la cocinera?

—¡Fredo, por Dios! ¿Acaso no me conocés?

Alfredo bajó la vista y volvió al sofá, donde se repantigó con el gesto vencido.

—Perdoname, Esteban, es que Francesca sufre tanto que... Yo la adoro como a una hija, y siempre hice lo imposible para ahorrarle sufrimientos. No admito que venga un desalmado y la destroce como lo ha hecho tu hijo. Simplemente, no puedo soportarlo. Ella es una muchacha sensible e inocente, y sufre mucho.

—Me enteré de la relación que existía entre Francesca y Aldo anoche. Creéme, si lo hubiera sabido antes habría hecho algo por ellos, pero ahora es demasiado tarde. Aldo está casado.

—Con una de su nivel —machacó Fredo.

—¿Pensás que después de convivir tantos años con tu sobrina no soy capaz de reconocer que es una chica fuera de serie, inteligentísima, de una personalidad avasalladora y de un candor adorable? Mis hijas no tienen nada que hacer a su lado, por más apellidos y blasones que ostenten. Además, en el último tiempo se ha abierto como una flor. Estoy seguro de que no le faltará un hombre que la ame y que quiera casarse con ella. Mientras tanto, tengo que sacarla de mi casa, donde sólo conseguirá humillarse. Esta mañana Aldo me comunicó su intención de asentarse definitivamente en Córdoba, hasta me dijo que quiere vivir en casa. No hace falta que te explique con qué intenciones. Me dolería ver a Francesca convertida en otra Rosalía. Ella no merece ese destino.

—Francesca no lo consentiría.

—Yo no estaría tan seguro.

—¡No te permito! —se ofendió Alfredo—. Francesca es una joven respetable, con principios.

—Ya lo creo, pero también es una mujer enamorada. Y el amor, amigo mío... En fin, no hay principios que puedan contra él.

Alfredo aceptó tácitamente aquellas palabras; él sabía del amor.

—¿Por qué Aldo dejó a Francesca? —quiso saber Fredo.

—El matrimonio de Aldo y Dolores se decidió en Arroyo Seco, mientras yo me encontraba en la ciudad. No es por defenderlo, pero sé que mi hijo se casó con Dolores a causa de la presión que recibió por parte de mi mujer y de Carmen, la madre de Dolores.

—¡Oh, no me vengas con eso! —se exasperó Fredo—. Tu hijo está lo suficientemente crecidito para decidir sobre su vida. La Edad Media ya pasó hace mucho, amigo mío.

Esteban lo miró con resignación, pues aunque tratara de justificarlo, no cabía duda de que Aldo se había comportado como un inmaduro. Como un cobarde.

—Probablemente, presintiendo que Aldo quería terminar con ella, Dolores le confesó a su madre que había mantenido relaciones con él. Puedes imaginarte, si conoces un poco lo pacatas que son nuestras mujeres, el escándalo que vino a continuación. Celia y Carmen no cejaron hasta que Aldo fijó fecha. En cierta forma, todo se hizo para salvar el honor de Dolores.

—Si creés que el honor mal entendido de una jovencita hipócrita vale la felicidad de tu hijo, allá vos. Me importan un rábano tu hijo y el honor de nadie, sólo quiero preservar a mi Francesca de más sufrimientos.

—Y por eso estoy aquí.

—Te escucho —accedió Fredo.

—Creo que lo mejor será alejar a Francesca de Córdoba. Esperá, dejame terminar. Conozco a mi hijo. Aldo no la dejará en paz, te lo aseguro. Para ella también resultará una buena alternativa alejarse para olvidar. Anoche estuve pensando en una solución y recordé que mantienes estrechos contactos con la Cancillería de la Nación.

—El canciller y yo somos grandes amigos —aceptó Fredo, que olfateaba la propuesta de Martínez Olazábal.

—Francesca es una jovencita más que preparada, habla francés e italiano a la perfección...

—E inglés —añadió Fredo.

—No sabía —se sorprendió Esteban—. Con más razón, creo que puede desempeñar una valiosa labor en cualquier embajada argentina.

«¿Enviar a Francesca al extranjero? ¿Separarme de ella por culpa de un niñito de mamá que no tiene las pelotas bien puestas?». Sin embargo, los temores de Martínez Olazábal no resultaban desatinados ni infundados. Conocía la apasionada naturaleza de su ahijada y su capacidad de entrega absoluta, y debía aceptar que la posibilidad de que se convirtiese en la manceba del patrón no era tan remota. Por otro lado, si Francesca, a fuerza de voluntad, luchase contra el asedio de Aldo y contra sus propios sentimientos, transformaría su vida en un infierno.

—Yo, por mi parte —prosiguió Esteban—, haré uso de los contactos a mi alcance para conseguir una plaza para Francesca en alguna embajada o consulado. Pero será tu amistad con el canciller la mejor carta que tendremos para jugar.

—Dejame pensarlo —pidió Fredo, y se puso de pie para despedir a Esteban.

—No tenemos mucho tiempo —manifestó Martínez Olazábal en la puerta—. Dolores y Aldo parten esta tarde para Río de Janeiro, donde permanecerán un mes. Sin embargo, y en vista de cómo están las cosas, creo que los tendremos de vuelta mucho antes.

De regreso, agotado por la discusión con Visconti, Esteban encontró a Celia en su despacho atareada con unos papeles.

—¿Qué hacés? —preguntó de mal modo, pues no le gustaba que usaran su escritorio.

Celia levantó la vista y dudó. Luego dijo:

—Preparo la liquidación de Antonina.

Esteban se quitó el sombrero, lo colgó en el perchero y, ceñudo, se aproximó al escritorio.

—¿Qué liquidación de Antonina? ¿Acaso no le pagaste con el resto de los empleados?

—Me refiero a la liquidación final —explicó Celia, y midió la reacción de su esposo—. Quiero que ella y su hija dejen hoy mismo esta casa —agregó.

Esteban la observó serenamente, sin revelar emoción alguna. Convencida de que la noticia tenía sin cuidado a su esposo, Celia enumeró una serie de calumnias contra Antonina: la llamó sucia y chismosa y dejó sobrevolando la duda al mencionar la desaparición de un camafeo. Animada por la aprobación tácita de Esteban, que continuaba mirándola impasiblemente, arremetió contra Francesca, «una jovencita demasiado independiente e irreverente, un terrible ejemplo para Sofía, que hace todo cuanto ella le dice».

—Y no tengas dudas de que aquel asuntito —dijo, en referencia al embarazo de su hija— ha sido culpa de los malos consejos de esa chirusa sin principios ni moral. Por otra parte...

—¡Basta! —ordenó Esteban, y golpeó el escritorio.

Celia dio un respingo y se llevó la mano al corazón, y, aunque intentó retomar la palabra, su esposo le lanzó un vistazo furibundo que la acalló.

—¿Desde cuándo sabés lo de Aldo y Francesca? —la sorprendió Esteban.

—¿Lo de quién?

Esteban la tomó por el brazo y la obligó a ponerse de pie.

—No me tomes por estúpido, Celia. Hace treinta años que nos conocemos; sabés que no tengo un pelo de tonto y yo conozco bien la clase de prejuicios y estupideces que guían tus actos. Ahora vas a decirme desde cuándo sabés lo de mi hijo con Francesca.

—Insisto, no sé de qué... ¡Esteban, por amor de Dios! —se quejó, cuando su esposo la zarandeó como una muñeca de trapo.

—¡No se te ocurra invocar a Dios en esta contienda! ¿Desde cuándo?

Celia se tomó unos segundos para valorar la situación: a esa altura, poco importaba si Esteban lo sabía o no, después de todo, Aldo y Dolores se habían casado.

—Lo supe en Arroyo Seco —aceptó.

—Eres una mala mujer —masculló Martínez Olazábal, y Celia sintió un escalofrío—. Sabiendo que él estaba enamorado de otra, ¿cómo pudiste aceptar que se casara con Dolores? ¿Por qué no me lo dijiste? —preguntó luego.

—¿Cómo se te ocurre que iba a permitir que mi hijo, un Martínez Olazábal Pizarro y Pinto, se uniera a la hija de mi cocinera, una siciliana ignorante y sin pasado? Tendría que haber abandonado el país para ocultar la vergüenza.

—¿Qué corre por tus venas, Celia?

—Además, no sólo se trataba del asunto con la chirusa ésa, también estaba el tema de que entre Aldo y Dolores... Bueno, lo que ya te conté.

—Que Aldo y Dolores hayan tenido relaciones sexuales —remarcó Esteban— te vino como anillo al dedo.

—¡Qué decís! —se escandalizó—. ¿Cómo se te ocurre que me complace semejante cosa? Pobre Doloritas, no podía permitir que Aldo, después de mancillarla, la dejase de lado.

—¡Ah, porque seguro que mi hijo la forzó a hacerlo! Podríamos decir que se trató casi de una violación.

—¡Esteban, por favor!

—Si Dolores aceptó acostarse con Aldo debió pensar en las consecuencias. Ya es hora de que las mujeres de este país se hagan cargo de sus actos. Quieren libertad y reconocimiento, ¡pues bien! Lo tendrán y, junto con eso, deberán asumir también las responsabilidades. Ya no serán más las pobrecillas del cuento. En realidad, vos, Celia, hace tiempo que dejaste de serlo. Ni Antonina ni su hija se irán de mi casa. ¡Aquí mando yo, carajo!

—No puedo permitir que esas mujeres sigan bajo mi techo. ¡Las quiero fuera esta misma tarde!

—Escuchame bien, Celia, y no me hagas perder la paciencia. Si contradecís la orden que te he dado respecto de Antonina y Francesca, detrás de ellas me iré yo. Te juro que no me costará mucho: estoy harto de vos. Y ya veremos —añadió desde la puerta— qué le dirás a tus amistades cuando el chisme de que te pedí la separación se esparza como reguero de pólvora. Ahí sí que tendrás que abandonar el país —la parafraseó con sorna.

* * *

Diez días más tarde, Fredo se sorprendió cuando Francesca aceptó su propuesta sin dudarlo. Los acontecimientos se habían confabulado para que la idea de Martínez Olazábal tomara forma en pocos días; así, la posibilidad de un empleo en una embajada o consulado dejó de ser una quimera y pasó a ser una realidad.

El cónsul argentino en Ginebra acababa de sufrir un accidente automovilístico cuando regresaba de una convención en Mónaco, y si bien sólo se había quebrado un brazo, su secretaria, en cambio, había fallecido. El consulado requería de inmediato una reemplazante.

—Supongo que te sorprende este repentino ofrecimiento —señaló Fredo— cuando mi plan era que trabajaras conmigo en el diario.

—Ya sabés lo que existió entre Aldo y yo —expresó Francesca, y lo miró fijamente—. Esta propuesta tiene que ver con eso, ¿verdad?

—No quiero que sufras —esgrimió Alfredo.

—Por eso acepto.

Para Francesca, el ofrecimiento del empleo en Ginebra representaba una salvación, la oportunidad para no sufrir. Se había preguntado frecuentemente cómo sería cuando Aldo y Dolores regresaran de Río. Terminaría por ceder, lo sabía; no pasaría mucho y se convertiría en su mujer. Lo deseaba con tanto fervor que, al primer roce de manos, al primer abrazo, caería rendida en su cama. ¿Y después, qué? ¿Qué futuro le aguardaba? No mucho mejor que el de Rosalía, con seguridad. Después de todo, si Aldo no había encontrado el valor para plantarse frente a su madre y a la sociedad, y prescindir de una vida de lujos y dinero, ¿por qué suponer que tendría valor para divorciarse?

No deseaba separarse de los que amaba, pero debía hacerlo, pues no soportaría que se avergonzaran de ella. Finalmente, vivió su traslado a Ginebra como un exilio merecido por haber puesto los ojos en alguien muy por encima de ella.

Pese a la mirada brillante y a la voz congestionada, Antonina aceptó la partida de su hija con resignación, con alivio incluso, pues antes de verla convertida en la amante de un cobarde, había pensado en renunciar, y a su edad, con sus escasos ahorros, una decisión de esa índole le quitaba el sueño.

Sofía, por el contrario, rompió a llorar como una magdalena. Se encerró en su dormitorio y no bajó a almorzar ni a cenar. Francesca se cansó de hablarle a través de la puerta y optó por esperar hasta el día siguiente. Esa noche, al preguntar por la menor de sus hijos, Martínez Olazábal supo de inmediato la causa de su aflicción. Ante la voz imperiosa del padre, la muchacha descorrió la traba y lo dejó pasar. Durante media hora, Esteban, con una paciencia rara en él, expuso una serie de argumentos para justificar la partida de Francesca, cuidándose de no mencionar el nombre de Aldo. La increíble oportunidad que la vida le brindaba a la «pobre Francesca» constituyó su mejor argumento. Una joven más despierta y madura habría sospechado de la preocupación que el señor de la casa mostraba por el destino de la hija de la cocinera, pero Sofía, que anidaba el espíritu de una niña, no pensó en ello y, reconfortada con la promesa de que en breve viajaría a Ginebra, bajó a cenar.

A medida que transcurrían los días y que la despedida se acercaba, Francesca añadía preocupaciones a su lista; en especial la abrumaba la soledad de su madre, llena de amigos que la adoraban, por cierto, pero sin un hombre que la protegiese. Descubrió un extraño brillo en los ojos de Fredo y una mueca desconocida en sus labios cuando le pidió que se ocupara de ella, que la visitara, que la reconfortara, que le diera ánimos.

—Aunque no me lo hubieses pedido, igual lo habría hecho —aseguró Alfredo, y Francesca se quedó mirándolo.

Con tanta alharaca, no había pensado en Cívico, ni en Jacinta ni en Rex. Quizá nunca volvería a verlos. Recordó con enfado aquel mal agüero de principios de verano: «Siempre amaré este lugar, aunque pasen años, aunque nunca más vuelva a verlo». Resultaba increíble que, en tan poco tiempo, hubiese conocido el amor y también el desengaño. La vida se le había trastornado por completo y ahora debía escapar de la casa que sentía como propia.

CAPÍTULO
VI

Francesca llegó a París a mediados de abril de 1961 y, desde allí, viajó a Ginebra en tren. Por momentos, la magnificencia del paisaje, con los Alpes como marco imponente, el verde de la gramilla y las flores al pie de las montañas, detenía la frenética actividad de su cerebro y la abstraía de los recuerdos; no obstante, volvía a ellos sin mayor dificultad. La imagen de su madre, de Sofía y de Fredo en la estación de trenes de Córdoba constituía el última de una seguidilla. Antonina lloraba, dando rienda suelta a las lágrimas que había reprimido durante los últimos días; en medio de la angustia, trataba de recomendar a su hija que no tomara frío, que se alimentara bien, que se cuidara. Se le enredaban las palabras. Fredo le pasó el brazo por la espalda y Antonina se apoyó sobre su pecho. Sofía, aferrada a la mano de Francesca, aparentaba una calma que se hizo trizas cuando el silbato del guarda anunció la partida del tren hacia Buenos Aires.

«Debo olvidar, tengo que olvidar», se dijo, y regresó la vista al paisaje suizo. En la estación de Ginebra, se desorientó hasta que, en medio del bullicio, escuchó su nombre. Columbró entre el gentío a una mujer de unos treinta y cinco años, baja y rolliza, que agitaba un papel sobre su cabeza y repetía: «Francesca De Gecco, Francesca De Gecco», mientras sus ojos bailoteaban de un lado a otro. Entorpecida por el equipaje, Francesca se acercó dificultosamente.

—¿Francesca De Gecco? —preguntó la mujer, casi sin aliento.

—Sí, soy yo. Mucho gusto.

—¡Ay, querida! ¿Creerás que el señor cónsul me envió a mí a buscarte? Con mi escaso metro sesenta, casi me aplasta esta multitud enloquecida y jamás me hubieses encontrado. En cambio... ¿Puedo hablarte en francés? Hace tantos años que vivo aquí que me resulta más fácil. En fin, ¿qué te decía? Ah, sí... —Se llevó la mano al mentón y estudió a Francesca de pies a cabezas, sin insolencia, aunque con minuciosidad—.

En cambio, tú eres tan alta y hermosa. Me llamo Marina Sanguinetti —dijo, y le extendió la mano.

La charla sobre el andén terminó intempestivamente cuando un hombre casi arrolla con su baúl la pequeña figura de Marina, que, tras mascullar insultos en francés, propuso emprender la marcha. Tomaron un taxi en la puerta de la estación. Francesca, perdida en un lugar tan poco familiar, envidió la destreza de Marina cuando le indicó al conductor la dirección a tomar. «Ni en cien años podré adaptarme a este laberinto», pensó, al llegar a una zona vieja de calles estrechas y edificación antigua.

—Vivirás en mi departamento por un tiempo —indicó Marina— hasta que consigas uno que te guste y que coincida con el presupuesto del consulado. Créeme, no será tarea fácil.

Marina se encargaba de los asuntos del personal; conocía los currículos, sueldos y actividades de cada empleado del consulado. Manejaba también información reservada que, con el tiempo y la confianza, fue revelando a Francesca.

El departamento de Marina, aunque de grandes dimensiones y estilo antiguo, tenía mucho de la chispeante personalidad de su dueña. Lleno de plantas, cuadros modernos, adornos, retratos y algunas excentricidades —como cubrir con finas gasas de colores las lámparas—, el ambiente resultaba acogedor, sin lujos ni ostentación.

—Estoy contenta de que trabajes en el consulado —le confesó Marina, antes de cerrar la puerta del dormitorio—. Somos pocas mujeres y, si tengo que ser sincera, no me llevo bien con ninguna. En cambio, sé que tú y yo seremos buenas amigas. Ahora, descansa. Mañana te presentaré a tu jefe.

Se familiarizó con Ginebra en poco tiempo y aprendió el trabajo sin dificultad. Su jefe, un cincuentón con el brazo en cabestrillo y la mirada triste, aún lamentaba la pérdida de Anita, su secretaria. De buen carácter, de maneras afables y elegantes, tenía, según Francesca, un gran defecto: era terriblemente despistado. Olvidaba dónde dejaba los lentes cuando generalmente los llevaba colgados del cuello; vociferaba que le habían robado su valiosa Mont Blanc y Francesca siempre la hallaba dentro de algún cajón; resultaba un misterio su agenda, pues, aunque la llenaba con minuciosidad, siempre faltaba a las citas o llegaba tarde a las reuniones; odiaba la caja chica: los arqueos jamás coincidían con el efectivo y la mayoría de las veces no encontraba boletas ni comprobantes; en ocasiones, rebatía sus propias órdenes y, cuando se le informaba que había sido dispuesto lo contrario, preguntaba a qué idiota se le había ocurrido tal cosa.

Francesca, que en pocas semanas comprendió el mecanismo de gran parte del consulado, tomó las riendas de la descontrolada oficina de su jefe y se convirtió en su mano derecha. Los encargados de sección y demás empleados preferían hablar con ella antes que con el cónsul, que no les solucionaba las dudas ni los problemas. Francesca conocía al dedillo las tramitaciones recientes y, en aquellas que se remontaban tiempo atrás, averiguaba e investigaba hasta estar al tanto. Los procedimientos se aceleraron y la bandeja de asuntos pendientes rara vez contenía documentación al fin de la jornada. El cónsul comenzó a llevar una vida ordenada, no faltaba a las citas, se preparaba para las reuniones y firmaba los documentos incluso antes de lo esperado. Dos meses más tarde, con una sonrisa, llamó a Francesca «el milagro cordobés».

Marina, que siempre postergaba la búsqueda del departamento, a la segunda semana la invitó a establecerse definitivamente en el suyo.

—¿En serio? Gracias, muchas gracias —respondió Francesca sin vacilar, encariñada con el lugar amplio, cómodo y acogedor, y muy apegada a su nueva amiga.

Se veían poco durante las intensas jornadas en el consulado, salvo en la media hora del almuerzo. A la noche, tras la cena, se arreglaban el pelo, se pintaban las uñas o, simplemente, se repantigaban en el sofá de la sala, comentaban los hechos del día y cotilleaban sobre este o aquel empleado. Los fines de semana recorrían la ciudad, que fascinaba a Francesca por los monumentos, los soberbios edificios y el imponente y silencioso entorno alpino. El lago Leman, con su *Jet d'Eau* que arrojaba agua a ciento veinte metros de altura, se convirtió en un paisaje tan familiar como el de la Plaza España en Córdoba, y gracias a unos económicos barquitos que lo surcaban en todas direcciones, ella y Marina visitaron ciudades y pueblos encantadores apostados sobre su orilla.

Aunque se sentía a gusto con su trabajo, enamorada de Ginebra y complacida de vivir en el departamento de Marina, Francesca siempre evocaba a Aldo, y sin resignación se decía que, al alejarse de Córdoba, se había salvado del oprobio, no del dolor. El dolor siempre vivía en ella, lo llevaba adonde fuera como una carga de la cual no lograba desembarazarse. De tanto en tanto, Marina la encontraba pálida y callada y, culpando al desarraigo, organizaba salidas, visitas a lugares nuevos y conseguía sacarla del letargo.

* * *

La esposa del cónsul, de regreso de un viaje a Buenos Aires por cuestiones familiares, se dirigió a la oficina para conocer a la nueva secretaria, que su esposo había descrito como una muchachita común y corriente. Entró en la antesala sin llamar.

—Buenos días —saludó Francesca, y se puso de pie.

—Buenos días —respondió, y la estudió con impertinencia de arriba abajo, mientras se quitaba los guantes y los arrojaba sobre el escritorio.

—¿Eres la nueva secretaria? —preguntó.

—Sí. Francesca De Gecco, mucho gusto.

—Yo soy la esposa del señor cónsul —afirmó.

Francesca volvió a sus asuntos, mientras la señora hacía igual entrada triunfal en el despacho de su esposo.

—Desde la primera vez que te vi supe que habría problemas con la condesa —afirmó Marina, en el almuerzo.

—¿La condesa? —se extrañó Francesca.

—Así llamamos a la mujer del cónsul. ¿No ves que se cree la dueña del mundo? Anita, la anterior secretaria, la que murió en ese accidente que te conté, era la amante de tu jefe. ¡Sí, todos lo sabíamos! Pero la condesa lo descubrió con lo del accidente. El cónsul y Anita volvían de un fin de semana en Mónaco. Se debe de querer morir la señora con la nueva secretaria de su marido. Si Anita era linda, tú lo eres diez veces más.

Francesca no reparó en el halago; la confidencia que acababa de escuchar le revoloteaba en la cabeza y, persuadida de que la mujer celosa de un hombre infiel no se quedaría de brazos cruzados si creía que un peligro inminente acechaba la mellada voluntad de su marido, trató de calcular de qué manera la afectaría.

—¿No te comenté —prosiguió Marina— que me llegó una invitación para la fiesta del Día de la Independencia de Venezuela?

—¿Ah, sí?

—Nos vamos a divertir muchísimo.

—Como mi jefe no me necesita, había pensado no ir.

—Estás loca. La pasaremos muy bien. Los venezolanos festejan el 5 de julio a bombo y platillo.

Esa noche, mientras se aprestaban para la fiesta, Marina notó a Francesca sumida en la melancolía; se maquillaba como un autómata y no esbozaba palabra. Sin otro recurso, le comentó:

—A tu lado parezco un insecto. —Y Francesca se echó a reír—. Al menos logré que por un instante olvidaras eso que te tiene tan triste.

El edificio de la embajada venezolana, un *hôtel particulier* del siglo XVIII, adornado con banderas y guirnaldas, resplandecía al fulgor de los colores patrios. La música folclórica y el bullicio de la fiesta se escuchaban desde la calle. Francesca y Marina entraron en el salón cuando el embajador venezolano dirigía unas palabras en inglés a los invitados, entre los cuales se destacaba en primera fila un grupo de árabes con largas chilabas y tocados con cordón.

—¿Árabes? —preguntó Francesca, por lo bajo.

—Es por la OPEP.

—¿La qué?

—Después te explico.

El corto discurso del embajador recibió un cálido aplauso. Alguien exclamó: «¡Viva la patria! ¡Viva Venezuela!», y el resto acompañó con hurras y bravos, a los que siguieron música y baile. Los mozos recorrían el salón con bandejas de bocaditos o copas. Los invitados comían y bebían mientras conversaban en grupos diseminados por el salón; otros, en cambio, preferían la danza.

Pese a que Marina disfrutaba, Francesca no lograba contagiarse de su entusiasmo. Admiraba a su amiga, habría deseado ser como ella, siempre dispuesta y optimista, con una sonrisa perenne en los labios, feliz en medio de su soledad, encariñada con la vida como si lo tuviese todo. «Alguna vez», se dijo Francesca, «yo fui así».

Tras saludarlas brevemente, el cónsul argentino se mantuvo alejado. Su esposa no le quitaba la vista de encima, lo atisbaba entre bocado y bocado, palabra y palabra. Si había alguna mujer en el grupo en el que él departía, se apostaba a su lado como si fuera una estaca. Francesca y Marina se divirtieron durante un buen rato contemplando a la extraña pareja.

—¿Por qué han invitado a los árabes? —insistió Francesca mientras observa cómo se movían igual que una manada, entre tanta tela y tocados que resultaba difícil ver sus rostros.

—El año pasado —empezó Marina—, en Bagdad se reunieron los principales países productores de petróleo, entre ellos Arabia Saudí y Venezuela, y crearon la Organización de Países Exportadores de Petróleo, la OPEP. Establecieron su sede aquí, en Ginebra.

Gonzalo, un compañero del consulado que la había invitado a cenar varias veces, le pidió el próximo baile; alentada por Marina y por los ojos esperanzados del muchacho, Francesca aceptó.

* * *

Francesca acompañó al cónsul y a su esposa a un almuerzo organizado por el gobierno del Cantón de Ginebra, para oficiar de traductora en una mesa ocupada en su mayoría por una delegación de italianos. Desde temprano había notado extraño a su jefe, no era el mismo de siempre: no le agradeció el café ni le comentó los titulares de *La Nación* que recibía a diario, tampoco se quejó por la cantidad de documentación pendiente de firma ni bromeó con su tonada cordobesa y, aunque pensó preguntarle si se sentía mal o si tenía algún problema, decidió callar.

Durante el almuerzo, Francesca poco tradujo: algunos italianos balbuceaban el castellano y el cónsul, por su parte, casi no abrió la boca. Su esposa también se mantuvo silenciosa, disgustada por la presencia de la secretaria que había capturado la atención de un elegante milanés. Tras el postre, en el momento del café, varios miembros del gobierno ginebrino subieron al estrado con discursos en las manos, y los rostros se volvieron hacia ellos. El cónsul se acomodó en su silla y, seguro de que nadie lo veía, se dirigió a su secretaria por lo bajo.

—Tengo algo que comunicarle, Francesca.

—Lo escucho, señor.

—Esta mañana llegó un pedido de traslado a otra embajada. —Levantó la mirada: los enormes ojos de su secretaria lo contemplaban fijamente, sin pestañar—. Es a usted a la que trasladan, Francesca. —Y ante la expresión de azoro de la muchacha, se apresuró a añadir—: Apenas recibí la orden de Buenos Aires, hice algunas llamadas tratando de impedirlo, pero fue imposible. La orden viene de las altas esferas y es irrevocable. No sé qué decir.

—¿Por qué a mí? —quiso saber—. Hace apenas cuatro meses que trabajo en Ginebra, ¿por qué me trasladan? ¿Dice usted que la orden viene de las altas esferas? Si yo... No comprendo, señor. —Tras un momento de silencio, preguntó—: ¿Adónde me trasladan?

—A la embajada de Arabia Saudí.

—¡Arabia Saudí! —repitió, y los comensales se volvieron a mirarla—. Disculpen —murmuró; tomó su sobre y abandonó la mesa.

Casi corrió al tocador y cerró tras de sí. En torno a ella, se formó un vacío que ahogó los ruidos externos. Apoyada contra la puerta, se contempló en el espejo: le temblaba el mentón y le brillaban los ojos. Se echó a llorar desconsoladamente. Lloraba de rabia, de impotencia, de tristeza, de miedo. Heridas aún abiertas sangraron nuevamente, se le mezclaron las viejas penas con las presentes y le asolaron el alma. Ya ni sabía por qué lloraba. Aldo, su madre, Córdoba, Fredo, Ginebra. Palabras desordenadas afloraban en su mente y la llenaban de dolor e inseguridad.

El calor del mediodía terminó por agobiarla. Echó traba a la puerta y se quitó la chaqueta. Mojó el pañuelo y se lo pasó por el cuello y entre los pechos. Se refrescó el rostro y limpió el rímel bajo sus ojos. Más cómoda y calmada, y mientras se retocaba el peinado, pensó con mesura en la dichosa transferencia.

—¡Claro! —acertó—. ¿Cómo no lo pensé antes? La esposa del cónsul, ella pidió que me transfirieran.

El abatimiento del cónsul y las miradas airosas de su mujer durante el almuerzo terminaron por confirmar su hipótesis. «El reciente viaje a Buenos Aires», se dijo, «ahí debe de haber tramado todo con alguna conexión en la Cancillería». Ya no le quedaban dudas. Sintió alivio al conocer el meollo de la cuestión, que desapareció casi de inmediato cuando la rabia le coloreó el rostro. Apretó los dientes y cerró los puños: habría abofeteado a la esposa de su jefe de tenerla a mano. «¡Mujer del demonio! Me habría enviado a la embajada de la Isla de los Galápagos si existiera». Abandonó el tocador hecha una furia y, ciega de ira, se dio de bruces contra un hombre que la sostuvo antes de que terminara en el suelo. Apenas masculló un «gracias» cuando el sujeto le alcanzó el sobre y, a paso rápido, abandonó el lugar.

Al entrar en la oficina y encontrar a Marina con el gesto serio, Francesca comprendió que su amiga ya conocía la noticia del traslado. Lanzó un soplido y se dejó caer en la silla.

—Esto me llegó después de que te fuiste al almuerzo —dijo Marina, y levantó un expediente con una carátula que rezaba «Trámite urgente»—. Me lo envió tu jefe.

—Acabo de enterarme. El cónsul me dijo lo de mi traslado durante el almuerzo.

—Debe de estar desesperado. Perder a su «milagro cordobés» no le debe de hacer ninguna gracia.

—Que le agradezca a su mujer la pérdida —ironizó Francesca, y enseguida se deprimió—. Oh, Marina, ¿por qué todo me sucede a mí? Estoy cansada.

—¿Piensas que fue la mujer la que le pidió que te saque del consulado?

—En realidad, no creo que se lo haya pedido a él, sino que lo consiguió tocando algún resorte en la Cancillería. No olvides que acaba de regresar de Buenos Aires.

—Te conoció después de ese viaje. No podía saber que eras joven y hermosa. Igualmente, podrías haber sido vieja y fea.

—Quizá alguno de la Cancillería le mostró el legajo donde figura mi edad. Ya sé que son sólo presunciones. De todos modos, estarás de acuerdo conmigo en que es demasiada coincidencia la animosidad que me tiene y este repentino traslado.

—Sí, es cierto —aceptó Marina, no muy convencida.

—¡Y lo peor es el destino! —agregó Francesca.

—Sí, Arabia Saudí.

—¿Puedes decirme algo?

—Ahora no, pero puedo averiguar.

En 1919, acabada la Primera Guerra Mundial, Churchill expresó en la Cámara de los Comunes: «Es indudable que los aliados sólo han podido navegar hasta la victoria sobre la corriente ininterrumpida del petróleo de Oriente Medio». Su pensamiento fue refrendado tiempo después por Lord Curzon, un importante miembro del gobierno británico, que aseguró: «La verdad es que los aliados deben su victoria al petróleo». Por su parte, Georges Clemenceau, jefe del gobierno francés, pieza clave en la derrota del ejército alemán, pronunció, sin ambages, que «de ahora en adelante, para las naciones y para los pueblos, una gota de petróleo vale tanto como una gota de sangre».

El «oro negro», como empezó a llamarse al petróleo, posicionó en el ojo de la tormenta a la mayoría de la península Arábiga. La alianza de Occidente con los dueños del elemento que movía la economía moderna precipitó el establecimiento de sedes diplomáticas en el joven reino de Arabia, en el principado de Kuwait, en Qatar, en el principado de Abu Dabi (más tarde, Emiratos Árabes Unidos) y en el sultanato de Mascate y Omán. Sin embargo, Arabia, por su preponderancia en la península y la capacidad inigualable de sus pozos, no tenía competidores.

La Argentina, enredada en disputas domésticas, confiada en el potencial de sus propios yacimientos, no advirtió el desacierto de permanecer fuera de una realidad que había cambiado el mapa político mundial sino hasta mediados de 1960, cuando el gobierno de Frondizi, a través del Ministerio de Exterior y Culto, inició los trámites para establecer la sede en Riad, capital del reino saudí. En junio de 1961, tras arduas negociaciones —los árabes son prudentes ante la apertura— había quedado formalmente instituida la embajada en pleno barrio diplomático de la capital árabe.

—Dicen que el embajador es un hombre joven —informó Marina esa noche, mientras cenaban—, experto en asuntos de Medio Oriente —agregó, y le echó un vistazo con intención—. Es muy culto y maneja el árabe a la perfección. No pude averiguar mucho más, sólo que se trata de una sede pequeña, con escaso personal.

Francesca revolvía la comida en el plato sin probar bocado, con la vista fija en el mantel. Las palabras de Marina le llegaban como un eco lejano, mientras repasaba los hechos de un pasado cercano que aún la mortificaba, las dudas del presente y las posibilidades de un futuro cada vez más incierto. En Ginebra había hallado cierta paz que en los últimos tiempos la esperanzaba. Su viaje a Arabia, inopinado y extraño, ponía en jaque el endeble círculo protector que había trazado a su alrededor.

—Francesca, no te desanimes —se apresuró a agregar Marina—, si no estás de acuerdo con el traslado a la embajada de Arabia, renuncias y vuelves a Córdoba. ¿No dijiste que trabajabas en el periódico donde tu tío es el director? Estoy segura de que te daría nuevamente un empleo si se lo pidieras.

—No puedo regresar —dijo con voz insegura.

Experimentó gran alivio al contarle sus pesares a Marina, como si hubiese compartido la carga con ella. De todos modos, no durmió bien; por lapsos cortos la invadía una somnolencia liviana que desaparecía con un sobresalto; se agitaba entre las sábanas, acalorada y llena de fastidio. Antes de las seis, se dio un baño. Al salir de la ducha, una renovada energía había borrado el abatimiento de la noche anterior. Se dijo: «Estoy cansada de llevar esta tristeza a todas partes». Le pareció una insensatez sufrir tanto por algo que había quedado atrás; asimismo, le resultó poco inteligente angustiarse por circunstancias futuras que veía con malos ojos a causa del pesimismo y que en realidad encerraban una buena oportunidad para conocer otra cultura y otro país.

Antes de ir a la oficina, pasó por el correo donde despachó un telegrama para Fredo en el que le informaba escuetamente la novedad de su traslado. Su tío sabría aconsejarla, incluso podría averiguar el origen de tan repentina orden.

La hermosa mañana de verano, el aire fresco del lago y las flores que colmaban los canteros en las plazas le acentuaron el buen humor. Se dirigió a la oficina a paso rápido, por la costanera. Se preguntó cómo sería Arabia. No conocía nada acerca de ese país, excepto que una eterna y abrasadora alfombra de arena cubría gran parte de su territorio. «El desierto», pensó. La sola mención de la palabra le inspiró miedo.

Los días siguientes se convirtieron en una maratón: expedientes, informes y documentos se apilaban en su escritorio. El cónsul, cabizbajo y reticente, se limitaba a aumentar la pila de papeles con la cantinela: «Déjelo terminado antes de irse». En ocasiones, Francesca deseaba aferrarlo por los hombros, sacudirlo y espetarle en la cara: «¡Oiga, hombre, si es su mujer la que me hizo botar de aquí!». Al final, terminaba por darle pena.

Recibió varias llamadas de la Cancillería de Buenos Aires que la mareaban con órdenes y recomendaciones. Insistían en la importancia de que estudiara con detenimiento el material que le habían enviado sobre ceremonial y protocolo en los países musulmanes. Le explicaron que, como asistente privada de un embajador, sus funciones excedían a las de una simple secretaria y que, en un amplio repertorio de obligaciones, debía conocer desde la forma de poner la mesa hasta las solemnidades para recibir a un miembro de la realeza saudí. «Es una embajada muy pequeña», le aseguraron, «con poco personal; en usted recaerán tareas de toda índole». No le asustaba el trabajo, ni la diversidad de responsabilidades en que tanto insistía el personal de la Cancillería, por el contrario, la hacían sentirse importante.

La respuesta de Alfredo llegó en un telegrama tres días más tarde: «Acepta. Magnífica oportunidad». Dos semanas después, lo completó con una extensa carta, que Francesca leyó hasta saberla de memoria. Se sorprendió, ignoraba los vastos conocimientos de su tío en materia de petróleo y Medio Oriente. Le hablaba de la importancia geopolítica de los países de la Península, en especial de Arabia; de cómo la modernidad, inexorablemente, llevaba al mundo capitalista a depender cada vez en mayor medida del petróleo oriental, de calidad superior y de fácil extracción. «En fin», remataba, «conocerás la zona del planeta que se disputan las grandes compañías petroleras y las potencias del globo». Agregó una corta lista de libros que, por pertenecer a autores europeos, Francesca consiguió fácilmente en la biblioteca cercana al consulado. Fredo terminaba su carta pidiéndole que no se preocupara por su madre, él sabría convencerla.

Ciertamente, Antonina desaprobaba la idea del traslado a un país del cual raramente había escuchado hablar.

—¡Arabia! —exclamaba—. ¡Tierra de herejes y salvajes!

—No exagere, Antonina, por favor —terciaba Fredo.

—¿Qué querés —la increpaba Rosalía—, que vuelva a Córdoba a sufrir?

Antonina terminó por ceder. Desde su regreso de la luna de miel, Aldo no había cesado de preguntar por su hija. Incluso, en ocasiones, desesperaba y a gritos les exigía a Sofía o a ella que le dieran la dirección donde se hallaba. Finalmente, Antonina se resignó a la idea y dio su consentimiento.

Francesca devoró los libros que su tío le recomendó, especialmente *La civilización de los árabes* de un tal Gustav Le Bon, y, pese a que buscó más bibliografía, poco encontró. No obstante, lo leído le sirvió para aprender someramente acerca de las costumbres y características de los árabes, que le resultaron retrógrados por el machismo de ellos y la sumisión de ellas.

Aun así, a medida que pasaban los días, Francesca se reconciliaba con la idea de su viaje a Arabia Saudí. «Después de todo», se dijo, «tío Fredo tiene razón: debo considerar este viaje como una oportunidad del destino y no como un revés».

CAPÍTULO VII

A finales de septiembre, después de un viaje eterno y agotador, Francesca llegó a Riad. De Ginebra había partido en tren rumbo a Francfort, donde se embarcó en un avión que aterrizó tras diez horas de viaje en Jeddah, la segunda ciudad del reino saudí. Allí debió permanecer un buen rato a causa de una demora en el vuelo, intimidada por los hombres con tocados que la miraban con cara de pocos amigos. Su avión dejó Jeddah y en dos horas arribó a la capital.

Al entrar en las instalaciones del aeropuerto y sentirse realmente en tierra árabe, experimentó una emoción, mezcla de inseguridad ante lo desconocido y de curiosidad por lo novedoso, que le provocó un vuelco en el estómago. «¿Cómo he venido a terminar yo en Arabia?», se preguntó, y no supo si reír o gritar. Miró a su alrededor y le costó creer que la civilización árabe hubiese sido brillante en la antigüedad. Poco quedaba de su antigua gloria.

Tomó la maleta y siguió al resto del pasaje, pues no había carteles indicadores. Una sala espaciosa se abrió frente a ella y la gente se dispersó lentamente, en silencio. Quedó sola, a la espera.

—¿Señorita De Gecco?

La voz suave llegó desde atrás. Dio media vuelta y se topó con un par de ojos oscuros que la escrutaban de arriba abajo. Ella había elegido con cuidado su vestimenta que, sin embargo, parecía no bastarle a aquel hombre envuelto en una túnica de algodón blanco, con la cabeza cubierta por un paño de tela del mismo tono, ajustado con un grueso cordón. De rostro enjuto y moreno, encontró dificultad en calcularle la edad, pero decidió que rondaría los cuarenta.

—Sí, yo soy Francesca De Gecco —aseguró, y estiró la mano.

El árabe, en cambio, se llevó la suya al corazón, luego a los labios, a la frente y, extendiéndola hacia delante, terminó con una leve inclinación. Francesca recordó, entonces, el ancestral saludo de los beduinos que aún constituían gran parte de la población peninsular, hombres sin gobierno ni legislación, hijos de las eternas arenas, que temen a Alá y a su profeta Mahoma, que sólo respetan la autoridad del jefe de la tribu y a las leyes del desierto, que, con sus inclemencias, les marca la ruta a seguir estación tras estación en un peregrinaje sin descanso. Aún en el siglo XX seguían formando parte del invariable paisaje con sus caravanas de hombres, mujeres, niños, camellos y bultos.

—Siento que su vuelo se haya retrasado —dijo el hombre en un francés mal pronunciado, pero de impecable gramática—. Debe de estar cansada. Mi nombre es Malik bin Kalem Mubarak. Desde ahora, su chófer y servidor. —Tomó el equipaje de Francesca y agregó—: Debemos pasar por la oficina de acreditaciones. Serán sólo unos minutos.

En la oficina, tres hombres vestidos con camisa y pantalón caqui y el ineludible tocado de paño, conversaban animosamente en árabe. Se acallaron de inmediato al reparar en Francesca. Malik tomó la palabra y uno de los árabes le respondió de mala manera; polemizaron y Francesca temió que hubiese algún problema con su admisión.

—Señorita —dijo Malik—, desean revisar su equipaje. No logro hacerles entender que usted es miembro de la embajada. Es que aún no está lista la documentación. Sólo será una revisión de rutina.

Francesca depositó el bolso de mano sobre la mesa y Malik hizo lo propio con la maleta. Dos guardias se encargaron de revisarlos; el que parecía el jefe se concentró en el pasaporte. Revolvían la ropa sin consideraciones y se reían de los perfumes, las cremas y demás efectos. Francesca se esforzó por mantener la calma y no provocar una escena el primer día en Arabia. El que revisaba la maleta tomó el libro de pintura clásica, regalo de despedida de Marina, lo hojeó rápidamente y habló con dureza a Malik, mientras sacudía el libro en el aire.

—Señorita —volvió a decir Malik—, no podrá entrar en la ciudad con este libro. Es a causa de las imágenes humanas que contiene. El Sagrado Corán lo prohíbe.

«Empezamos bien», ironizó Francesca, y apretó los puños para no arrancarle el libro de las manos. «¡Retrógrados!».

—¿Es absolutamente necesario? —preguntó, de mal modo.

—El Corán lo prohíbe, señorita —insistió Malik.

Terminó por ceder, y vio cómo su hermoso libro terminaba en el fondo de un cajón. Los guardias le devolvieron sus revueltas pertenencias y Malik le indicó la salida sin mirarla. En el camino hacia la embajada, Francesca, cómodamente ubicada en la parte trasera del Mercedes

Benz que los llevaba, se concentró en el paisaje y pensó que viajaba por el túnel del tiempo.

Riad era, sin lugar a dudas, una ciudad perdida en el tiempo. Sus calles, la mayoría de ripio o toscos adoquines, laberínticas y angostas, corrían a través de edificaciones sobrias, sin lujo, viejas aunque bien mantenidas, de fachadas grises o rojizas, eternamente envueltas en una nube de polvo de la cual parecían no poder librarse. «¡Qué oscuras deben de ser por dentro!», se dijo al observar que sólo tenían dos o tres ventanas pequeñas protegidas por rejas que parecían de filigrana. Cada tanto, una imponente mezquita alteraba el monótono paisaje urbanístico.

Malik no hablaba. Molesto por lo del libro con figuras humanas, se preguntaba qué necesidad había de contratar a una mujer como asistente del embajador. Ciertamente, no le gustaban «los infieles», hombres o mujeres por igual, pero habría preferido a uno de su sexo y no a una joven llena de bríos, con la impudicia y el descaro de Occidente pintados en el rostro. Le parecía un sacrilegio que personas de otras religiones se atrevieran a entrar en la tierra donde había nacido el profeta Mahoma.

El paisaje cambió al ingresar en el barrio diplomático. Las construcciones sobrias y orientales dieron lugar a pequeños palacetes y mansiones al mejor estilo parisino, rodeadas por parques y limitadas por rejas.

—Hemos llegado —anunció Malik.

El automóvil cruzó el portón y se adentró en un parque bien cuidado, aunque pobre en plantas y flores. Palmeras datileras flanqueaban el camino hasta el pórtico y constituían el mayor atractivo. Malik le abrió la puerta y la ayudó a descender. Se aproximó una mujer menuda con sonrisa agradable que la desembarazó del bolso de mano.

—Bienvenida, señorita —dijo en francés, y sonrió amistosamente—. Mi nombre es Sara. Yo me encargo de las cuestiones domésticas de la embajada.

Malik pasó con la maleta y Sara indicó a Francesca el camino de la entrada.

—Es un gusto tenerla aquí entre nosotros —prosiguió—. Estoy feliz de que otra mujer forme parte de la embajada, porque salvo Yamile, la cocinera, y yo, el resto son hombres. Somos pocos en realidad.

Sara le produjo una buena impresión.

—Debe de estar agotada —dijo, mientras la acompañaba escaleras arriba—. Es un viaje interminable. A este lado está su dormitorio; espero que sea de su agrado.

—Seguro lo será —dijo Francesca.

—El señor embajador —continuó Sara, y abrió una puerta—, pase, por favor, éste es su dormitorio. El señor embajador estuvo esperándola, pero, como usted se retrasó, no pudo aguardarla y partió a un compromiso.

—En Jeddah hubo una demora —explicó Francesca.

—Sí, sí, entiendo. En este país siempre hay demoras —acotó Sara, e hizo un gesto de resignación—. En fin, el señor embajador dejó dicho que la verá esta noche, a su regreso. Antes de su siesta, ¿no le sentaría bien un baño?

—Sí, me complacería mucho.

Después de bañarse, se tendió en la cama, fijó la vista en el cielo raso y volvió a preguntarse: «¿Cómo diantres llegué aquí?».

Mauricio Dubois, el embajador argentino en Arabia Saudí, no tenía más de treinta y cinco años. Alto y delgado, la figura un tanto desgarbada, poseía, en cambio, las maneras de un caballero, un tono suave de voz que siempre serenaba a Francesca, y la mirada franca de un hombre bondadoso.

A diferencia del cónsul, rara vez había que recordarle sus compromisos u obligaciones, conocía a la perfección los asuntos de la embajada y le gustaba preocuparse por el bienestar de sus empleados. Con el tiempo, Francesca llegó a admirarlo con la misma devoción que a Fredo. Le gustaba su personalidad tranquila y conciliadora; sus modos serenos, aunque firmes, cuando marcaba un error; la paciencia al enseñar y los tiempos que se tomaba para meditar. De cultura vasta, nunca alardeaba de ella y parecía apenarse cuando Francesca se lo mencionaba.

—Te asombras porque yo sé mucho de los árabes, pero date un tiempo y llegarás a saber tanto como yo.

—Lo dudo, señor —replicaba Francesca.

El día que se conocieron, aunque Dubois trató de ocultarlo, Francesca se dio cuenta de que se hallaba sorprendido, molesto, quizá, por su juventud.

—¿Cuál es tu edad? —preguntó, mientras hojeaba los antecedentes.

—Veintiuno, señor —dijo Francesca, sin visos de cobardía.

Mauricio levantó la vista y la contempló seriamente. Expresó que no había tenido tiempo de leer con detenimiento su currículo a causa de los incontables compromisos durante las primeras semanas en Riad; aclaró, no obstante, que estaba al corriente de sus talentos.

—Yo te habría necesitado aquí en agosto —prosiguió el embajador—, pero hubo una demora. En tu lugar iban a enviar a otra persona, y en el último momento, no sé por qué, te designaron. Sé que estabas trabajando en el consulado de Ginebra. Espero que el cambio no te haya disgustado. Pese a las grandes diferencias que tienen con nosotros, los árabes son una civilización fascinante que te agradará conocer.

«Sí, claro», pensó con ironía al recordar el episodio con su libro de arte clásico. Estuvo a punto de mencionárselo, pero optó por callar, inclinada a pensar que el embajador lo tomaría como una torpeza de su parte. Le extendió, en cambio, una carta de recomendación del cónsul.

—«La señorita De Gecco —leyó Dubois en voz alta— es capaz e inteligente. Conoce su trabajo a la perfección y rara vez es necesario recordarle alguna situación o responsabilidad». Veo que tu ex jefe te tiene en gran estima; supongo que debe de lamentar la pérdida. Pues bien, lo siento por él, pero yo estoy complacido de que te nos hayas unido. Debes saber que, salvo el personal de servicio, que es árabe, tú, el encargado de los asuntos financieros, el agregado militar y yo constituimos toda la embajada. No voy a mentirte, Francesca, tu trabajo no será fácil ni liviano. No sólo te desempeñarás como mi asistente privada, sino que, en más de una oportunidad, harás las veces de secretaria de ambos delegados. Sin excluir, obviamente, que la responsabilidad de los asuntos protocolares y de ceremonial recaerán en ti, esto es, organizar veladas, reuniones, indicarme las visitas que hay que devolver y cómo se supone que debo actuar. Espero no haberte abrumado ni atemorizado.

—En absoluto —respondió Francesca, y el embajador la miró con complacencia.

Semanas más tarde, Francesca tenía la sensación de haber trabajado junto a Mauricio Dubois durante mucho tiempo. La certeza de que su jefe también se encontraba a gusto con ella la tranquilizaba como nada, pues, aunque paciente y de buenos modos, era exigente y detallista; daba las órdenes con minuciosidad, repetía los conceptos y no se enfadaba si se le preguntaba cinco veces lo mismo, sin embargo, a la hora de evaluar los resultados pretendía que fueran óptimos.

«La reunión con el cónsul de Francia, el almuerzo en el Ministerio del Petróleo, atender la correspondencia atrasada... ¡Dios mío!», exclamó Francesca, «tendrá que dividirse en dos para cumplir con todo». Trató de reacomodar la agenda y distribuir las actividades en el resto de la semana, a sabiendas de que los días siguientes se encontraban tan recargados como ese lunes.

A ella misma la esperaba una jornada dura. La ayuda de Sara, Yamile —la cocinera—, y Kasem —el chófer del embajador—, le resultaban inestimables. Había congeniado desde un principio con los tres: Sara, dulce y serena, le recordaba a su madre; Yamile, una joven algo distraída y atolondrada, pero voluntariosa y dispuesta, la divertía con sus ocurrencias; y el viejo Kasem, bonachón y complaciente, no parecía árabe a su juicio. Albergaba otros sentimientos por Malik; le molestaba su mirada taimada y su mal gesto, como si continuamente le reprochase algo, y prefería arreglárselas sin él. Sus palabras en el aeropuerto: «Mi nombre es Malik bin Kalem Mubarak. Desde ahora, su chófer y servidor», obviamente, habían sido un formalismo. Lo de chófer, Francesca lo había revocado de facto. Evitaba salir, obligada como estaba a envolverse en la calurosa y negra *abaaya,* el manto negro con el que las árabes se envuelven de la cabeza a los pies. Si no le quedaba alternativa, optaba por dirigirse a Kasem. Con el tiempo, Malik se ocupó de trámites y encargos del embajador o de los agregados con quienes parecía trabajar más a gusto, y pasaba gran parte del día fuera de la embajada. Francesca lo habría hecho poner de patitas en la calle de no saber que se trataba de un recomendado de la Casa Al-Saud, la dinastía que reinaba en Arabia desde 1932.

—Permiso, señorita, ¿puedo pasar?

—Sí, Sara, entra.

—Acaba de llegar esto para usted —indicó, y le extendió un paquete.

—Por favor, Sara —pidió Francesca, mientras tomaba el envoltorio—, llámame por mi nombre y tutéame. Trabajaremos juntas durante largo tiempo y se me hace más fácil si dejamos los formalismos de lado.

Sara levantó la vista y le respondió con una sonrisa infantil que contrastó en medio de ese rostro arrugado y curtido por el tiempo.

—¿Cómo es que Kasem, Yamile y tú hablan tan bien el francés?

—Kasem y yo somos argelinos. Nuestra patria es una colonia francesa desde 1847. En 1954, tras la primera insurrección contra la dominación francesa, la situación política y social se volvió compleja y peligrosa para Kasem. Kasem es mi compañero —explicó la mujer—. Debimos escapar de Argelia; la policía francesa lo perseguía y... en fin, yo tenía familiares en Arabia y decidimos cobijarnos aquí. En cuanto a Yamile, trabajó durante muchos años para la esposa del embajador belga;

ahí aprendió el francés, aunque a balbucearlo, como usted... digo, como habrás notado.

Francesca se deshizo del envoltorio y descubrió que se trataba de su libro de arte clásico. En vano buscó una esquela.

—¡Qué extraño! —comentó en voz alta—. Me incautaron este libro cuando llegué a Riad porque contenía figuras humanas y ahora me lo devuelven.

—Quizá el señor embajador presentó una queja.

—Imposible —aseveró Francesca—. No le comenté nada al embajador sobre este inconveniente.

Con el tiempo, Francesca llegó a manejar las riendas de la embajada y rara vez se le escapaba detalle. Segura y satisfecha de su trabajo, comenzaba a experimentar la misma sensación que en Ginebra, aquella que le había permitido soñar con un poco de paz y dicha. Sin embargo, había momentos en los que se desmoronaba en la silla de su habitación. Reprimía el llanto y se instaba a sobreponerse. Después de todo, pese al desengaño, la vida no había sido tan dura con ella: ¿acaso se le había ocurrido alguna vez la posibilidad de salir de Córdoba para vivir en una ciudad como Ginebra, departiendo en fiestas de embajadas y consulados, en medio de funcionarios importantes y personas interesantes? ¿Qué tenían de malo algunos años en Arabia, un país misterioso y fascinante, casi una leyenda? La complacía trabajar junto a Dubois, de quien aprendía algo nuevo cada día. Se sentía a gusto con Sara y Kasem. No podía quejarse. Había sufrido, sí, pero, ¿y quién no? ¿No había sufrido su madre al quedar viuda? ¿Y Fredo, con el suicidio del padre y la muerte de Pietro, su hermano? ¿Y Sofía? ¿Dejaría que la vida transcurriera en la monótona melancolía en la que había quedado inmersa su amiga? ¿Viviría atada al pasado, suspirando y apretando los labios para no llorar? Se avergonzó. ¿Cómo podía comparar su tristeza con la angustia de quien ha perdido un hijo? El padecimiento de Sofía no tenía nada que ver con el desencanto de un amor precipitado de unas cuantas noches de verano.

Dejó la silla, se acomodó la falda y abandonó su dormitorio. El informe acerca de Jeddah, primer encargo de Dubois de esa índole, la entusiasmaba y le recordaba a sus días en *El Principal* cuando investigaba para algún artículo y, zambullida en las bibliotecas, mientras se llenaba las manos de polvo con libros viejos y poco consultados, descubría hechos e historias increíbles. En Arabia, sin embargo, la búsqueda de información se volvía pesada y dificultosa. La falta de bibliotecas y museos se sumaba a la reticencia de los árabes a revelar ciertas cuestiones del país. Recomendada por Mauricio, en el Ministerio de Economía y Finanzas la recibió un funcionario, ostensiblemente molesto por tratar con una mujer, que le facilitó poca información, unos cuantos folletos anticuados y el nombre de un libro que, por estar en árabe, ni se molestó en buscar. Más allá de estos reveses, el informe acerca de Jeddah, aunque se tratara de un avance, debía estar listo a la mañana siguiente.

Si bien Riad era la capital del reino, Jeddah, apostada a orillas del mar Rojo, se intentaba aproximar, con su moderno puerto, al mundo de Occidente. El desarrollo y la pujanza de la ciudad crecían a pasos agigantados conforme aumentaba la riqueza de la familia Al-Saud y su capacidad adquisitiva. Barcos de las más variadas nacionalidades recalaban a diario con sus toneladas de mercancías, decenas de grúas estibaban incesantemente, transacciones millonarias se llevaban a cabo en los depósitos aduaneros. Dubois sabía que las posibilidades comerciales para la Argentina se encontraban en Jeddah.

Francesca cruzó a paso veloz el corredor de la mansión que comunicaba el ala de las habitaciones con el de las oficinas, y entró en el despacho de su jefe sin advertir que había alguien en su interior. Un árabe, cómodamente sentado en el sofá, la siguió con la mirada, atraído por su cabello, largo y espeso, negro como el ala de un cuervo, brillante como pizarra al sol, que desbordaba por los hombros y la espalda hasta casi rozarle la cintura. El traje sastre azul marino se le ajustaba al cuerpo juvenil de líneas voluptuosas.

El hombre carraspeó y se puso de pie cuando la falda de Francesca trepó por sus piernas mientras intentaba alcanzar un atlas ubicado en el estante más alto de la biblioteca. El árabe, serio e imponente, avanzó en su dirección y la obligó a replegarse contra la biblioteca.

—Jamás pensé —dijo el hombre en perfecto francés— que una argentina pudiera ser más hermosa que las mujeres de mi pueblo.

La hechizó su voz gruesa y profunda, y se quedó como tonta mirándolo, sin pronunciar palabra ni exigir explicaciones, a pesar del susto que le había dado y de que la contemplaba de arriba abajo con insolencia. Cuando por fin los ojos del árabe encontraron los de ella, la sorprendieron. De un verde intenso y puro, con pestañas oscuras y pobladas, tenían vida propia, como si, no obstante la solemnidad del resto de las facciones, los ojos sonrieran constantemente.

—*Inshallah*! —exclamó, y efectuó el saludo oriental, la mano sobre el corazón, la boca y la frente.

Francesca salió del estupor al oír la puerta que se abría.

—¡Amigo mío! —escuchó decir a su jefe desde la entrada.

El árabe se volvió, sonrió notablemente complacido y marchó al encuentro de Mauricio. Se estrecharon en un abrazo, mientras pronunciaban acaloradas palabras en árabe. Francesca abandonó la sala sigilosamente. En el corredor permaneció quieta y apretó el atlas contra el pecho, donde el corazón le palpitaba con desenfreno. ¿Quién era ese hombre? «Amigo mío» lo había llamado el embajador, con inusual júbilo. Aunque atemorizada por su figura soberbia y gesto duro, debía admitir que su mirada la había fascinado.

—¿Qué sucede, querida? —preguntó Sara, al encontrarla en medio del pasillo, con la vista perdida—. Traes una cara...

—Estoy un poco cansada, sólo eso.

De todas formas, ¿qué podía decirle? ¿Que un árabe atractivo e insolente la había asustado en el despacho del embajador?

—¡Al fin, amigo mío! Ya estás aquí, entre nosotros, y como embajador —se complació el árabe, y palmeó a Dubois—. Las autoridades de tu país sí que enviaron a un purasangre para lidiar con los míos.

—Hay que reconocer que las intervenciones de tu tío Fahd han sido más que oficiosas en este asunto —admitió Dubois, y una sonrisa cómplice le asomó en los labios—. Su continua negativa a otorgar el plácet a otros diplomáticos fue más que convincente para que el canciller argentino entendiese que deseaban a alguien en especial. Si no fuese por su insistencia, no sé quién estaría hoy aquí.

—Algún mentecato sin experiencia en las costumbres de mi pueblo —aseguró el árabe.

Un aire de orgullo colmó el gesto de Mauricio. Bien seguro estaba de sus propios talentos y cualidades, y de sus amplios conocimientos de Medio Oriente; no obstante, escuchar que Kamal bin Abdul Aziz Al-Saud, hijo del fundador de Arabia Saudí y príncipe heredero al trono lo reconociera, significaba mucho para él.

—Vamos, siéntate, por favor. ¿Deseas tomar algo? —E hizo sonar una campanilla para llamar a Sara, que se personó con una bandeja y sirvió café—. Tu descortesía no tiene límites —se quejó Mauricio apenas la mujer abandonó el despacho—. Hace tiempo que estoy en Riad y hoy es la primera vez que te dignas visitarme. Ni siquiera estuviste en la ceremonia de presentación de mis cartas credenciales.

—Quédate tranquilo que no he perdido detalle de tu llegada, ni de la ceremonia ni de ninguno de tus movimientos —aseveró Kamal—. Mi hermano Faisal y mi tío me lo han contado todo, como también mi madre. Sé que la has visitado.

—La encontré muy bien. Ella fue la que me dijo que estabas fuera del país, en Francia, por tus negocios.

Kamal dejó la taza, encendió un cigarrillo y el fuerte aroma del tabaco oriental inundó la habitación. Permaneció callado, como si estuviese solo y debiera reflexionar. Mauricio no se impacientó; después de tantos años, había aprendido a respetar sus silencios, esa tranquilidad y mesura que exasperan a los occidentales.

—La verdad —dijo Kamal— es que prefiero mantenerme lejos de Riad.

—Entiendo —susurró Mauricio, y se echó sobre el respaldo—. Faisal me lo dio a entender. Las cosas entre tú y Saud siguen mal, ¿verdad?

Kamal levantó la vista y Dubois comprendió que no tocaría el tema. Resultaba duro admitir las profundas disidencias con su medio hermano Saud, rey de Arabia desde la muerte de su padre en 1953, sobre todo cuando en el Islam estaban prohibidas las disputas entre miembros de una familia. Sin embargo, las desavenencias existían y se recrudecían en tanto la conducta del rey se alejaba de los preceptos del Corán, y los Al-Saud, a coro, le rogaban a Kamal que se hiciera cargo del gobierno.

Ya en 1958, a causa de una gravísima crisis financiera producto de las extravagancias y excesos de Saud, éste se había visto forzado a admitir la intervención de Kamal, que, tras su nombramiento como primer ministro, guió el destino de Arabia con el objetivo primordial de sacarla del atolladero en que se hallaba. En esos días, la figura del rey se convirtió en un mero formalismo, y el odio de Saud hacia su hermano se intensificó.

Ese odio había nacido años atrás, cuando Saud, siendo aún muy joven, debió compartir el cariño de su padre, el rey Abdul Aziz, con su nuevo hermano Kamal. Conforme crecía, el joven Kamal se granjeaba la admiración y cariño de sus tíos, hermanas y demás parientes, que comenzaron a consultarle y a participarlo de manera más frecuente en los asuntos del reino.

Dos años más tarde de su nombramiento como primer ministro, en 1960, Kamal renunció al cargo para evitar mayores disputas con su hermano. En los últimos tiempos, la relación se había tornado insostenible, raramente coincidían y cada discrepancia desataba una nueva tormenta. Kamal presentía que la furia de Saud tenía orígenes más profundos que las cuestiones de Estado, y, convencido de que no podía luchar contra ese odio atávico, terminó por apartarse, pese a las quejas y reproches de la familia, en especial los de su madre Fadila.

Mauricio carraspeó y ofreció más café. Kamal aceptó y extendió su taza.

—Y, dime —empezó Dubois, con otro tono—, ¿cómo se encuentra Ahmed?

—Bien. Estuvo conmigo en Ginebra, ya sabes, por este tema de la OPEP. Luego regresó a Boston. Tenía pendientes unos exámenes.

Mauricio se abstuvo de preguntar acerca de la OPEP y de sus consecuencias en el mundo oriental, seguro de que, al tratarse de otra invención de Saud y de su ministro Tariki, Kamal tampoco abordaría ese tema.

—¿Quién era la belleza con la que me topé antes? —se interesó Kamal, apuntando hacia la puerta.

—Mi secretaria —respondió Dubois, y lo miró seriamente—. Ni se te ocurra.

—¿Acaso ya te cautivaron esos ojos negros y la reservas para ti?

—Sabes que no mezclo trabajo con placer.

—¡Por supuesto! —repuso Kamal, y sonrió con sarcasmo.

CAPÍTULO
VIII

El reloj de pared del dormitorio de Francesca marcaba las once de la noche. El cansancio y la nostalgia comenzaban a jugarle una mala pasada; siempre le sucedía cuando llegaba la noche. Sacudió la cabeza y se esforzó por sonreír y no pensar. Contestaría la carta de Marina y, agotada, se iría a la cama.

Le escribió a su amiga asegurándole que aún no la había raptado ninguna caravana de beduinos y que no había perdido la virginidad en ningún oasis. Le gustaba Marina. Siempre contenta y optimista, tenía el don de arrasar con el abatimiento. Terminó la carta pidiéndole que le contestara pronto porque la hacía reír.

Ya en cama, releyó el informe sobre Jeddah que entregaría a su jefe a primera hora. Al rato, apagó la luz, rezó brevemente y se dispuso a dormir. «Jamás pensé que una argentina fuera más hermosa que las mujeres de mi pueblo». La voz del árabe que había conocido esa mañana la desveló por completo. Se reprochó la falta de tacto y cortesía: debió presentarse, debió decir algo, buenos días quizá, o disculparse por haber entrado sin llamar. Se había quedado muda, observándolo avanzar hacia ella y, luego, frente a frente, se dejó dominar por esa extraña sensación de miedo y ansiedad. Sí, miedo. ¿Acaso no se trataba de un árabe, un hombre brutal, de hábitos salvajes y retrógrados, un ser primitivo despojado de toda cortesía hacia la mujer, considerada poco menos que un animal? «Jamás salgas de la embajada sin la *abaaya*», le había advertido Sara. La *mutawa*, como se llamaba la policía religiosa, famosa por su rigidez y crueldad, la aporrearía duramente sólo con ver que llevase descubiertos los tobillos.

En cuanto al árabe, también había experimentado una clara ansiedad. Aunque no, seguramente se trataba del mismo miedo; el golpeteo del corazón y el cosquilleo en el estómago eran producto del susto, de la sorpresa. Ninguna ansiedad. Aunque debía admitir que, pese a la túnica y al tocado, lo había encontrado atractivo, dueño de una belleza exótica que la había impresionado; por cierto, un estilo completamente distinto al de Aldo.

Una semana más tarde, a principios de noviembre, el calor parecía de verano. «¿Nunca hace frío aquí?», se fastidió. En el estudio del embajador, sin embargo, se estaba a gusto; durante las horas de sol más agobiante mantenían los postigos cerrados y, en el crepúsculo, los abrían de par en par, permitiendo que la brisa de la tarde llevase dentro la frescura del parque. Ese día, en especial, le interesaban los detalles en el despacho de Dubois: había conseguido flores que perfumaban y coloreaban el ambiente, algo apagado a causa del tradicional verde musgo de los sillones y el beige del cortinado; Sara se había esmerado con el pulido del parqué y de la platería; y Yamile terminaba de colocar sobre la mesa bocaditos y bebidas frescas para los invitados del embajador.

«Es una excelente oportunidad de negocios para la Argentina», le había comentado Mauricio al referirse a la reunión de esa tarde. Varios empresarios de Jeddah de visita en la capital, interesados en ampliar las fronteras de sus negocios, habían aceptado la invitación del joven y flamante embajador argentino.

Kasem, en su rol de mayordomo, hizo entrar en el despacho de Mauricio a tres hombres, uno evidentemente árabe, a pesar de su traje occidental, y dos ingleses. Francesca les dio la bienvenida, los invitó a sentarse y les ofreció de beber. Acto seguido, comunicó que el embajador no tardaría en llegar y les entregó un informe sobre las ventajas de invertir en la Argentina que, sugirió, podían hojear mientras lo aguardaban. Apareció Dubois, elegantemente vestido y perfumado, e indicó a Francesca que se retirase. Encontró a Sara en el corredor que recogía pedazos de loza del suelo y lloriqueaba silenciosamente.

—¿Qué pasó? ¿Te lastimaste? —preguntó Francesca alarmada, y se puso en cuclillas. Tomó las manos nudosas y llenas de callos de la argelina, y comprobó que no se hubiese cortado.

—¿Habrá escuchado el embajador que se me cayó la bandeja con las tazas del café? —se angustió Sara—. Tropecé con el borde de la alfombra y, como una estúpida, dejé caer la bandeja. ¡Qué inútil!

—No te preocupes, yo me haré cargo de esto. Mejor, trae tazas nuevas. El embajador debe de estar esperando el café.

Sara se puso de pie, aún nerviosa y sollozando, y marchó a la cocina. Francesca volvió a acuclillarse para recoger el estropicio de tazas y platos.

—¿Necesita ayuda, señorita?

Una figura alta se plantó frente a Francesca: era el «amigo mío» de Mauricio otra vez. La contemplaba y sonreía, y a Francesca la irritó no saber si lo hacía de manera burlona o amistosa. Aunque él le extendía la mano, ella se puso de pie sin aceptar su ayuda. Ruborizada, simuló acomodarse la falda y la chaqueta para no mirarlo de frente: no la vería avergonzada y mortificada, ¡no, señor! Dio un respiro profundo y, con más dominio, se atrevió a levantar la vista: el hombre continuaba mirándola con desparpajo y esa maldita sonrisa marrullera. Ya le demostraría ella que no era como las mujeres de su pueblo. Sería mordaz e insolente con el tal «amigo mío», poco le importaba; después de todo, se trataba de un bárbaro, de un salvaje, un hombre incivilizado y libidinoso que aprobaba la poligamia. Que Mauricio la pusiese por ello de patitas en la calle no se le cruzó por la mente en ese instante de pura rabia.

—¿Es una impresión equivocada la que tengo o usted está empecinado en matarme de un infarto?

Kamal prorrumpió en una carcajada y Francesca se desconcertó.

—¡Cállese! —ordenó de mal modo—. Hay una reunión importante a metros de aquí. Mi jefe me llamará la atención por su culpa.

El árabe se despidió con una inclinación de cabeza y siguió su camino. Dos nubios, altos y fornidos, lo siguieron a unos pasos. Francesca no atinó a avisarle que no podía entrar en el despacho del embajador, pero al escuchar la voz de Mauricio que decía: «¡Por fin llegas, Kamal!», comprendió que lo aguardaban. Se cerró la puerta y los nubios se ubicaron a ambos lados, firmes como columnas.

¿Kamal? ¿Así lo había llamado Dubois? Kamal.

Mauricio regresó a su oficina luego de despedir a los empresarios de Jeddah. Allí lo aguardaba Kamal.

—¿Otra taza de café? —ofreció Mauricio.

—No, gracias. Disculpa que haya llegado tarde a la reunión.

—Sé que estás muy ocupado y te agradezco que hayas venido. Tu presencia fue para estos hombres una garantía en sus futuras operaciones con empresas de mi país.

—Espero haber sido de utilidad.

—Sí, por supuesto —respondió Mauricio vagamente, y se lo quedó mirando—. ¿Te pasa algo?

—¿Tienes tiempo? Necesito hablar contigo.

—Sí, claro. Tomemos asiento.

—No, salgamos al parque, necesito aire fresco.

Resultaba probable que su hermano Saud, conociendo la estrecha amistad que lo unía a Dubois, hubiese plagado la embajada de micrófonos. Sólo hallaría seguridad en un lugar abierto. Ante una seña de Kamal, los nubios, que habían amagado con seguirlo, volvieron a estaquearse a ambos lados de la puerta.

En el jardín, caminaron un buen trecho en silencio; Kamal fumaba y Mauricio aguardaba con paciencia. Quería a Kamal como a un hermano; lo admiraba también por su osadía e inteligencia. Sin embargo, era la completa ausencia de vanidad lo que más respetaba de él. «Es un absoluto inconsciente de sí mismo», solía pensar al verlo actuar. Desde su infancia, en el internado de Londres, lo habían atraído las maneras tranquilas, los movimientos lentos y la voz reposada de ese niño árabe que, bajo la sombra de un roble, le hablaba del desierto, de las noches en el oasis, de las aventuras a caballo y de las batallas que su padre había librado para conquistar el reino. En su alborotada mente de diez años, Mauricio mezclaba a Simbad el marino con el rey Abdul Aziz, a Alí Baba y las alfombras voladoras con los caballos del profeta Mahoma. No se apartaba de su amigo, persuadido de que en él residían la seguridad y la diversión. Los veranos en el palacio de Riad o en las tiendas del abuelo de Kamal, el jeque Harum Al-Kassib, lo habían salvado de la irremediable tristeza en la que habría caído en Buenos Aires al regresar al seno de una familia donde sólo hallaría tíos y primos a los cuales prácticamente no conocía. Sin duda, la prematura muerte de sus padres habría sido muy dura de sobrellevar si Fadila y el rey Abdul Aziz no lo hubiesen acogido como a un hijo.

Años más tarde, en La Sorbona, mientras él y los demás compañeros, alborotados en una revolución de hormonas e ideas liberales, se creían capaces de dominar el mundo y conquistar a cualquier mujer, Kamal, tras pasar horas en la biblioteca, se encerraba en su habitación y, absorto como ahora en esa caminata, meditaba.

—¿En qué piensas tanto? —le preguntó en una ocasión Mauricio, molesto porque no se unía a una de sus salidas nocturnas.

—Trato de entender a los occidentales —respondió antes de volver a su hermetismo.

Al llegar a la terraza, los atrajo el tintineo de los hielos en la jarra con limonada que Sara se disponía a servirles. Pese al escaso verdor, el parque ofrecía un agradable espectáculo. Se sentaron a beber.

—Vadana, la mujer de Saud —habló Kamal, de repente—, fue a visitar a mi madre esta mañana. Como imaginarás, el encuentro no fue ni amistoso ni tranquilo.

—¿Estabas presente? —se inquietó Mauricio.

—No, Fátima me lo contó. Entre otras cosas, Vadana le reclamó a mi madre que la familia está traicionando a su esposo, que él es el rey elegido por mi padre para sucederlo; en definitiva, dijo que estamos traicionando la memoria y las decisiones de mi padre.

—La familia volvió a pedirte que tomes las riendas —aventuró Mauricio.

Kamal asintió, dejó el vaso sobre la mesa y se relajó en la silla.

—Llegué tarde a tu reunión porque estuve en otro de los conciliábulos que organizan mis tíos Abdullah y Fahd. La situación es compleja: Arabia es fuertemente deficitaria. Sí, ésa es la realidad —añadió para asombro de Mauricio—. Después de la crisis del 58 logramos sortear el temporal, pero las cosas no quedaron solucionadas. Luego, como sabes, dimití del cargo de primer ministro y me alejé todo este tiempo. Mi hermano Faisal dice que si no me hubiese ido, Saud jamás habría hecho las locuras que hizo, en especial, la creación de la OPEP.

—La OPEP ha sido cosa de Tariki —comentó Dubois, en referencia al ministro más importante del reino —y Saud se dejó arrastrar, como siempre.

—La creación de la OPEP no es una idea desacertada.

—Pensé que te había molestado sobremanera.

—Estoy convencido de que aún no es el momento para enfrentarnos tan abiertamente a Occidente. El poder de las compañías petroleras continúa siendo fuerte; no contamos con recursos financieros y no tendremos acceso al crédito. Somos dueños de litros y litros de petróleo que, en sí, no servirían de nada si no encontrásemos compradores. Además, no sé cómo reaccionarán los otros países exportadores, si se nos unirán o seguirán vendiéndole a las compañías. Irán es el segundo productor y, después de que los norteamericanos fueron a buscar a Reza Pahlevi al exilio en Roma y lo restituyeron al trono, no me quedan dudas de qué lado elegirá en la contienda, a menos que sea un suicida. En resumen, desafiar a Occidente por medio de la OPEP nos llevará a la quiebra.

—Como diría Jacques, una quijotada.

Kamal asintió. Mauricio le conocía esa mirada. Sabía que, sin escrúpulos, pese a sus modos serenos y voz modulada, estaba diseñando con la precisión de una máquina el plan para lanzarse sobre su víctima y despedazarla antes de que ésta pudiese destruir lo más importante para él: Arabia.

—¿Aceptarás nuevamente ser el primer ministro?

—Sólo si me dan absoluto control sobre los ministerios más importantes, en especial el de Hacienda y el de Petróleo. Quiero ser amo y señor para no tener que considerar los asuntos fundamentales con mi hermano. Decido yo y no se discute —apostilló, sin levantar el tono.

—Sabes que eso desembocaría, tarde o temprano, en el pedido de abdicación de Saud.

Kamal lo contempló con una seriedad que, pese a la confianza, incomodó a Mauricio, pues no supo distinguir si lo había molestado con el comentario o si simplemente reflexionaba acerca de él.

—Aun con sus desaciertos —retomó Kamal— hay quienes apoyan a Saud. Dentro de la familia hay un grupo influenciado por los ulemas y doctores de la fe que me quiere lejos del poder. Dicen que estoy hecho «a la moda occidental», que después de tantos años en Inglaterra y en Francia ya no queda en mí nada del espíritu árabe que mi padre me inculcó.

—Quien dice eso no te conoce en absoluto —aseguró Mauricio, irritado—. Cierto que te has educado en los mejores colegios y universidades occidentales, pero eso no ha hecho más que exacerbar el amor por tu pueblo, como si, por conocer tanto la idiosincrasia de los occidentales, hubieras elegido ser árabe en un acto libre e inteligente. Quien no lo vea, es un necio.

—Me tiene sin cuidado lo que piensen de mí. Sólo me preocupa en la medida que signifique una traba para acceder al poder cuanto antes y evitar el desastre. Te he quitado demasiado tiempo —dijo a continuación—. Además, debo reunirme con tío Abdullah y llegaré tarde si no me marcho ahora.

Dejó la silla y se encaminó hacia su Rolls Royce, aparcado a unos metros. Los nubios salieron de la embajada, cruzaron el parque y subieron al automóvil, donde Kamal los aguardaba en el asiento trasero. En tanto el coche se alejaba por el camino de las palmeras, Kamal volvió la mirada hacia la terraza y allí la vio: Francesca se acercaba a su jefe con papeles en la mano, Mauricio le decía algo y ella sonreía halagada.

* * *

«Se puede atar a los árabes a una idea como con una correa. Se les podría arrastrar a los cuatro extremos del mundo. Su espíritu es extraño y sombrío, tan propenso al abatimiento como a la exaltación, pero más ardiente y más febril que en cualquier otra persona. Un pueblo tan inestable como el agua, pero, precisamente como el agua, seguro de la victoria final. Desde la aurora de la vida, sus olas rompen una tras otra. Todas ellas han caído. Pero llegará un día en que una ola parecida rodará sobre el lugar donde el mundo material habrá dejado de existir y el espíritu de Dios se cernirá entonces sobre el rostro de estas aguas... Arabia».

Francesca cerró *Los siete pilares de la Sabiduría,* de Thomas Edward Lawrence, y reflexionó sobre el texto que acababa de leer. «Con este libro», le había dicho Mauricio, «lograrás comprender, en parte, la esencia de esta gente que tantos sentimientos encontrados provoca en Occidente».

«Ningún sentimiento encontrado», pensó Francesca. «Simplemente se trata de un pueblo atrasado que no quiere avanzar», aunque se cuidó bien de no dárselo a entender a su jefe, que tanta pasión sentía por ellos.

«Pues bien», dijo tras meditar las palabras de Lawrence, «los árabes son como niños. Niños que se exaltan y se abaten con la misma intensidad, niños que pueden ser conducidos como a la escuela, niños que, por un absurdo de la Naturaleza, tienen en sus manos la base de la riqueza del mundo industrial». Esta última deducción la preocupó. La creación de la OPEP no parecía juego de niños, más bien, se asimilaba a una estratégica jugada de ajedrez, arriesgada —desde luego—, pero buen reflejo de la valentía y de la conciencia que de ellos mismos tienen.

«¿Qué será de los árabes después de la creación del cártel?», se preguntaba Fredo en su última carta. Según su parecer, las compañías petroleras crearían un frente común y los destrozarían con impunidad. «Naturalmente, la situación es injusta: las compañías se apoderaron del petróleo y jamás se les ocurrió compensar mejor a los países productores, ni tienen intenciones de hacerlo, te lo aseguro. Si le echas una mirada a las estadísticas de consumo, el despilfarro del petróleo a causa del bajo precio puede acarrear una gravísima situación a largo plazo. Pero ¿quién piensa en ese futuro lejano cuando en el presente recogen los dólares con palas?».

Se tendió en la cama agotada de dar vueltas a tanto problema. ¿Quién se haría cargo de la situación? La impotencia ganó su corazón, y, como si fuese su entera responsabilidad, la abrumaron las desgracias que, de Norte a Sur y de Este a Oeste, plagaban el mundo. Ni siquiera había sabido ayudar a Sofía y a su bebé. Quizá, si hubiese sido más astuta y osada, en esos días ya tendría un ahijado de cuatro años. En definitiva, ¿quién era ella sino una mera secretaria que ponía flores en el despacho de su jefe y sonreía a sus invitados? Le pareció tan poco para ella, que había nacido para algo grande. Su tío siempre se lo decía. «Llegarás a ser una gran mujer». Simples ilusiones de Fredo que la quería tanto. ¿Qué hacía por el momento? Nada, llorar el amor perdido de un pobre estúpido. Al referirse a Aldo de esa manera, el alma le dio un respingo: jamás lo había juzgado así; cierto que en otras oportunidades lo había llamado cobarde, pero lo había hecho con ternura y compasión, perdonándolo en el fondo. Sin embargo, ese «pobre estúpido» había surgido tan espontánea y sinceramente que la culpa ganó el espacio de las desgracias del mundo, y se sintió peor.

Tomó la carta de su madre y se puso a leer.

Córdoba, 14 de noviembre de 1961

Cara figlia:

Cómo explicarte cuánto te extraño. Bueno, ya lo sabés pues te lo digo en cada carta que te escribo. Saberte tan lejos me ha hecho regresar a los años de tu infancia y recordar lo felices que éramos los tres. Sos tan inteligente e independiente como tu padre; sin duda, sos su fiel reflejo, hijita. Y eso debe llenarte de orgullo porque tu padre fue uno de los hombres más nobles que conocí y debo agradecer al cielo por haber sido su mujer. Tengo tantos deseos de verte, de tocarte, de acurrucarte y hacerte dormir como cuando niña.

Espero que realmente estés tan bien como dices en tus cartas. Me alegra mucho que tu jefe sea tan bueno. Sofía, aquí a mi lado, me pide que te mande un saludo y promete escribirte pronto. Ahora que no estás, me he convertido en su confidente. ¡Lo único que me faltaba! No, no me molesta. Realmente, adoro a esta chica y, si no fuera por ella, no sé qué haría en esta enorme mansión donde todo es dolor y tristeza.

Tu tío Fredo viene a visitarme casi a diario, a pesar de que está muy ocupado con los asuntos del periódico. Desde que te fuiste dice que perdió a su mano derecha. Eso me llena de orgullo.

Figliola, cuidate mucho y aprendé a ser feliz en cualquier lugar donde Dios te haya puesto.

Tua mamma, che ti ama.

P.D. Aquí te envío una fotografía de Rex junto a Cívico que Sofía tomó para vos semanas atrás en Arroyo Seco.

Francesca acarició la foto y decidió comprar un marco para colocarla sobre la mesa de noche. «Ni una palabra de Aldo», pensó. Parecía que ambas, Sofía y Antonina, se habían confabulado para no mencionárselo. Ella tampoco preguntaba.

Se aproximó a la ventana, donde las cortinas de *voile* se agitaban al son de una suave y fresca brisa. En el cielo, la anonadaron las estrellas y la luna llena. Debía admitir la belleza de las noches en Riad, ni las de Arroyo Seco eran comparables. Volvió a recostarse, el cansancio la vencía.

«Aldo, ¿dónde estás? Vamos a la piscina». Aldo no aparecía y la negrura de la noche comenzaba a asustarla. Caminaba con el cuerpo en tensión para evitar cualquier ruido que despertase a la señora Celia. Se acercó a los arbustos que rodeaban la piscina y volvió a llamarlo, sin resultados. En la lejanía, bajo la luz de la luna, divisó a Rex y lo llamó desesperadamente; tenía la espantosa sensación de que ese caballo era lo único que le quedaba en el mundo. El purasangre dejó de ramonear y levantó la cabeza, la miró y se marchó a todo galope. Siguió el vacío, una completa y total desconexión con el mundo real, mientras flotaba en una oscuridad apabullante. Pese a que buscaba asirse a algo firme, pese a que trataba de apoyar los pies en el suelo, continuaba volando sin rumbo en medio de una negrura que no le permitía siquiera verse la mano. «¡Rex, no te vayas, no me dejes aquí sola!». Comenzó a sollozar al tiempo que recorría un paraje tenebroso, plagado de ramas espinosas que le laceraban brazos y piernas. El dolor la doblegaba, pero seguía, estimulada por la corazonada de que al final del bosque encontraría a Aldo. «Aldo, no estoy bromeando, quiero verte». A duras penas, reconoció el jardín del palacio Martínez Olazábal donde las cuidadas plantas de Ponce se habían convertido en maleza. «Vamos, Aldo, no me dejes, no me abandones, tengo miedo». A través de la espesura, lo divisó en el salón principal bailando con Dolores. Reían y se susurraban. La joven lucía muy hermosa y la satisfacción de su gesto añadía brillo a sus ojos azules. Francesca cayó de rodillas y se cubrió el rostro anegado de lágrimas. «¿Necesita ayuda, señorita?», preguntó alguien por detrás. Al volverse, aterida de miedo, una túnica gigantesca la envolvió y le quitó el aire.

Se despertó sobresaltada y no concilió el sueño nuevamente.

* * *

—Es poco ético. No haré lo que me pides. Mejor, quítatela de la cabeza —sugirió Mauricio—. No me mires así, ésa fue mi última palabra, y ni con tu paciencia de beduino ni tu diplomacia árabe lograrás que tuerza mi parecer.

Kamal encendió un cigarrillo y echó una espesa bocanada de humo, a través de la cual Mauricio vislumbró un par de ojos que lo escrutaban con frialdad.

—Es una niña, tiene apenas veintiún años —alegó Dubois—. No puedo ponerla a merced de un Don Juan como tú. No es como las mujeres a las que estás acostumbrado. ¿Qué pasó con la italiana que conociste en Saint-Tropez?

Kamal apenas sesgó los labios y Dubois bufó.

—¿Para qué quieres que te presente a Francesca?

—Eso es asunto mío —replicó Kamal—. ¿Me vas a poner en la incómoda situación de recordarte los favores que me debes en esta materia?

—No es necesario. Sin embargo, insisto: no veo la conveniencia de que te relaciones con mi secretaria. Ella es...

—Sí, ya sé. Es una niña, yo soy un Don Juan y debería volver con la italiana de Saint-Tropez. Pero ahora lo que quiero es conocer a tu secretaria. Si no me la presentas, buscaré la forma de acercarme a ella. Sabes que lo conseguiré.

Esa tarde, Mauricio convocó a Francesca en su despacho. Con naturalidad, mientras la cabellera le flotaba sobre los hombros y su silueta se movía con gracia, la muchacha entró en la oficina y le sonrió. Mauricio contuvo un suspiro y lamentó la promesa hecha a Kamal. Ciertamente, se había fijado en su secretaria, con su frescura juvenil y la indiscutible belleza de sus facciones. No obstante, pese a su vitalidad, algo en ella impulsaba a protegerla, a resguardarla del mundo, como si se tratase de una criatura frágil y vulnerable. ¿Qué estaba sucediéndole? Se puso de pie y disimuló la inquietud buscando un libro en la biblioteca.

—Francesca —dijo, sin volverse—, necesito que organices una cena aquí, en la embajada. Como vendrán algunos árabes, será dentro de dos jueves; ya sabes, el jueves equivale a nuestro sábado en Arabia.

—¿Cuántas personas, señor? —preguntó Francesca, que ya apuntaba en su libreta.

Mauricio no contestó de inmediato y se quedó mirándola. «Es un desatino», se dijo.

—¿Sucede algo, señor?

—No, en absoluto. ¿Qué habías preguntado? Cuántos invitados. Bien... Veamos... Seremos siete en total, incluyéndote a ti.

—¿A mí? —se sorprendió Francesca.

—Quisiera que te unieras a la cena, claro, si te agrada la idea. Se trata de una reunión fuera de protocolo, algunos amigos a los que he deseado invitar desde que llegué a Riad y que, por una u otra razón, no lo he hecho. ¿Vendrás?

—Sí, por supuesto que sí. Muchas gracias, señor. Será un honor.

—Bien.

A juicio de Francesca, Dubois se encontraba intranquilo, agitado. Revolvía los legajos y las carpetas como si no pudiese dejar quietas las manos, se ponía y se quitaba los lentes, aunque no leyese nada.

—¿Busca algo, señor?

—Sí, en realidad, sí. Un expediente que llegó hoy de Buenos Aires con un pedido de tramitación de visado para ingresar en Arabia. La carpeta es de color verde... Aquí está —y se la entregó a su secretaria.

—¿Este trámite no debería presentarse en la embajada árabe en Buenos Aires? —se intrigó Francesca.

—Sí, en caso de que la hubiera, pero los Al-Saud no han constituido sede en nuestro país. Supongo que lo harán pronto. En el ínterin, nosotros nos encargamos de los visados. Debes saber que las exigencias para ingresar en Arabia son muchas y severas. Hazte cargo, por favor. Ya te indicaré dónde presentar los papeles y con quién hablar.

Francesca abrió la carpeta. «Nombre y apellido del solicitante: Aldo Martínez Olazábal». El color se le borró de las mejillas y necesitó apoyarse en el escritorio.

—¡Francesca! —saltó Dubois—. ¿Qué te pasa? ¡Estás blanca como el papel! ¡Sara! ¿Qué sientes? ¡Sara! ¿No irás a desmayarte, verdad?

Tenía la mente en blanco y no reaccionaba ante las preguntas de su jefe. Sara se presentó en el despacho y corrió por sales y alcohol. Francesca, más repuesta, se excusaba y aseveraba que sólo se trataba de una lipotimia a causa del calor. «Si no hace tanto calor», pensó Mauricio, y siguió haciéndole aire con unos papeles.

Las sales y el algodón con perfume la ayudaron y minutos después se encontraba recostada en su cama, loca de amargura y ansiedad. «Aldo», se lamentaba, «¿por qué no me dejás en paz?». Aunque se mordió el labio y apretó los ojos, las lágrimas brotaron sin remedio y se largó a llorar. Sara entró en el dormitorio con un caldo y se asustó al verla en ese estado. Francesca se echó en sus brazos y se desahogó contándole la verdad.

—¿Quién pudo haberle dicho a ese muchacho dónde estás? —se interesó la argelina.

—Sofía, su hermana —aseguró Francesca—. Debe de haberla convencido. Ella siente debilidad por Aldo.

—Debe de amarte mucho ese hombre —concluyó Sara, y se mantuvo cavilosa luego—. Pero es casado —dijo— y no debes volver a verlo. La desgracia y la vergüenza se cernirían sobre ti. Altera los trámites y dile al señor embajador que los árabes rechazaron el pedido de visado. Es dificilísimo entrar en Arabia, te lo aseguro, no le resultará extraño al embajador.

Francesca se sintió incapaz de manipular los papeles. Si Mauricio se daba cuenta de la jugarreta, tendría que renunciar. Dejaría que el trámite siguiera su rumbo.

Horas más tarde, mientras la embajada dormía y Mauricio aún trabajaba en su despacho, el timbre del teléfono quebró la quietud.

—Ah, Kamal, eres tú.

—Me dijeron que me buscabas.

—Sí, se trata de... Bueno, de mi secretaria.

—¿Qué le sucede? —preguntó Kamal con un acento alterado que Dubois no le conocía.

—Nada grave, pero creo que no eres el único interesado en conquistarla.

—Explícate.

—Hoy le entregué un expediente con un pedido de visado de un tal... Sí, aquí lo apunté. Aldo Martínez Olazábal. Cuando Francesca abrió la carpeta sufrió una fuerte impresión. Se puso blanca y debimos reanimarla con sales y alcohol. Ella me aseguró que se trataba de una simple bajada de presión, pero a mí me pareció que había algo en el expediente que la había intranquilizado. Leí atentamente los antecedentes del solicitante. Se trata de un tipo de veintinueve años, de Córdoba. Francesca también es de Córdoba, y estoy casi seguro de que lo conoce. Aquí hay gato encerrado. ¿Sabes qué? Apostaría a que ese hombre viene a buscarla.

Se hizo un silencio en la línea y Mauricio pensó que la comunicación se había cortado.

—Mañana a primera hora —habló Kamal, repentinamente— envíame ese expediente. Yo me haré cargo.

CAPÍTULO
IX

Francesca repasó con la mirada el comedor donde esa noche cenarían los amigos del embajador. La mesa de caoba, con manteles individuales de hilo blanco, candelabros de plata y un arreglo floral, descollaba en el centro. Lamentó la falta de flores, sólo una docena de rosas blancas sobre el trinchero del vestíbulo y jazmines en la mesa; le habría gustado colmar los floreros de la sala y del comedor, pero resultaba difícil conseguirlas en esa zona tan desértica.

Con el ánimo caído y la voluntad quebrada, subió los escalones lentamente, sin importarle que los invitados estuvieran a punto de llegar y que no se encontraba lista para recibirlos. Pensó en excusarse, dolor de cabeza o de estómago, cualquier cosa antes que soportar una velada con desconocidos, árabes algunos de ellos, cuando sólo deseaba echarse en la cama y dormir. Sí, dormir, cerrar los ojos y olvidar que su vida se había trastornado por completo. Sin embargo, al llegar a su dormitorio, se aprestó a tomar un baño y a cambiarse: no podía desairar tan descortésmente al embajador.

Se acercó a la mesa de noche y tomó por enésima vez la carta de Sofía recibida esa mañana.

«En su desesperación, Aldo violentó la cerradura de mi secreter y leyó tu correspondencia, las primeras cartas que me enviaste desde Ginebra hasta la última ya en Riad. Lo siento, lo siento mucho. Esto es un infierno, Francesca. Aldo deambula por la casa como loco, buscándote. Ha empezado a beber y llega tarde todas las noches, borracho como una cuba. Dolores se atrincheró en la habitación de huéspedes y casi no le dirige la palabra. A veces los escucho reñir duramente. ¿Qué será de mi pobre hermano? Ahora que sabe dónde te encuentras, ha dicho que te buscará así tenga que viajar al Polo Norte».

Pese a que era una suerte que su jefe no hubiese vuelto a mencionarle el expediente de Aldo, la carcomía la curiosidad. ¿Qué habría sido de esa carpeta? Por más que la buscó en el despacho del embajador no logró dar con ella. ¿Quién se haría cargo del trámite? Posiblemente Malik. Agotada de conjeturar, devolvió la carta de Sofía a la mesa de noche. ¿Emborracharse? ¿Eso era lo mejor que podía hacer Aldo? «¿Es que jamás tomará el toro por las astas?», se preguntó, y una mezcla de lástima y rabia le confundieron el corazón. La imagen de aquel muchacho romántico y dulce que la había colmado de besos y promesas a orillas de la piscina se desvanecía en el pasado y, como si hubiese muerto prematuramente, Francesca vivía con sumo dolor la pérdida. El relato descarnado de ese otro Aldo, lloroso y borracho, no pertenecía a aquellos recuerdos, es más, los manchaba y denigraba.

La convicción de que debía mostrarse alegre y a gusto en la reunión del embajador la ayudó a cambiar el gesto. El vestido de satén marfil que llevaba le recordó a Marina y a la tarde en que lo compraron en una liquidación. «Pareces una sirena», le había confesado la joven sin atisbo de envidia, admirada por la figura de Francesca. Se recogió el cabello en un rodete a la altura de la nuca para lucir el escote y, pese a que no le gustaban los adornos ni las alhajas, decidió llevar los aros de perlas que Fredo le había regalado cuando cumplió quince años. Apenas se maquilló: rímel, rubor y brillo en los labios, aunque se perfumó generosamente con su Diorissimo, pues le fascinaba la estela de jazmines que la envolvía. Se contempló en el espejo, satisfecha.

—¿Puedo pasar? —preguntó Sara, apenas asomada a la puerta.

Francesca se puso de pie y le hizo una seña. La mujer entró y, al verla, levantó desmesuradamente los párpados arrugados.

—Estás simplemente perfecta —dijo.

—Gracias, Sara.

—Pregunta el señor embajador si puedes bajar, los invitados están al llegar.

En el comedor, Kasem, elegante en su uniforme de gala, encendía las velas de los candelabros, mientras Yamile colocaba cestas de filigrana con pan de pita y bizcochos. Desde el tocadiscos de la sala principal, la alcanzó la magnífica voz de Edith Piaf, que la transportó al departamento de Fredo donde, gracias a un fonógrafo viejísimo, habían escuchado una y otra vez *La vie en rose* y *Non, je ne regrette rien*.

Mauricio, apoyado en el quicio de la puertaventana, atrapado por el encantamiento de la noche, recordaba otras veladas en el desierto, cuando Kamal y él, dos mocosos de doce años, se escabullían del oasis donde acampaba la tribu del jeque Al-Kassib y recorrían un buen trecho hasta dominar el paisaje desde lo alto de una duna. El infinito manto dorado que los había cegado en sus cabalgatas diurnas ahora se revelaba como un mar oscuro de olas plateadas y estáticas. Se sentaban sobre un tapete y, mientras engullían dátiles y nueces hasta empacharse, se contaban historias de ánimas y caballos alados.

—¿Me llamaba, señor?

Mauricio quedó aturdido ante esa joven alta y delgada, en satén marfil, que lo observaba, expectante. «La querrá para él», se dijo con desánimo. «Lo sé, lo conozco».

—Sí —Dubois tosió, y se acercó—. Ya están al llegar. —En ese instante lo interrumpió el sonido de un motor.

Kasem salió de la mansión y aguardó en el pórtico a los primeros invitados. Ayudó a descender del automóvil a un cincuentón regordete y bajito, de espeso mostacho y nariz prominente, y a una muchacha muy atractiva en un espléndido traje de tafetán de seda roja con estola de plumas blancas y guantes largos. Francesca se miró el vestido de liquidación y le pareció un harapo.

—¡Mauricio! —exclamó el hombre, y se precipitó en el vestíbulo—. ¡Tanto tiempo!

Se confundieron en un abrazo al tiempo que expresaban la mutua satisfacción del reencuentro y lo bien que les había sentado el tiempo. Francesca, retirada detrás de su jefe, se aproximó a la muchacha y la invitó a pasar. Mauricio tomó conciencia de su falta de cortesía y se excusó en la emoción de ver nuevamente después de tantos años a su profesor dilecto de La Sorbona, Gustav Le Bon. El nombre le resultó conocido a Francesca, que, de inmediato, fue introducida por el embajador.

—Doctor Le Bon, le presento a mi asistente, la señorita Francesca De Gecco.

—Encantado, señorita De Gecco. Estoy seguro de que usted debe de ser una joven muy inteligente y capaz si se encuentra trabajando junto a mi discípulo. Y muy paciente —agregó con una sonrisa—. Ésta es mi hija, Valerie. —Y rodeó a la muchacha por la cintura—. ¿Te acuerdas, Mauricio, de la pequeña Valerie? Pues bien, hela aquí, toda una mujer.

—El profesor no miente —convino Dubois—. Aquella adolescente que entraba corriendo en el estudio de su padre, con los cabellos alborotados y las manos llenas de dulces, es ahora una mujer con todas las letras. Bienvenida —añadió.

Valerie hizo un gesto de complacencia y le tendió la mano, que Dubois apretó ligeramente. Saludó a Francesca, sin ahorrarse un vistazo al vestido. Kasem recibió la estola, la cartera y las chaquetas de los recién llegados, y Mauricio les pidió que se acomodaran en la sala, a la espera del resto. Yamile ofreció jugos, aperitivos sin alcohol y canapés. El doctor Le Bon comía sin solemnidades y se relamía con el jugo de naranjas. A Francesca le resultó una persona tan encantadora como engreída y antipática su hija Valerie.

Al sonido de otro coche, Mauricio se dirigió al vestíbulo. Francesca, que respondía a una pregunta de Le Bon, lo siguió momentos después para encontrarlo rodeado por tres hombres, dos de elegante esmoquin y uno con el tradicional tocado y la chilaba. Uno de los invitados de esmoquin, el más alto, reparó en ella y se le acercó. Francesca lo observó con detenimiento y descubrió que se trataba del tal Kamal. Sin el atuendo típico, no lo había reconocido.

—Francesca —empezó Mauricio—, quiero presentarte a mi mejor amigo, Kamal Al-Saud, príncipe de Arabia, hijo del gran rey Abdul Aziz.

A medida que el embajador agregaba títulos y talentos a ese hombre, Francesca se desazonaba. Pues bien, un príncipe de la dinastía reinante. «Tierra, trágame», suplicó. En tanto que las maneras impropias y las impertinencias dirigidas al «hijo del gran rey Abdul Aziz» le volvían a la mente, presentía el final de su corta carrera diplomática. La Cancillería había sido especialmente insistente en conferir el trato adecuado a los miembros de la familia Al-Saud siguiendo a pie juntillas el complicado protocolo del país. «Ahora sí que me bota de Arabia; presentará una queja por la forma en que lo traté. Fui una maleducada. ¡Le dije que se callara! ¡Oh, Dios bendito, no puede estar sucediéndome esto!», concluyó, con el ánimo descompuesto.

Como si no le sucediera a ella, se miró la mano mientras el árabe se la tomaba y apenas la rozaba con los labios. Luego, la dejó *in albis* al decirle:

—Es un placer conocerla... Apropiadamente.

Superado ese confuso lapso inicial, Francesca se encontró frente a los otros dos invitados. Dubois se los presentó y ella no hizo ningún esfuerzo por retener los nombres. Kamal Al-Saud, ése era el único nombre que le retumbaba en la mente.

Se armó un jaleo de saludos y abrazos en la sala. El profesor Le Bon bromeó con Kamal y con el otro hombre de esmoquin a quien llamó Jacques. El de atuendo árabe, un muchacho de unos treinta años, esmirriado y tímido, con anteojitos que le conferían una marcada veta intelectual, saludó con respeto a Le Bon y le confesó que desde hacía tiempo deseaba conocerlo, Kamal le había hablado mucho acerca de él. Valerie conocía a Kamal y al tal Jacques; los saludó con familiaridad y recibió encantada los cumplidos por su belleza y elegancia. A Francesca, su comportamiento le resultó chocante.

Kasem le consultó sobre las ubicaciones en la mesa y Francesca se apartó con gusto a darle instrucciones; necesitaba un instante para acomodar las ideas y aplacar la alteración. Confundida en medio de tantos desconocidos, intimidada por la altanería de Valerie y especialmente avergonzada por su comportamiento con el príncipe Kamal, permaneció apartada aun cuando Kasem ya había recibido sus indicaciones y regresado a la cocina.

Mauricio Dubois invitó a pasar al comedor. Jacques apoyó una mano sobre el hombro de Le Bon y marcharon riendo a carcajadas. Valerie aceptó de mala gana el brazo del muchacho árabe, al tiempo que lanzaba vistazos desesperados a Kamal, que aún conversaba en la sala con Dubois.

—Francesca, vamos a la mesa —indicó Mauricio, y no le quedó otra opción que unirse a su jefe y al príncipe.

—Te dije que se trataba de una cena fuera de protocolo —comentó Mauricio a Kamal—. No era necesario que vinieras de esmoquin.

—Pensé que este atuendo tan occidental quitaría lo salvaje de mi apariencia y no provocaría infartos a nadie —adujo el árabe, y Francesca experimentó un calor que le arrebató las mejillas. Bajó la vista y pensó que no podría volver a levantarla durante el resto de la velada.

—De ninguna manera —se opuso Valerie, que había escuchado el comentario—. Creo que el atuendo de los árabes es mucho más sugerente y seductor que los aburridos trajes occidentales.

Kamal le sonrió e inclinó la cabeza. La furia unida a un incomprensible sentimiento de rivalidad abrumaron a Francesca. Contrariada, se sentó a la izquierda de Mauricio, frente a Kamal, que charlaba muy a gusto con Valerie. La joven comentó que estaba aprendiendo el árabe, y Kamal prosiguió la conversación en su lengua madre. Valerie intentaba responderle y él la ayudaba y corregía.

Francesca hizo sonar la campanilla, y Sara y Yamile se personaron con bandejas y fuentes. Kasem servía bebidas sin alcohol, en respeto a las estrictas normas del Corán. Comían y bebían a gusto; Yamile había resultado una excelente cocinera, experta en los platos autóctonos. Más tranquila al ver que la cena marchaba según sus planes, Francesca trató de relajarse y de unirse a la conversación, pero la rotunda presencia de Al-Saud frente a ella la mantenía en vilo y la obligaba a desviar la vista para no enfrentarlo.

Kamal escuchaba, comía y observaba. Le gustaba el perfume de Francesca que llegaba como oleadas hasta él; le gustaba su cabello y la forma en que lo había peinado; le gustaban sus enormes ojos negros y sus pequeños labios carnosos y brillantes; su carita redonda, sus manos delicadas y la blancura incandescente de su piel que reverberaba en contraste con sus cejas y su pelo. «Es una niña, tiene apenas veintiún años». ¡Ah, pero cómo le gustaba esa niña de apenas veintiún años! Quizá Mauricio tenía razón y debía dejarla en paz. ¿O Mauricio la quería para él? Lo miró de soslayo y comprobó que la contemplaba con embeleso. ¿Reñiría con Mauricio después de tantos años y por una mujer, por una niña en realidad?

La deseaba y siempre tomaba lo que deseaba, sin miramientos, sin juzgar sus veleidades: lo conseguía y basta. Seguro que él para ella era un viejo, pero tampoco le importaba. Valerie, sin duda, con sus casi treinta años y su palmaria frivolidad, encarnaba el tipo de mujer perfecta para una conquista fácil y pasajera; además, se mostraba dispuesta y no había cesado de provocarlo. No obstante, era a *la niña* a quien quería.

—¿Hace mucho que no visita París, señor Méchin? —preguntó Valerie al que llamaban Jacques.

—Visité a mi hermana y a mis sobrinos en julio, pero no por mucho tiempo. Kamal y yo debíamos viajar a otras ciudades y sólo permanecimos dos semanas. Le aseguro que, después de tantos años de ausencia, la encontré más linda que nunca. ¿Usted conoce París, señorita? —preguntó a Francesca, y la tomó por sorpresa.

—Sólo de pasada hacia Ginebra —respondió, con bastante aplomo—. Pero quienes tuvieron la suerte de conocerla me han dicho que es de las ciudades más hermosas del mundo.

—Justamente —comentó Valerie—, la que está de moda es Ginebra.

—¡Ah —exclamó Dubois—, Francesca la conoce bien!

Kamal endureció el gesto y frunció el entrecejo: sólo él, que conocía tanto a Mauricio, advirtió, en contraste con su habitual ánimo apocado y tranquilo, el comportamiento de un adolescente enamorado.

—¿Es así? —se interesó Jacques Méchin.

—Antes de venir a Riad, trabajé cinco meses en el consulado argentino de esa ciudad. Sí, podría decir que la conozco bastante bien. Incluso...

—Usted debe de conocerla también —interrumpió Valerie, para dirigirse a Kamal—. Por lo de la OPEP, digo.

—¡No hablemos de la OPEP! —pidió Le Bon—. Estoy muy disgustado con esa idea de tu hermano, Kamal.

—El ministro Tariki tiene más que ver en esto que el propio Saud —habló Ahmed, el joven de aspecto intelectual.

—Pero Tariki jamás lo habría logrado sin el acuerdo de Saud —replicó Le Bon—. A pesar de su preponderancia en el gobierno, es un ministro, y Saud, el rey. Venezuela también se muestra muy complacida con esta idea del cártel. —Y sacudió la cabeza en manifiesta reprobación al añadir—: Pérez Alfonso dijo que la OPEP será el instrumento más poderoso que se haya puesto jamás al servicio del Tercer Mundo. Con arrojo de suicida, declaró a la prensa unos meses atrás que con la OPEP plantarán cara a Occidente hasta el fin. ¿Está loco? ¿Qué se propone, que las compañías lo destrocen?

—La idea del embargo también es un desatino —comentó Jacques Méchin—. El mundo occidental puede prescindir de los pozos de Arabia y de Venezuela porque sabe que cuenta con dos aliados que le seguirán enviando barcos repletos de petróleo: Irán y Libia.

—¿Libia? —se sorprendió Le Bon.

—El año pasado —tomó la palabra Ahmed— los prospectores de la British Petroleum descubrieron campos petrolíferos de un hidrocarburo de la más alta calidad, comparable al nuestro. El rey Idris, ancestral aliado inglés, no se uniría al embargo así traicionase a todos sus hermanos árabes.

—¿Cuáles serán las consecuencias si la OPEP sigue presionando? —quiso saber Dubois.

—Las compañías, aunque no oficialmente, también actúan como un cártel —explicó Ahmed—. Y si tenemos en cuenta lo dicho anteriormente, corremos el riesgo de encontrarnos, de un día para el otro, sin compañía alguna en nuestro territorio. Nos exponemos al cierre de los pozos, al paro de las instalaciones de bombeo y refinamiento, al cierre de las redes de distribución y transporte. En fin, nos quedaríamos con una estructura silenciosa y vacía, y, lo que es peor aún, sin el dinero, que, poco o mucho, recibimos actualmente en concepto de canon. Y nosotros no contamos ni con la tecnología ni con los procedimientos para poner nuevamente en marcha las refinerías.

—Si bien en la actualidad no se cuenta con las condiciones adecuadas —habló Francesca, y los hombres giraron sus cabezas—, la creación de la OPEP, tarde o temprano, habría tenido que producirse. Basta con observar las estadísticas para darse cuenta de ello.

Se hizo el silencio en el comedor, y Francesca pensó que los invitados se le echarían encima, tan fijamente la observaban. Enfrentó a Kamal, serio e inmutable; ella interpretó que lo había fastidiado y prosiguió.

—En 1914 la cantidad de carburante consumido era de 6 millones de toneladas. El año pasado se estimó en 300 millones y la perspectiva para 1975 es de 500 millones. Y si se tiene en cuenta que el petróleo es un bien escaso y limitado, sin la creación de la OPEP, más allá de toda la conmoción política que ha provocado, se seguiría derrochando a dos dólares el barril hasta la catástrofe, hasta que no quedase una gota en todo el planeta. Por supuesto que para los países productores la creación de este cártel persigue un interés económico más que de otro tipo; no obstante, no deja de ser beneficioso para la humanidad, que cada día depende en mayor medida del petróleo.

El silencio volvió a reinar. Francesca tomó su copa y, como si todo dependiera de la actitud del príncipe saudí, lo contempló sobre el borde mientras sorbía un trago de champán. Íntimamente, deseaba haberlo importunado con lo que, de seguro, juzgaría una insolencia de su parte. Después de todo, ella no era más que una mujer, un ser inferior, útil para procrear y satisfacer sexualmente al hombre, que debía mantener la boca cerrada y hablar sólo si se le dirigía la palabra.

—No sabía que estuvieras tan informada —atinó a comentar Mauricio, y quebró la incómoda pausa.

—Lo que la señorita De Gecco dice —habló Kamal por primera vez— es tan cierto como que Alá existe. Sin embargo, y como ella también señaló, aún no se han dado las condiciones para actuar.

—Algún día —retomó Francesca, y buscó los ojos de Kamal— llegará ese momento, y los pueblos árabes deberán discernirlo para no perder su única oportunidad.

—Lo haremos —afirmó Kamal—, no tenga duda.

—Me pregunto —insistió Francesca— si la pasión y el entusiasmo de su pueblo, que en la antigüedad lo catapultaron a la gloria, producirán el mismo efecto en este mundo actual, frío y racional. Temo que los centros de poder conocen esta característica de los árabes y hacen uso de ella para mantenerlos, subrepticiamente, bajo control.

—Oriente lucha con armas completamente distintas a las de Occidente, pero lucha al fin, y es de temer, pues vence o muere en el intento.

Los occidentales no comprenden esto y están inadvertidos; eso juega a nuestro favor.

El resto seguía con atención el intercambio sutilmente áspero entre el príncipe y la secretaria, que se medía de igual a igual en un combate que ninguno en la mesa se habría atrevido a entablar con Kamal Al-Saud.

—Resulta evidente que has leído mucho sobre estas cuestiones —terció Dubois—. Si hubiera sabido que manejas tan bien los problemas de Medio Oriente te habría consultado más de una de mis decisiones.

Los demás rieron, a excepción de Kamal, que continuó comiendo. Al verlo serio y callado, Francesca se arrepintió de su insolencia. Aún no terminaba de comprender por qué se había mostrado dura, hasta maleducada; lo había agraviado con elegancia al tratar a su pueblo de apasionado y entusiasta cuando, en realidad, sólo un idiota habría ignorado que quería significar exaltado y fanático. Ciertamente, no había podido controlarse, las palabras brotaron con facilidad y, alentada por la animosidad que le provocaban los árabes, descargó su furia en él.

—¿Qué has leído? —insistió Mauricio, que no salía de su asombro.

—Tengo que confesar que, en las largas conversaciones epistolares que sostengo con mi tío Alfredo, hemos tocado muchas veces este tema. Además de recomendarme una infinidad de libros, me ha explicado toda esta cuestión del petróleo y también me ha dado su opinión al respecto.

—El tío de Francesca —explicó Dubois—, Alfredo Visconti, es un conocido periodista y escritor argentino. Dirige un periódico en Córdoba, una de las ciudades más importantes de la Argentina, y tiene columnas en dos de los diarios de mayor tirada de Buenos Aires.

—Hermano de su madre, supongo —se interesó Jacques Méchin.

—En realidad no existe lazo sanguíneo. Es mi padrino de bautismo, y para nosotros, los sicilianos, eso es muy importante.

—¿Pero usted no es argentina? —preguntó Le Bon.

—Yo sí, pero mis padres son sicilianos.

—En la antigüedad, mi pueblo ocupó la isla de Sicilia durante ocho siglos —acotó Ahmed.

—Y dejaron huellas imborrables —aseguró Le Bon—. En mi libro *La civilización de los árabes* dedico buena parte a esta cuestión.

Pues bien, de ahí le sonaba el nombre. Gustav Le Bon, autor de *La civilización de los árabes,* el libro que había leído en Ginebra.

—Es un libro excelente —aseguró Francesca—. Muy ameno, además.

—¿Lo leyó usted? —se envaneció el francés.

Prosiguió una disquisición acerca de libros, escritores y estilos que continuó en la sala mientras se servía el café. Valerie, hastiada de una conversación en la cual no participaba, se propuso cautivar al atractivo príncipe que, desde el fuego cruzado con la secretaria, no había abierto la boca. Se sentó a su lado en el sillón de tres cuerpos y cruzó las piernas sugerentemente. Francesca los miró de soslayo y se ubicó junto a Jacques Méchin que sostenía con tenacidad, pese al desacuerdo de Le Bon, la primacía de Marlowe sobre Shakespeare.

Con un movimiento rápido que desconcertó a Valerie, Kamal dejó el sillón y se aproximó a la contraventana, donde encendió un cigarrillo y fumó con la vista fija en el cielo estrellado. «Una niña», se dijo, y sonrió. Se volvió a mirarla: nada evidenciaba sus veintiún años, ni su cuerpo, ni sus maneras, ni su inteligencia; su carita, quizá, tan delicada y pequeña.

—¿Hace tiempo que vive en Arabia? —preguntó Francesca a Méchin.

—Tanto que ya no me siento francés. Llegué a Arabia cuando aún ni siquiera era Arabia, sino un grupo de tribus que erraban por el desierto y que, con frecuencia, se enfrentaban en cruentas batallas para delimitar los territorios.

La voz de Méchin la aletargó y los relatos de beduinos, guerras, caravanas y jeques le resultaron cautivadores e increíbles, tanto más cuando, acontecidos en ese mismo siglo, parecían historias extractadas de *Las mil y una noches*. Debía admitir que los árabes eran enigmáticos y fascinantes. Un poco brutales, un poco genios, pletóricos de vida y pasión, orgullosos como pocos, aunque no vanidosos; seguros de sí y aferrados a su tradición. Inconscientemente, se volvió hacia Kamal, que desde hacía rato la contemplaba con fijeza, y le sostuvo la mirada. «Es la primera vez que le veo el pelo», notó, y se detuvo en sus rizos castaños. «¿Cuántas mujeres tendrá en su harén?». Volvió a darle la espalda y simuló prestar atención a Méchin y a Le Bon.

—Señorita De Gecco —escuchó decir a Kamal, sigilosamente apostado detrás de ella—. Cuando habló de la pasión y el entusiasmo de mi pueblo, ¿a qué se refería exactamente?

Bien, ahora pagaría su cinismo e insolencia. Había jugado con fuego y se había quemado; un hombre mucho mayor que ella, a leguas se notaba, inteligente y sagaz, no dejaría pasar su impertinencia sin una justa y reconfortante venganza.

—Bueno... Yo...—balbuceó.

—No permitiré que retomen esa aburrida conversación acerca de petróleo, cárteles y esas cosas que una mujer no entiende.

Por primera vez en la noche, Francesca agradeció la intervención de la hija de Le Bon. Valerie se puso de pie, se acercó a Kamal y lo tomó del brazo, procurando que sus abultados pechos lo rozasen.

—Por favor, Kamal, no siga usted hablando de política. Mejor, cuénteme de sus caballos. Mi padre me ha dicho que son de los mejores del mundo.

Se apoltronaron en el sillón nuevamente y conversaron con afabilidad. La reunión prosiguió sin contratiempos: Francesca simulaba interés en las disquisiciones de Méchin y Le Bon, mientras Kamal interesaba a Valerie con los relatos de sus purasangres.

Pese a las quejas de su hija, Gustav Le Bon fue el primero en despedirse. De regreso en la sala, Francesca ofreció otra ronda de café y *baklava,* que Ahmed, Jacques y Mauricio aceptaron de buen grado. Kamal, en silencio, se apartó del grupo y curioseó los discos. Resultaba una buena oportunidad para acercársele y mostrar educación y cortesía.

—¿Desea otra taza de café, alteza? —preguntó Francesca.

—No, gracias —dijo Kamal secamente.

Francesca lanzó un suspiro, desanimada. Se disponía a marchar hacia la cocina cuando Kamal volteó con rapidez y la aferró por la muñeca. Francesca lanzó un vistazo desesperado al grupo en la sala, que seguía enfrascado en su charla, sin percatarse de la escena.

—Me marcho —dijo Kamal.

Su voz, tan baja como de costumbre, revelaba una excitación que Francesca interpretó como una amenaza. Además, había algo en sus ojos, un brillo que la dejó sin aliento. Le diría que era una boba sin educación, una malcriada sin conciencia que lo había ofendido y humillado frente a sus amigos y una dama. Le diría, por fin, que no merecía pisar suelo árabe.

Al-Saud, en cambio, le besó la muñeca sobre las venas. Si le hubiese propinado un golpe no la habría sorprendido tanto. Pero un beso, un beso en la muñeca, un beso dado con los ojos cerrados, prolongado hasta sentir su respiración caliente sobre la piel, jamás lo habría esperado. Kamal le soltó el brazo y pasó a su lado como si se tratara de un mueble. Lo escuchó decir que se marchaba, algo acerca de tíos y conciliábulos que no llegó a comprender y, antes de que su jefe la reclamara, se escabulló hacia la cocina.

* * *

Los días siguientes a la cena, Francesca vivió, a causa de una u otra razón, en absoluto desasosiego.

Por un lado, deseaba volver a ver a Kamal Al-Saud; la intensidad de su anhelo la avergonzaba y la enfurecía. No olvidaba las horas pasadas frente a él en la mesa, como tampoco su inexplicable actitud cuando los demás no los miraban: ese beso en la muñeca que le había tocado el alma. «Quiere jugar con vos», se decía. Pronto entendió que ese beso había constituido la mejor venganza a todas sus majaderías. Él sabía que ella no podría olvidarlo, que sentiría su respiración sobre la piel durante días. Se lo merecía: se había enfrentado con estúpida vanidad a un león y, si bien el león le permitió retozar a gusto, en el momento final asestó el zarpazo y la dejó en vilo, sin posibilidad de réplica. Con ese beso había delimitado su territorio y, sin palabras, le había dicho: «Aquí mando yo».

No obstante, resultaba evidente que no se encontraba tan enojado: los días pasaban y ella seguía en Arabia. La mañana siguiente a la cena, Francesca tembló en cada ocasión que su jefe la mandó a llamar; de pie frente a la puerta del despacho, con el puño a unos centímetros, pensaba: «Ahora me echa». Sin embargo, Mauricio le hablaba de trabajo y le consultaba la agenda; sólo en una oportunidad le mencionó la cena de la noche anterior y lo hizo para felicitarla. Francesca farfulló un gracias y se apresuró a cambiar de tema.

Eliminada la presunción de que la despedirían, no se explicaba, entonces, por qué el príncipe Kamal retornaba a su mente con una incómoda asiduidad.

Aldo y su idea de viajar a Arabia Saudí completaban sus preocupaciones. La habría tranquilizado saber quién se encargaba del trámite del visado. Debía de ser Malik. Pero la relación con Malik iba de mal en peor; inexplicablemente, el árabe le había tomado una animosidad que ella creía no merecer, pues el único error posible a los ojos de ese hombre lo constituía su condición de mujer. Prácticamente no le dirigía la palabra, apenas la saludaba y, cuando se cruzaban en el corredor, la miraba de soslayo, con displicencia.

Una semana más tarde, recibió carta de Aldo Martínez Olazábal, la primera de muchas. El nombre de Francesca, escrito con caligrafía clara y pareja, se correspondía con la imagen romántica y apasionada del Aldo que amaba tanto, opuesto a ese otro hombre medroso y alcohólico.

Rasgó el sobre y, a un paso de tomar la carta, se dijo: «Si la leo, mandaré todo al demonio, regresaré a Córdoba y me entregaré a él, lo sé». La rompió y la arrojó al cesto. La tortura crecía a medida que las cartas se sucedían. Pese a su minada voluntad, Francesca se deshacía de ellas sin leerlas.

—Estás muy delgada —la reprendía Sara, y Yamile corría a traerle nueces, ricota y dátiles que sólo conseguían recrudecer su inapetencia.

A menudo recibía cartas de su madre y de su tío. En la última, Antonina parecía haber caído en la cuenta de que su hija vivía en la misma casa que el embajador, y se mostró disconforme y escandalizada. «Es inadmisible que una señorita habite bajo el mismo techo con un hombre solo», y, aunque Francesca le explicaba que en Arabia nadie habría alquilado un departamento a una mujer y que no vivía sola sino con el resto del personal y los sirvientes, su madre no daba el brazo a torcer. Francesca le comentó que Marta, una argentina de aproximadamente cuarenta años, había comenzado a trabajar como secretaria del agregado militar y del encargado de asuntos financieros; entonces la mujer pareció tranquilizarse.

Fredo se interesaba por su bienestar y le repetía que, si no se hallaba a gusto en esa embajada, él podía hablar con su amigo el canciller y pedirle un traslado. «¿Irme de aquí?», la idea le parecía una locura. Se sentía cómoda en Riad: Mauricio la respetaba y valoraba, Sara y Kasem la cuidaban como a una hija, mientras el resto del personal, a excepción de Malik, la apreciaba y trataba con cariño. También contaban Jacques Méchin y el profesor Le Bon, que, después de la velada, habían regresado asiduamente y le hacían notar que les agradaba conversar con ella. En una de esas visitas, Méchin le comentó que había sido visir del rey Abdul Aziz y que en la actualidad se desempeñaba como asesor de Kamal.

—¿Hace muchos años que conoce al príncipe Al-Saud? —preguntó.

—Desde el día de su nacimiento —respondió Méchin—. Su padre y yo ya éramos grandes amigos para ese entonces y, cuando Kamal cumplió seis años, Abdul Aziz me encomendó la educación de su hijo.

Le Bon interrumpió a Méchin con un comentario acerca de La Sorbona e hizo perder el hilo de la conversación, y, aunque por un momento Francesca pensó en retomarlo, calló, convencida de la imprudencia. Perdida esa ocasión, no tuvo otra para indagar acerca del enigmático árabe.

Le Bon, que preparaba el segundo tomo de *La civilización de los árabes,* acaparaba la atención de Mauricio, y lo entretenía con interrogatorios y anotaciones; le pedía descripciones detalladas de las ciudades, oasis y desiertos que había conocido; las costumbres de los beduinos eran de su mayor interés, y la relación casi espiritual con sus caballos lo entusiasmaba especialmente. Francesca ansiaba escuchar esos diálogos, segura de que el nombre Kamal Al-Saud se deslizaba varias veces.

Una noche, mientras despedían a Méchin y a Le Bon en el vestíbulo, Mauricio preguntó cuándo regresaría Kamal de Washington. «Washington», se repitió Francesca, inexplicablemente satisfecha de saber que se encontraba fuera de Riad. Cientos de veces se había preguntado por qué no acompañaba a sus amigos en las visitas a la embajada. Inclinada a pensar que Kamal no la recordaría en absoluto o apenas como a una chiquilla insolente, se propuso olvidarlo. «¿Y ese beso?», insistía, mientras se miraba la muñeca y recordaba aquellos labios gruesos y suaves sobre sus venas.

—¿Dónde está Kasem? —preguntó Francesca, desde la puerta de la cocina.

—Salió con el embajador; dijo que volverían tarde.

—¿Y Malik?

—Aquí estoy, señorita —respondió el árabe, y se personó en la cocina.

Francesca tenía la impresión de que Malik poseía el don de la ubicuidad; un momento lo veía en el despacho del embajador, empeñado en papeles y expedientes, y al instante siguiente lo encontraba en el corredor, siempre en actitud de acecho.

—Te necesito —dijo, y se mostró segura y parca—. Debes llevarme al zoco.

El hombre inclinó la cabeza en señal de asentimiento y salió.

—¿Puedo llevar tu *abaaya,* Sara? La mía aún no se seca.

—Tú eres mucho más alta que yo, no te cubrirá bien las piernas.

—¡Oh, Sara, sólo será un momento! En medio del desquicio del zoco nadie verá si tengo las piernas cubiertas o si llevo minifalda.

—¿Mini qué? —preguntaron a coro Sara y Yamile.

—Minifalda, una falda que llega hasta aquí. —Y señaló su muslo.

—¡Por Alá misericordioso! —exclamó la argelina—. ¿No prefieres enviar a Yamile, incluso a mí? ¿Qué tienes que comprar?

—Debo ir yo misma. Esta mañana el embajador me pidió que comprase un obsequio para la esposa del embajador de Italia, y fue muy minucioso y detallista en cuanto a lo que quería. Debo ir yo —insistió.

Francesca se envolvió en la túnica y marchó hacia el automóvil. Al salir del barrio diplomático, la ciudad se colocó su traje oriental, rústico y pintoresco. Las mujeres, cubiertas por completo, circulaban en grupos, con la cabeza baja y las manos a la altura del rostro para sujetar la túnica, seguidas por niños y perros.

Malik detuvo el coche y dio paso a un pastor y a sus cabras; a unos metros, otro hombre luchaba con un buey empacado. En el zaguán de una casa, divisó gallinas y pavos que picoteaban entre las juntas de los adoquines, y a dos bebés, sucios, sin más ropa que los pañales, que gateaban en medio. Apartó la vista, asqueada. Arriesgándose, se descubrió el rostro para observar más claramente, entre la filigrana de una ventana, el destello de unos ojos que la contemplaban con tristeza pues brillaban de lágrimas. Malik puso en marcha el automóvil y, rápidamente, siguió calle abajo. La tristeza de ese mirar la sobrecogió. Sin duda, se trataba de la mirada de una mujer, de una mujer sufrida que anhelaba gritar a los cuatro vientos su dolor, pero que sólo podía desahogarlo a través de la intrincada reja de una diminuta ventana. ¿Sería ésa la ventana de su harén? ¿Estaría en ese instante su esposo, adorado y temido, haciéndole el amor a otra de sus mujeres? «¿Por qué no se sublevan?», bramó Francesca en su interior.

A lo lejos, en medio de una niebla de arenisca, se imponía la torre almenada del Fuerte Mismaak donde el rey Abdul Aziz había vencido al clan Raschid, su enemigo ancestral. Mauricio le había contado que ese fuerte constituía el símbolo indiscutible de la superioridad y el poderío de los hombres de la casta Al-Saud, que exaltan principalmente el amor por la tierra, las tradiciones y el arrojo, y que por ellos se disponen a perecer con orgullo y colmar así de gloria su nombre y el de sus descendientes. «Oriente lucha con armas completamente distintas a las de Occidente, pero lucha al fin, y es de temer, pues vence o muere en el intento». Recordó las palabras de Al-Saud que empezaban a cobrar sentido a medida que las piezas sueltas del rompecabezas árabe se unían y aprehendía su idiosincrasia, compleja por distinta, fascinante por apasionada y auténtica. Ese pueblo había soportado invasiones, ocupaciones, guerras y pillajes, y, con notable denuedo, había enfrentado ejércitos muchas veces superiores a los propios. ¿No eran las Cruzadas prueba suficiente de ello? Sin embargo, no olvidaría tan fácilmente la mirada triste en la ventana, que volvía a complicar el laberinto que, un segundo atrás, parecía resuelto. Lanzó un soplido y bajó la ventanilla para tomar aire fresco. «Nunca los entenderé», se rindió por fin.

Malik detuvo el coche a pocos metros del zoco, y una decena de niños desgreñados se agolpó a la puerta, vociferando en árabe. Malik descendió del automóvil y los ahuyentó con amenazas y empujones.

—¿Qué deseaban esos niños? —preguntó Francesca, sin ocultar su enojo por la forma en que los había tratado.

—Saben que es el automóvil de una embajada y vienen a pedir dinero. Algunos se ofrecen como guías dentro del zoco.

—Me habría venido bien un guía, no sé por dónde comenzar.

—Yo lo conozco como nadie.

—Entonces, llévame a un puesto de orfebrería fina.

No se podía caminar libremente dentro del zoco. Cientos de callejas, ensombrecidas a causa de los toldos de las tiendas atestadas de gente, que pregonaba y regateaba, constituían el mercado más grande de Riad. Los olores a aguas servidas y a basura se mezclaban con los de las comidas y los de las esencias que se consumían en los pebeteros. Sacó un frasco de perfume del bolso y mojó la *abaaya* a la altura de la nariz. Con el estómago revuelto, avanzaba penosamente tras Malik, que se abría paso entre la multitud y caminaba a una velocidad que le costaba imitar. Subían escaleras y volvían a bajarlas, doblaban en una esquina y el mercado parecía extenderse hacia el infinito. De tanto en tanto, algún niño se colgaba de su túnica y, mientras le extendía la mano, le sonreía. Los dueños de las tiendas le salían al paso y la impelían a entrar con unas maneras que, lejos de ser descorteses, a Francesca le atemorizaba contradecir. Llamaba a Malik, que desandaba el camino y la aguardaba a la entrada, disgustado. Le resultaba difícil quitarse de encima a los vendedores y emprender el camino; a una señora, más tenaz que el resto, debió comprarle una docena de pimpollos de rosas blancas, un poco abiertos, pero naturales y fragantes al fin, que embellecerían su habitación.

—Éste es el mejor puesto de alhajas —aseguró Malik, al llegar a la zona de las joyerías—. Buenos precios y buena mercancía —espetó, y se apoyó en una columna dispuesto a aguardar.

El escaparate destellaba bajo los rayos del sol que se filtraban por los huecos del toldo. La variedad de joyas la aturdió —de oro, de plata, con incrustaciones de gemas, de ónice, esmaltadas en colores vivos, gargantillas de perlas rosadas y grises— y repasó las especificaciones de Mauricio. El dueño de la tienda se las ofrecía a manos llenas, pero Francesca no se decidía por ninguna. De un estante elevado, la atrajo un dije de oro con aguamarinas, que colocó sobre la palma de su mano y observó detenidamente. El vendedor la aturdía con su pregón, mientras agitaba las manos y le concedía sonrisas sin dientes, como si su entera felicidad dependiera de la presencia de Francesca.

Al estirarse para devolver la joya al anaquel, una puntada, que subió desde el talón hasta la cadera, le nubló el entendimiento y la arrojó al piso. La pierna le temblaba, el dolor punzante le arrancaba lágrimas y, sin sentido, se mordía los labios para no gritar. El escaso sol desapareció en un santiamén cuando un grupo la circundó y llenó el aire de olor a cuerpos sucios. Intentó llamar a Malik, pero tenía la garganta seca y sólo emitió un graznido incomprensible. «¿Dónde está Malik?», se desesperó, pero no lo reconoció entre el gentío. «Las rosas...», se lamentó al verlas pisoteadas. Los hombres gritaban y le hacían señas, pero ninguno la ayudaba. La falta de aire y el mal olor la descomponían; la puntada en la pierna iba en aumento.

Un árabe, que vociferaba sobre el resto, le arrancó la *abaaya* y, sujetándola por el brazo, la obligó a ponerse de pie. Francesca volvió a caer, incapaz de sostenerse. Ahora lloraba descontroladamente y llamaba a gritos a Malik, mientras el hombre insistía en levantarla a la fuerza, sin dejar de agitar una cachiporra sobre su cabeza. Los rostros comenzaron a girar, la respiración se le fatigó y un cosquilleo que le subía desde el estómago le provocó ganas de vomitar.

Repentinamente se acallaron las voces, la multitud abrió paso y alguien la levantó del piso con facilidad y la sostuvo en brazos. La luz del sol dio de lleno sobre el rostro de quien la ayudaba.

—¡Kamal, gracias a Dios! —farfulló en castellano.

Se le aferró al cuello y descansó sobre su pecho con los ojos cerrados. Escuchó la voz de Malik, la de Kamal que discutía en árabe, y la del hombre que la había amenazado con la cachiporra; el murmullo de vendedores y curiosos no cesaba.

—¡Sáqueme, por favor, de aquí! —imploró, y Kamal obedeció.

Al llegar al coche de la embajada, Malik se apresuró a abrir la puerta y Al-Saud la depositó en el asiento. Le habló de mal modo al chófer que, prestamente, se puso al volante y emprendió la marcha. Francesca se incorporó en el asiento y, por el cristal trasero, contempló a Kamal que regresaba al zoco a paso rápido.

Después de la salida del médico, Sara la ayudó a acomodarse en una butaca y le colocó el pie sobre un escabel. La hinchazón del tendón pugnaba contra la ajustada venda y dolorosos latidos se expandían por la pierna hasta la ingle. Sara le alcanzó un vaso con agua y Francesca tomó el calmante.

—Dice Malik que la *mutawa* te golpeó porque se te veía la mitad de las pantorrillas. Te dije que no usaras mi *abaaya,* que te quedaba pequeña. Ahí tienes, un buen golpe en el pie.

—¡Qué *abaaya* pequeña ni que ocho cuartos! —se enfureció Francesca—. Si tendrían que prenderle fuego a este país de salvajes.

—¡Shhhh...! No digas eso ni en broma —se escandalizó la argelina—. Si algún árabe llegase a escucharte, ¡sería mucho peor que un simple golpe! Te lapidarían sin compasión. No vuelvas a hablar así mientras pises suelo islámico.

El temor y la firmeza de Sara, usualmente tranquila y mesurada, la dejaron sin palabras. ¿Hasta qué punto llegaba el fanatismo de ese pueblo? ¿Lapidarla por hablar mal de los árabes? La mirada triste de la ventana regresó a su mente y la embargó la compasión.

Mauricio pidió permiso y entró. De pie delante de ella, sin pronunciar palabra, con una sonrisa lastimera y la mirada suplicante, parecía implorarle perdón.

—Lamento tanto lo que te ha ocurrido —expresó—. No debí mandarte al zoco.

—Soy yo la que debe disculparse, señor. Fui una imprudente al usar la *abaaya* de Sara. Espero que este episodio no acarree ninguna consecuencia.

—Pienso presentar una queja —aseveró Mauricio.

—No, por favor, deje las cosas como están. ¿De qué serviría una queja? Podría traerle problemas y es lo último que deseo, de veras.

—Ya veremos —concedió Mauricio—. Cambiando de tema, dijo el doctor Al-Zaki que se trata de una tendinitis.

Llamaron a la puerta y Sara se apresuró a abrir. Kamal entró sin preámbulos, con un gesto ceñudo que le ocupaba por completo el rostro; ese rostro moreno y sombrío que rara vez permitía entrever lo que pensaba, en ese momento, no obstante, revelaba que Al-Saud estaba dispuesto a desgarrar en pedazos a cuantos se atravesasen en su camino, con furia, sin piedad ni miramientos. Francesca le sostuvo la mirada. No se acobardaría. Un árabe extremista y bruto no acabaría con la civilización y cultura que ella había mamado desde su primer día en el mundo. Le habría espetado unas cuantas verdades si sus ínfulas no se hubiesen desarmado cuando lo escuchó decir:

—Personalmente me encargaré de sancionar y despedir al agente de la *mutawa* que le ha hecho esto, señorita. Le doy mi palabra —agregó, con la mano derecha sobre el corazón.

—Un beduino nunca concede su palabra en vano —acotó Dubois, con una sonrisa.

Francesca miró a Al-Saud de hito en hito, sin remilgos ni rubores, prendada de su reciedumbre y virilidad, el enojo hecho trizas y el dolor del talón olvidado. Escuchó hablar al embajador sin comprender lo que decía, sin importarle tampoco, concentrada como estaba en ese monumento de túnicas blancas y ojos de jade que le devolvía la mirada con desparpajo.

—Gracias por enviar al doctor Al-Zaki —dijo Mauricio, y Francesca volvió a la realidad—. Como decía cuando llegaste, el doctor diagnosticó una severa inflamación en el tendón, que unos días de descanso y las medicinas bastarán para curar. Dice que es un milagro que no se le astillara algún hueso del pie con semejante golpe.

Kamal se alejó en dirección a la ventana y permaneció silencioso con la vista en el jardín. Francesca anhelaba que regresase y que le hablara, quería estar segura de que no la culpaba por la escena en el zoco, que sinceramente creía que el comportamiento del oficial de la policía religiosa había sido cruel e insensato.

—¿Cuándo regresaste de Washington? —preguntó Mauricio.

—Esta mañana.

—Fue una suerte que te hallaras en el zoco. ¿Qué hacías allí? —se extrañó Dubois.

—Antes de irme de viaje, prometí a Fátima que a mi regreso le compraría un anillo y una gargantilla. Ya la conoces, apenas me vio, no me dio tiempo ni a desempacar que me arrastró al zoco.

«¿Fátima?», se decepcionó Francesca, convencida de que, por el cambio operado en el príncipe, se trataba de su esposa favorita.

Antes de abandonar deprisa el dormitorio para atender un llamado urgente, Mauricio le pidió a Kamal que lo acompañase a su despacho, necesitaba hablar con él. Kamal asintió, pero no hizo ademán de seguirlo. En cambio, se dirigió hacia la mesa de noche, de donde tomó el retrato de Antonina y la última foto de Rex y don Cívico. Las contempló detenidamente por un buen rato. Sara, arrinconada próxima a la puerta, lo miraba con desconfianza, mientras Francesca se debatía entre hablar o mantener su actitud indiferente. «Ahora me dirá que en su país se encuentran prohibidas las representaciones con figuras humanas», se dijo.

No lo toleraría: lo mandaría al demonio, a él, al Corán y al mismísimo Mahoma; debería dejar Arabia y regresar a la Argentina. Pues bien, adelante, estaba dispuesta a eso y a más si lograba deshacerse del odio que experimentaba por los de su raza.

Kamal se volvió con el portarretratos en la mano y le sonrió, y nuevamente logró desarmarla.

—La de la fotografía es su madre, ¿verdad? —Francesca asintió—. Es una hermosa mujer. Este caballo es suyo, supongo —expresó a continuación.

—Debería serlo.

—¿Cómo es eso?

—En realidad, Rex es de la hija del patrón de mi madre, pero es tan miedosa que nunca se animó a montarlo. Cuando tenía doce años, me lo apropié, es como mío. Rex y yo nos hemos entendido desde siempre; no sé cómo expresarlo y no sé si usted puede entenderme, lo que nos une se trata de algo muy fuerte, como un lazo de sangre. Es muy malo con todos, excepto conmigo y con don Cívico, el de la foto. Don Cívico dice que Rex es bueno con él porque sabe que es mi amigo. —Francesca bajó la vista y, con otra voz, agregó—: Quizá nunca más vuelva a verlo ahora que estoy tan lejos. Quizá el patrón lo venda. En fin, no quiero aburrirlo con mis cosas.

—A juzgar por la fotografía —habló Kamal—, se trata de un *muniqui*. —Y sonrió al advertir el desconcierto de Francesca—. ¿Ha tenido durante casi diez años un *muniqui* y no lo sabía? *Muniqui* es uno de los tres tipos de caballos árabes, famosos por su velocidad. Se usan principalmente para las carreras. Los caballos árabes son los mejores del mundo, un símbolo en mi pueblo, ¿sabe? Un símbolo de fortaleza, lealtad y amistad. Los beduinos los hemos criado por siglos y hemos llevado la pureza de la raza a niveles extremos.

Kasem interrumpió a Al-Saud para comunicarle que el embajador lo aguardaba en su despacho. Kamal devolvió los retratos a la mesa de noche, saludó con la clásica venia oriental y abandonó la recámara.

—No me gusta cómo te mira ese árabe —expresó Sara—. Cuídate de los árabes, Francesca, son como cazadores, y éste, con esos ojos de tigre que tiene, te mira como si fueras una gacela. Ten cuidado, querida, si te atrapa no podrás escapar de sus garras.

* * *

Cuando Kamal entró sin llamar en el despacho, Dubois interrogaba a Malik, que no se molestaba en ocultar la satisfacción por el golpe que había recibido Francesca, pues, según insistía, «la señorita es muy desprejuiciada, a pesar de que yo le advierto que debe ir con más tiento. No olvide, señor embajador, que se le veían las pantorrillas».

—¿Dónde estaba usted cuando sucedió todo? —intervino Kamal, sin importarle desautorizar a Mauricio.

—Verá usted, alteza, pues yo... Estaba ahí, enseguida me acerqué a ayudarla.

—Eso es falso —aseguró Kamal—. Lo que a mí me atrajo hasta la señorita De Gecco fueron sus gritos desesperados llamándolo a usted. Y usted apareció después que yo.

—En realidad, alteza, yo me había alejado un momento para conversar con un amigo dueño de una tienda, a unos pasos nada más.

—¡Cómo pudo dejarla sola siquiera un instante! —se alteró Kamal, y Dubois se interpuso pues pensó que su amigo se lanzaría sobre Malik.

Al-Saud, molesto a causa de su propio exabrupto, dio media vuelta y se alejó hacia la sala contigua, donde se echó en el sofá y encendió un cigarrillo. Escuchó la voz de Mauricio que, sin mayor autoridad, pedía a Malik que no volviese a apartarse de ninguna persona de la embajada cuando salieran de sus límites. Dubois despidió al chofer y se acercó a Al-Saud.

—Por favor, Kamal, ¿qué te pasa? Jamás te vi tan alterado.

—¿Quién es ese tipo?

—Mi chófer. Malik bin Kalem Mubarak.

—¿Cómo entró a trabajar aquí?

—Es un recomendado de tu familia. Llegó con una carta muy elogiosa firmada por el secretario privado de tu hermano, el rey Saud.

Kamal se puso de pie, y su imponente figura amilanó a Mauricio, que se apresuró a explicarle que no había podido negarse a contratarlo, que no era mal empleado y que trabaja con ahínco. Al-Saud arrastró fuera a Mauricio y, en el corredor, libres de posibles micrófonos ocultos, le aseguró:

—Es un espía de Saud.

Mauricio se mostró reticente a creerle, pero los argumentos de su amigo terminaron por minar su confianza. No resultaba extraño pensar que Saud supusiera que, además de recordar los viejos tiempos en el internado de Inglaterra y los días en La Sorbona, Kamal y él intercambiarían información valiosa, útil en la lucha por conservar su tambaleante trono.

—Mi hermano tiene los días contados —susurró Kamal—, y él lo sabe. Sabe también que la familia es a mí a quien quiere en su lugar. ¿No crees que hará cualquier cosa por defender su poder? Lo conozco mejor que tú, no tiene escrúpulos, y luchará con lo que tenga a mano para defenderse. Créeme cuando te digo que Malik está aquí para espiar mis movimientos.

—Entonces, lo despediré —aseguró Mauricio, alterado—. No quiero alcahuetes en mi embajada.

—No, despedirlo sería revelar que conocemos el verdadero fin que cumple. Después de todo, si me dices que es un buen empleado, ¿qué excusa podrías esgrimir para despedirlo? Mejor deja que crea que continuamos en las nubes y usémoslo a nuestro antojo.

Mauricio quería muchísimo a Kamal y habría hecho cualquier cosa por él, pero mezclar los asuntos de la embajada con las rencillas internas de la dinastía Al-Saud no lo convencía en absoluto. De todos modos, asintió con desgana, pues tampoco se animaba a contradecirlo.

—Mantén a Francesca alejada de ese hombre —dijo Kamal, tras una pausa—. No quiero que vuelva a salir con él, ni que traten asuntos en común. Si no tienes otro chófer, te enviaré uno de mi confianza.

—Está Kasem, él es de fiar y sé que adora a Francesca.

—Bien.

Kamal volvió a ensimismarse y Mauricio esperó con recelo.

—Ya no me quedan dudas —habló, por fin—. Fue el propio Malik quien entregó a Francesca a la *mutawa*.

Dos días más tarde, Francesca recibió un ramo de veinticuatro camelias. En su vida había tenido una camelia entre las manos; de una blancura y belleza incomparables, la embelesaron la suavidad de los pétalos y la perfección de su forma. Recordó la novela de Alejandro Dumas y se sintió íntimamente conmovida. Abrió la esquela con manos ansiosas: «Perdón, señorita De Gecco. Kamal Al-Saud». Habría dado un brinco con el ramo en la mano y la tarjeta apretada contra el pecho si Sara no la hubiese mirado con esa mueca furiosa.

—Te lo manda el príncipe Kamal, ¿verdad?

—Sí, es para disculparse por lo de la *mutawa*.

—Seguro, para disculparse —repitió la argelina, con intención.

Francesca pasó por alto el comentario, no deseaba discutir, sólo admirar las flores y pensar en el hombre que se las había enviado, que, después de dos días, aún la recordaba y se preocupaba por ella.

—¿Dónde las habrá comprado? —se preguntó, cuando a ella le costaba tanto conseguir unas pocas rosas mustias y abiertas.

—Ya te lo dije —habló Sara, con solemnidad—, cuando un árabe se propone algo, lo consigue, a cualquier precio, aunque tenga que mover cielo y tierra para lograrlo. Y ese hombre te quiere para él, Francesca, lo sé.

—Sara, ¡qué dices!

—No tomes a broma mis palabras —se enojó—. Este país es una tormenta en estos días y el príncipe Kamal está en el ojo del huracán. No debes acercártele, no debes hacerle caso o no sé qué podría pasarte.

Después de esas palabras agoreras, Sara abandonó el dormitorio. Francesca se sentó en el borde de la cama y miró las camelias. «¡Qué hermosas son!». Tomó el florero del chifonier, lo llenó con agua en el baño y acomodó el ramo. Le resultó duro pensar que en poco tiempo se marchitarían. ¿Cómo es que algún día, no muy lejano, debería tirarlas al cesto de la basura? «Lo bello y lo bueno es tan efímero», se dijo, y el rostro de su padre se le presentó lleno de vida, con esa sonrisa plena que parecía iluminarlo como un aura. «*Dov'è la mia principessa?*». Jamás olvidaría sus palabras pronunciadas cada tarde al regresar del trabajo. No importaba si jugaba con su muñeca favorita, lo abandonaba todo al sonido de «*Dov'è la mia principessa?*» porque sabía que su padre la hundiría en su pecho, la colmaría de besos en las mejillas y, en brazos, la llevaría hasta la cocina para saludar a su madre. Se asía con desesperación a ese recuerdo y al del mirador en el parque Sarmiento, pues no tenía otros de Vincenzo. Luego, la lenta consunción de las facciones luminosas de su padre, el llanto de su madre, el velorio, el insoportable olor a magnolias y a velas, el plañido de las vecinas, el carruaje negro y los caballos, el cementerio de tenebrosos nichos y el cortejo silencioso por las angostas callejas. Su padre se había marchitado como pronto lo harían las camelias y había dejado un vacío en su mundo. ¿Existiría algo lindo y bueno que durase para siempre? El amor de Aldo también se había esfumado y sólo quedaba una herida cicatrizada a medias, que, de tanto en tanto, dolía y supuraba.

A la mañana siguiente, un muchacho llamó a la puerta de la embajada y anunció que tenía un sobre para Francesca y, a pesar de que Kasem dijo que él lo recibiría, el jovencito insistió en que volvería cuando pudiera atenderlo personalmente la señorita De Gecco. A regañadientes, Kasem lo invitó a pasar y le pidió que aguardase. Francesca entró en el vestíbulo con el pie vendado, apoyada en el antebrazo de Sara.

—Soy Francesca De Gecco —se presentó, y Sara tradujo sus palabras al árabe—. Me dicen que tienes algo para mí.

—Sí, señorita. —Y le extendió un sobre papel madera con su nombre.

Francesca lo abrió y extrajo una carpeta verde que no tardó en reconocer como la de la visa de Aldo. Un sello grande, en tinta roja, que se destacaba en la carátula, rezaba en inglés: «Denegado».

—¿Quién te ha dado esto? —inquirió.

—Me lo dio mi jefe, señorita.

—¿Quién es tu jefe?

—Jalud bin Malsac. Trabaja en la Oficina de Migraciones, señorita.

Francesca dejó caer unas monedas en la mano del muchacho y lo despidió. Antes de entregar la carpeta al embajador, la revisó concienzudamente sin hallar razón de peso para la denegación, sólo algunas notas en árabe con el escudo de palmeras y cimitarras como membrete intercaladas entre los papeles de Aldo y, por último, una misiva en francés dirigida a Dubois y firmada por Jalud bin Malsac donde informaba que resultaba imposible permitir el ingreso al ciudadano argentino Aldo Martínez Olazábal en vistas de que el cupo de extranjeros para 1961 se encontraba cubierto. Cerró el expediente y se encaminó al despacho de Mauricio preguntándose qué sentía. Alivio, por un lado, aunque en el fondo deseaba volver a verlo, lejos de todo y de todos. Fantaseó con unos días solos en Riad, en la otra punta del planeta, sin la figura de Dolores o de la señora Celia interponiéndose como sombras, sin la angustiante culpa de amar a un hombre casado que, por otra parte, la había traicionado por cobarde. Nada de eso contaría en Riad, ni Aldo sería un cobarde ni ella una mala mujer, sino los enamorados de Arroyo Seco.

El «Denegado» en tinta roja la devolvió a la realidad.

CAPÍTULO X

Reclinada sobre una columna de mármol, Francesca contemplaba el salón de la embajada francesa. Le llamaron la atención los deliciosos frescos rococó del cielo raso, las molduras doradas a la hoja, las tres arañas de imponente tamaño y las altas contraventanas con pesadas cortinas de terciopelo que, abiertas de par en par, daban paso a la frescura del sereno. En un rincón, la larga mesa descollaba pletórica de manjares: faisanes asados, un pavo relleno, ensaladas, caviar, centolla, langostinos y gran diversidad de salsas. Los camareros, a pesar de la presencia de algunos árabes, ofrecían copas de champán. Decenas de parejas bailaban en el centro del salón circundadas por grupos que, en animada conversación, disfrutaban los platos y bebían. La fiesta de fin de año organizada por el embajador francés era un éxito.

Francesca, sin embargo, se encontraba a disgusto. Se preguntó para qué la habría invitado Mauricio si no cesaba de discutir sobre política con unos diplomáticos europeos. Le pareció una descortesía que la dejase sola. Ya había saludado a Le Bon, a su hija Valerie, espléndida en un traje lamé plateado, a Méchin, que le elogió el deslucido vestido de graduación, regalo de tío Fredo, y a Ahmed Yamani, el joven amigo del príncipe Kamal que había asistido a la cena en la embajada argentina tiempo atrás. Nadie mencionaba a Al-Saud y ella se abstenía de preguntar. No había vuelto a saber de él desde el incidente en el zoco dos semanas atrás. Quizá había regresado a Europa o a los Estados Unidos, siempre ocupado con sus asuntos. ¿Cómo se atrevía a pensar que un hombre como él, príncipe de la dinastía dueña de gran parte del petróleo del mundo, abrumado por problemas complejos, que frecuentaba los salones europeos más conspicuos y selectos, iba a pensar en una simple secretaria de embajada que no sabía siquiera cómo conducirse en el zoco de Riad?

Valerie y su padre se excusaron para saludar a unos conocidos, Yamani se unió a un grupo de franceses y la dejaron a solas con Jacques

Méchin, que de inmediato le solicitó la siguiente pieza. Francesca se levantó apenas el vestido y le dejó ver que aún llevaba vendado el pie.

—¡Oh, cierto! Discúlpeme, señorita, me había olvidado de su pie. Venga, sentémonos allí, tendremos una vista fantástica de la pista de baile. ¿Le duele? —preguntó, una vez ubicados en el sofá.

—No, ya casi no siento dolor, pero prefiero no abusar. El doctor Al-Zaki me ha dicho que, por precaución, debo llevar la venda unos días más. Pero ya casi no renqueo.

Méchin permaneció callado, y Francesca intuyó que deseaba referirse a lo del zoco, pero que se reprimía de hacerlo, quizá para no expresar lo que en realidad opinaba de algunas prácticas árabes.

—¿Por qué vive en Arabia, señor Méchin?

—Porque amo esta tierra. Cuando llegué, era un estudiante de arqueología, miembro de un grupo de investigación que intentaba seguir la ruta de las Cruzadas. Al llegar a orillas del mar Rojo, tuvimos problemas: nos robaron gran parte del equipo y destruyeron los dos *jeeps,* único medio de transporte con el que contábamos. Una tribu de beduinos nos ayudó. Vivimos con ellos algunas semanas: nos mostraron el desierto, sus mejores oasis, nos deleitamos con sus comidas. En fin, conocimos en detalle sus costumbres y religión. El grupo de investigación regresó a París y yo decidí quedarme algún tiempo. Nunca más regresé. Conocí a Abdul Aziz en Taif, una de las ciudades más bellas de Arabia. Ahí me convertí al islamismo y forjé la amistad más sincera y duradera de mi vida. No volví a separarme de Abdul Aziz. Al poco tiempo fundó el reino y me nombró su visir. Ahí llega Kamal —dijo de pronto, y el corazón de Francesca dio un vuelco.

Lo buscó entre la gente que circundaba la mesa, pero Méchin se lo señaló a unos pasos: invitaba a bailar a Valerie Le Bon. Caminaron de la mano hacia la pista, donde Kamal aferró la cintura de Valerie y ésta pasó su brazo por el cuello del árabe. Se advertía que pasaban un momento muy grato por la sonrisa que ocupaba el rostro de Al-Saud y lo locuaz que se mostraba. Valerie, por su parte, lucía complacida de tener esos fuertes brazos alrededor.

—Pensé que Kamal no vendría —comentó Méchin—. Acaba de llegar de Kuwait. Jalifa Al-Sabah lo invitó a pasar unos días en su palacio a orillas del golfo. Los Al-Sabah son la dinastía reinante de Kuwait, muy amigos de los Al-Saud.

—Me disculpa, señor Méchin, necesito ir un momento al tocador.

Méchin la acompañó hasta el inicio del corredor y retornó a la fiesta, donde se unió a Dubois y a Le Bon. En el baño, Francesca se refrescó la cara y se acomodó el cabello. Regresó al salón más compuesta, aunque el humo de los cigarrillos, el murmullo incansable y la felicidad que todos parecían experimentar la obligaron a buscar alivio en la terraza. Se evadió por una puertaventana y pronto alcanzó la balaustrada, donde apoyó los codos y se cubrió el rostro. «Mejor así, que baile con Valerie», se dijo, y llevó la vista al cielo, despejado y rebosante de estrellas, que le quitó de la cabeza a Kamal Al-Saud y a Valerie Le Bon. Permaneció como petrificada, con la mirada perdida en la noche, sin noción del tiempo ni de la algarabía que se filtraba por la puertaventana.

—Es una hermosa noche —habló alguien detrás de ella y, aunque se estremeció, de inmediato reconoció la voz de Al-Saud.

—En mi vida había visto una igual —aseguró ella, sin volverse.

Kamal se acercó a la balaustrada y, como un manto, la envolvió su perfume. Apoyó las manos sobre el pretil, y Francesca las observó de soslayo: vigorosas y oscuras, con los dedos largos, las uñas prolijas, aquellas manos reflejaban belleza y potencia en armonía; llevaba un Rolex de oro y un discreto *chevalière* en el meñique izquierdo.

—Llegué hace un rato y estuve buscándola por todas partes —comentó Kamal.

—¿Ah, sí? —respondió Francesca, con la vista en la oscuridad del parque.

—Parece enojada esta noche —aseguró Kamal, y sesgó los labios—. Creo que prefiere estar sola, mejor vuelvo a la fiesta. Disculpe por haber interrumpido su tranquilidad.

Francesca se volvió, arrepentida.

—Lo siento, alteza. He sido una maleducada si con mi comportamiento le he hecho creer que su compañía no me es grata.

Lo miró a los ojos y el mundo se calló: sólo tenía conciencia de sí y del príncipe que la observaba con fijeza, sin pestañar. En torno a ellos se generó un vacío abrumador y sugerente: la mirada dominante de él la hipnotizaba y, aunque pugnaba por tomar el control otra vez, paradójicamente una fuerza en su interior la asía al encantamiento, desbaratando los motivos que la llevaban a detestar a los árabes. Una sonrisa de Al-Saud la devolvió a la realidad. Avergonzada, prosiguió:

—Le pido que se quede y que me dé la oportunidad de agradecerle todo lo que hizo por mí aquel día en el zoco.

—No tiene nada que agradecerme, señorita. Lamento no haber estado allí un minuto antes para evitar que sucediera. Sin embargo, permítame decirle que el agente de la *mutawa* que la golpeó ya ha sido relegado de su puesto.

El tiempo pasado y la turbadora sensación de ese momento le habían suavizado el corazón, y, por más que intentó alegrarse con la noticia, no halló la rabia ni el odio de antes.

—Créame, alteza, lamento que ese hombre haya perdido su trabajo. Estoy segura de que sólo cumplía con su deber. Como ya admití una vez, lo repito ahora: fui una imprudente al salir con una *abaaya* que no me cubría por completo las piernas.

—Le creo —aseguró Kamal—. No obstante, estoy convencido de que el agente debió comportarse con más cautela antes de proceder. Si la hubiese interrogado, usted habría tenido oportunidad de explicarle que era extranjera. Eso la habría eximido del castigo.

—¿Quiere decir que, si se hubiese tratado de una mujer árabe, el golpe habría sido justo?

—Las mujeres de mi pueblo conocen sus deberes. Me resulta imposible pensar que una de ellas hubiese cometido la imprudencia de salir mal cubierta.

Francesca se contuvo de replicar, Kamal Al-Saud ya había soportado con estoicismo y buena educación demasiadas impertinencias de su parte; callaría y se tragaría la sarta de argumentos que le habría dicho sin reflexionar.

—Sí, claro —aceptó complaciente.

Kamal lanzó una corta carcajada.

—Sé muy bien que piensa que lo que acabo de decir es una estupidez. Pero le agradezco la tregua: en verdad, esta noche no tengo ganas de litigar con usted, sino de pasar un momento agradable.

Se puso roja como la grana, vulnerable nuevamente ante la destreza y seguridad de ese hombre. Le sonrió sin tapujos después de ese instante de ofuscación, convencida de que cualquier argumento, por falso, resultaría inútil y volvería a colocarla en el papel de una chiquilla inmadura.

—Su sonrisa es hermosa —dijo Kamal, repentinamente serio, y enseguida, preguntó—: ¿Bailaría conmigo el resto de la noche?

Francesca se reprochó haber recurrido a la excusa del pie con Jacques Méchin; en ese momento, y aunque hubiese estado enyesada, habría aceptado bailar con Al-Saud.

—Lo lamento, alteza, pero el doctor Al-Zaki me dijo ayer que aún debía manejarme con cuidado y evitar esforzar el pie.

Kamal frunció el entrecejo, y Francesca temió haberlo contrariado con su negativa. La agotaba conversar con ese hombre.

—Entonces —habló Kamal—, no debería estar tanto tiempo de pie. Vamos al jardín y sentémonos en ese banco.

La tomó del brazo y la ayudó a descender las escalinatas de la terraza. Francesca se sentía ridícula: en realidad, habría podido correr escaleras abajo sin problemas; en cambio, debía fingir cierto malestar en el tobillo para justificar tanta caballerosidad por parte del príncipe. La tomaba y la guiaba con suavidad y premura como si en cualquier momento fuese a romperse en mil pedazos. Le gustaba sentirlo cerca; su cuerpo fuerte y viril le rozaba la espalda y un escalofrío le recorría la columna vertebral. Habría podido caminar junto a él durante horas, sin cansarse ni aburrirse, consciente sólo de su contacto, embargada por el aroma del tabaco y el de su perfume almizcleño.

Le surgieron dudas, después de todo, ¿qué sabía de Al-Saud? Que se trataba de un príncipe, íntimo amigo de su jefe, que viajaba a menudo y que se había educado en los mejores colegios y universidades europeos. ¿Cuántas esposas tendría? Sabía que una se llamaba Fátima. Se había operado una inflexión en el tono de su voz cuando se refirió a ella el día del percance en el zoco; había sonreído y cambiado el gesto adusto por uno dulce y complaciente que no le conocía. Debía de amarla mucho. Se sentaron. Francesca se había desanimado por completo.

—Esta mañana —empezó Kamal, una vez sentados—, apenas regresé de Kuwait, visité al doctor Al-Zaki. Me dijo que su pie se encontraba en perfectas condiciones y que no quedaría ninguna secuela que lamentar.

—Con usted ha sido más flexible que conmigo. Aún me obliga a usar la venda y a hacerme fricciones todas las noches. ¿Hay algún enfermo en su familia? Me refiero, como estuvo con el doctor esta mañana.

—No, ningún enfermo; por voluntad de Alá, todos gozan de excelente salud. Visité al doctor Al-Zaki para preguntarle por usted. Quería asegurarme de que todo marcha bien.

—Ah.

De todos modos no debía ilusionarse: Al-Saud, movido por la culpa y la amistad con Dubois, se preocupaba como lo habría hecho cualquier persona educada y diplomática.

—No tuve oportunidad de agradecerle el ramo de camelias que me envió —dijo, con inseguridad—. A pesar de que había oído hablar acerca de esas flores, nunca había tenido una entre mis manos. Es la flor más perfecta y hermosa que haya visto.

—Quise que fueran camelias —habló Al-Saud— porque me recuerdan a la blancura de su piel. —Le tomó la mano y se la contempló sin premura ni ansiedad—. Mi piel parece más oscura en contraste con la suya —dijo por fin, y la soltó suavemente—. Apuesto a que nunca vio una luna como ésta —añadió repentinamente animado.

—En Arabia, la luna parece estar más cerca de la Tierra —admitió Francesca.

—Es muy importante para nosotros, los beduinos. Su luz nos guía en el desierto.

—¿Por qué cada vez que habla de los beduinos, alteza, lo hace en primera persona?

—Porque yo soy un beduino, mi padre lo era, al igual que mi abuelo y toda mi ascendencia. Durante siglos, hemos vivido en el desierto y lo conocemos como nadie. Nosotros aceptamos sus inclemencias y aprendimos a convivir con ellas. Durante mucho tiempo el desierto nos sirvió de muralla natural para evitar a nuestros invasores y lo respetamos, casi le diría, lo idolatramos por eso.

—De todas formas, ya no es un beduino en el estricto sentido de la palabra; me refiero, usted no es nómada y no vive en tiendas.

—En algunas épocas del año, sí, vivo en tiendas y vago por el desierto. —Kamal rió ante la expresión de Francesca—. No puede creer que a mitad del siglo XX aún exista esa forma de vida tan antigua e incivilizada, ¿verdad?

—Si debo ser sincera, me cuesta creerlo.

—De todos modos, ser beduino es mucho más que vivir en carpas y deambular por el desierto. Los beduinos somos personas que debemos lidiar con la zona más hostil del planeta; aprendemos a sobrevivir a sus sequías, a sus vientos y a sus incontables peligros. ¿Sabía que el desierto de Rub Al-Khali es el más inhóspito de la Tierra? Ocupa la región sudeste de mi país. Nadie se aventura en él, sólo nosotros y lo hacemos con mucho respeto, sin sobrepasar los límites que nos impone. El beduino es valiente por naturaleza, debe serlo, si no perece; y sabio también, pues, a diferencia de los occidentales, venera y entiende a la Naturaleza, no encuentra en ella a un enemigo al cual hay que vencer y doblegar. Y pese a la hostilidad de la que es objeto, defiende su tierra porque es lo único que Alá le dio, además de los caballos.

Hablaba con pasión, aunque sin levantar el tono de voz, ni gesticular ni sacudir las manos. Lo hacía con firmeza y convencimiento, desprovisto de vanas vehemencias y fanatismos. La conmovía escucharlo, era difícil sustraerse a su energía y ardor; inexplicablemente, la enorgullecían. Lo admiraba por profesar tanto amor por su tierra, por conocerla cabalmente y por preferirla a pesar de haber vivido en los lugares más hermosos de Europa. Cayó en la cuenta de que ella no sentía ese apego por Córdoba, ni por Sicilia, de la que su madre le hablaba tanto. Sólo en Fredo había encontrado pasión similar cuando le platicaba acerca del Valle d'Aosta y de la Villa Visconti.

—Lo admiro —confesó Francesca.

—¿Por qué? —se sorprendió Al-Saud.

—Por amar tanto a su país y a su gente. Yo no experimento esa pasión por nada, y, al compararme con usted, siento que he perdido el tiempo con estupideces, que no he concentrado mis fuerzas en nada especial.

—No voy a creerle —replicó Kamal—. Una mujer como usted difícilmente se ha concentrado en estupideces. ¿Qué hay con su familia? ¿Acaso no siente gran afecto por ellos? Me di cuenta de que adora al caballo de la fotografía, se le iluminaron los ojos cuando hablamos de él aquel día.

—Sí, es cierto, Rex es especial para mí.

—Lo echa de menos, ¿verdad?

—Sí, lo extraño muchísimo. Pero en la vida no siempre podemos tener todo lo que deseamos.

—Eso no es cierto —aseveró Al-Saud—. Podemos tener todo lo que deseamos, si lo deseamos de corazón, sin atisbo de dudas, ni prejuicios.

—Y si no somos cobardes —completó Francesca, con abatimiento.

—Usted no tiene una gota de cobarde. Eso es algo que me dicen sus ojos.

Kamal tomó un cigarrillo y, al fruncir el gesto para encenderlo, Francesca pensó que se trataba del hombre más apuesto que había conocido. Su hombría la perturbaba. Se encontraban tan cerca uno del otro que podía escuchar su respiración acompasada y apreciar con más detenimiento la hermosura de sus facciones, en especial la tersura de su piel y la belleza de sus ojos verdes, oscurecidos por la noche.

Escucharon pasos sobre el pavimento y se dieron vuelta. Surgió una túnica blanca de entre las penumbras, que se aproximó sin prisa, escoltada por otras dos, que detuvieron el avance a distancia prudente. Kamal se puso de pie y se dirigió en árabe al inoportuno. Bajo el tocado, Francesca distinguió a un hombre de no más de cincuenta años, más bajo que Al-Saud y con incipiente panza. No le gustó la manera en que le clavaba la vista ni la sonrisa artera que le otorgaba un aspecto ordinario y lascivo.

—Señorita De Gecco —dijo Kamal—, le presento a mi hermano, el rey Saud Al-Saud.

Tras un instante de estupor, Francesca dijo que se trataba de un honor e hizo una reverencia

—Señorita De Gecco —repitió Saud—, la famosa secretaria de Mauricio.

—¿Famosa, majestad? —se extrañó Francesca.

—Supe lo de su lamentable encuentro con la *mutawa* en el zoco —aclaró el rey, evidenciando que nada que ocurriese en su reino le era ajeno.

Se sonrojó y bajó la vista, mientras farfullaba una disculpa. Kamal tomó la palabra y se dirigió a su hermano en árabe, usaba un tono frío y había endurecido el semblante. No le resultó difícil a Francesca comprender que la relación entre ellos no se desarrollaba en buenos términos. Saud también lo miraba con animosidad y, cada tanto, lanzaba cortas carcajadas forzadas, como menospreciando lo que Kamal decía.

—Me despido, señorita —dijo Saud, y ejecutó el saludo oriental.

—Ha sido un placer, majestad.

—El placer ha sido mío, se lo aseguro. Como de costumbre, mi hermano tiene el mejor gusto para elegir la compañía.

El rey volvió a la fiesta con sus guardaespaldas custodiándolo de cerca. Allí se despidió del embajador francés y demás invitados.

—Debe de ser un gran honor para el embajador francés que el rey de Arabia haya concurrido a su fiesta —comentó Francesca, muy sorprendida.

—Sí, un gran honor —masculló Kamal, y no mencionó los favores políticos y económicos que Saud pensaba mendigar al gobierno francés para salvar la crisis—. Volvamos a la fiesta —dijo, a continuación.

El resto de la velada, Al-Saud se mantuvo frío y distante; volvió a bailar con Valerie y conversó con un grupo de árabes. No la miró ni le dirigió la palabra y, al cabo de una hora, se marchó con su amigo Ahmed Yamani sin saludarla.

El rey Saud subió al Rolls Royce que lo aguardaba a la entrada de la embajada de Francia y ordenó al chófer que lo condujera a su casa. Tariki, el ministro más importante de su gobierno, se encontraba sentado a su lado y lo miraba de reojo. Le conocía ese gesto de profundo disgusto.

—Te has topado con Kamal, ¿verdad? —sugirió el ministro.

—No me topé —aclaró Saud—, lo busqué adrede. Estaba con la secretaria de Dubois, ésa de la que nos habló Malik.

—¿La que tuvo el problema con la *mutawa*?

Saud asintió y no volvió a hablar. Se sumergió, en cambio, en una tormenta de planes e ideas que tenían una sola finalidad: quitar del medio a Kamal. Sabía a ciencia cierta que la familia le había pedido que se hiciera cargo del gobierno, como en el 58, y sabía también que, si Kamal no había aceptado aún se debía únicamente a que exigía el control total y absoluto de los resortes más importantes del país. Si la situación adquiría ese tenor, la figura del rey pronto se convertiría en una marioneta, en una simple cuestión protocolar. De allí a que le solicitaran la dimisión bastaba un paso.

—¿Francesca De Gecco, no? —dijo repentinamente Saud.

—¿Cómo?

—Me refiero a la secretaria de Dubois. Se llama Francesca De Gecco, ¿verdad?

Tariki lo miró confundido; ya había olvidado a Kamal, a Dubois y a su secretaria, flanqueado, como estaba, por graves problemas. La próxima reunión de la OPEP y el objetivo de fijar cupos de producción petrolera le quitaban el sueño. Consciente de que se trataba de un fin ambicioso, aún tenía dudas sobre cómo abordarlo. La definición y aplicación de una fórmula equitativa que estableciese el precio del crudo constituía otro de sus desafíos, en estrecha relación con el anterior. Más allá de las dificultades de aquella empresa, se sentía eufórico: el respaldo total y absoluto del rey de Arabia, por un lado, y el del presidente de Venezuela por el otro, le brindaban la fuerza política que su proyecto requería. Y si bien no se confiaría plenamente, pues lo sabía aliado de Occidente, la puja que, con cautela, había iniciado el sha Reza Pahlevi en busca de un mejor resarcimiento, lo animaba a pensar que, en breve, se terminaría aliando con Arabia Saudí.

Y mientras él se preocupaba por todo esto, Saud le hablaba de la secretaria de Dubois. ¿Qué demonios tenía en la cabeza? La rivalidad con su hermano Kamal comenzaba a aburrirlo. En realidad, Tariki apreciaba al príncipe, a quien conocía de pequeño. Le gustaba charlar con él, pues conocía en profundidad cuestiones de orden mundial que Saud, más interesado en gastar la fortuna, no había siquiera escuchado mencionar.

Pese a que sabía que Kamal se oponía al cártel petrolero, Tariki se hallaba convencido de que trabajar con él habría sido más fácil y llevadero. Existían ocasiones en las que el peso de las decisiones lo abrumaba y no había nadie con quien compartirlo. Saud se limitaba a firmar los documentos y decretos como lo hubiese hecho un ciego.

—Es una joven hermosísima —prosiguió Saud—. Su piel parece porcelana. Kamal se veía realmente interesado en ella.

—Sabes bien que tu hermano cambia de amante como tú de automóvil. Ésta será otra de sus conquistas que pronto desechará.

—Tendrías que haberla visto para convencerte: tiene el rostro de un ángel y el cuerpo de una diosa. Es irresistible. Conozco a mi hermano —insistió el rey—, sé que la secretaria de Dubois lo trae loco.

—No te engañes, Saud: tú no conoces a tu hermano en absoluto. Nadie lo conoce. Es inexpugnable como una fortaleza, jamás se sabrá lo que piensa, menos que nadie tú.

Sí, Kamal era sagaz y calculador, hablaba poco y prestaba mucha atención; en ocasiones, parecía hacerse invisible hasta que, en un punto de la polémica, vertía una reflexión que dejaba boquiabierta a la mayoría; escuchaba con paciencia y consideración y, aunque por momentos pareciera distraído, no perdía palabra ni detalle. Resultaba imposible desentrañar el significado de sus ademanes o gestos, y nunca podía saberse qué opinión le merecía una persona, un hecho o una decisión. Aunque le desesperase la envida, debía reconocerlo: Kamal era el fiel reflejo de su padre, el bravo beduino fundador del reino, el sagaz dirigente temido y respetado por las potencias mundiales y el líder adorado del pueblo.

Saud, en cambio, se sentía lejos de esa descripción: le costaba ocultar sus impulsos, le resultaba difícil concentrarse en las cuestiones de Estado y, después de ocho años de reinado, aún no lograba abarcar todo lo que se esperaba de él como rey. Los problemas llegaban a su despacho cada día y lo sofocaban. Arabia adolecía de carencias básicas de estructura que el rey Abdul Aziz no había conseguido superar antes de su muerte, entre ellas la precaria unidad política que tribus de beduinos y sectas islámicas ponían en riesgo al declararse independientes y fijar sus confines dentro del territorio del reino. La escasez de fondos, que se esfumaban tan pronto como entraban en las arcas del tesoro, constituía su mayor desazón; la innumerable familia Al-Saud, siempre sedienta de sus pensiones provenientes del petróleo, exigía cada vez mayores sumas para mantener el estatus de vida que había alcanzado y del que no quería descender. En este tema, Saud aceptaba su falta de autoridad moral para acabar con el derroche: su nivel de vida era, muy por encima, el más extravagante y costoso. Le fascinaban los automóviles ingleses (los Jaguar, los Rolls Royce y los Aston Martin), y adoraba el rugido del motor de la Ferrari que acababa de comprar en Maranello. Llevaba invertida una fortuna en caballos de carreras y gastaba mucho dinero en apuestas, pese a la prohibición coránica sobre el juego de azar. Agasajaba con joyas a sus amantes occidentales, las ubicaba en los mejores barrios de París y Londres y pagaba sus cuentas sin chistar. Pasaba deliciosas vacaciones en lugares paradisiacos donde no escatimaba en gastos ni reparaba en menudencias; la última estancia en las Islas Fidji le había proporcionado tanto placer que no se arrepentía de la fabulosa suma que había dejado en hoteles, tiendas, casinos y restaurantes. En ese sentido, Kamal le llevaba la delantera: su fortuna personal no se basaba sólo en las regalías a las que tenía derecho por la explotación del petróleo; la venta de sus famosos caballos, una raza única muy demandada por su belleza estética y velocidad, había incrementado significativamente el saldo de sus cuentas bancarias en los últimos años, tanto que, si el dinero derivado del oro negro se cortaba, el príncipe podría seguir con su vida sin inmutarse. Desde luego, la herencia que recibiría una vez muerto el jeque Harum Al-Kassib, su abuelo materno, que ascendía a varios millones de dólares, contribuía a asegurarle por completo el futuro económico.

Kamal se transformaría en un hombre poderosísimo en caso de acceder al trono, y no se encontraba lejos de conseguirlo. ¿Qué sería de él si lo obligaban a abdicar? ¿Qué vendría a continuación? ¿El exilio? No soportaría la humillación, la lejanía, la falta de dinero, el deshonor. Kamal no se convertiría en rey, él se ocuparía de eso. Volvió a pensar en el destello inusual que iluminaba la mirada de su hermano mientras contemplaba a la joven argentina; aquella actitud le había revelado por primera vez los sentimientos de su corazón inextricable.

—Mi hermano Faisal —comentó Saud— organizó en su casa un conciliábulo para evaluar la situación de reino. Se reúnen mañana por la tarde.

—¿Cómo te enteraste? Supongo que no te habrán invitado —apostilló Tariki, con sarcasmo.

—Sabes que tengo espías apostados en todas partes. —Y con furia, tras golpear la ventanilla, agregó—: Esa sarta de traidores no podrá quitarme del medio como si yo no fuese nadie. Mi padre me nombró su sucesor, no me moverán del trono.

Tariki retrepó en el asiento y observó a Saud con preocupación. Lo tenía por caprichoso y banal, siempre inmerso en sus cuestiones personales que rondaban generalmente entre mujeres, caballos, coches importados y viajes. Para él, Saud Al-Saud era un ser inocuo, al que se manipulaba fácilmente mientras sus veleidades fueran satisfechas. Sin embargo, la actitud que ostentaba en ese momento, sin visos de falsedad, el semblante endurecido y las gruesas cejas unidas en una sola línea, lo pusieron alerta, pues si bien lo consideraba anodino y superficial, también estaba seguro de que se trataba de un hombre sin escrúpulos, poco inteligente, cierto, pero con el suficiente dinero e inconsciencia para llevar a cabo aquello que le permitiese lograr sus deseos. Tariki, que había luchado denodadamente para posicionar a Arabia en el lugar en que se encontraba, no estaba dispuesto a perder el terreno ganado por una vieja rencilla entre hermanos.

—¿Cómo piensas detener la presión de tu familia? —preguntó—. Sabes que en el 58 la intervención de Kamal nos salvó de la quiebra. Las condiciones de ahora no distan de las de entonces; podrías aceptar su colaboración y, de ese modo, aplacar los ánimos caldeados de tu familia.

—Nunca —aseguró—. ¿Qué puede hacer Kamal que no pueda hacer yo?

—Para empezar, deberías llevar un estricto control de gastos y distribución de pensiones. Luego, planificar el flujo de fondos en un plazo de tres años, por lo menos. Sin embargo, creo que es demasiado tarde: tu familia ha perdido la confianza en ti y, aunque demuestres buena voluntad para moderar los gastos y administrar las entradas, querrán la mano dura y la sagacidad de Kamal.

—Con asesores como tú, ¿quién necesita enemigos? —se ofendió Saud, y enseguida agregó—: Mañana pediré al ministro de Hacienda una planificación de gastos e impondré un estricto control en la distribución de los cánones. A ver si con esto calmo el nerviosismo de mis tíos.

Faltaba poco para llegar al palacio, y Tariki sabía que no se le presentaría otra oportunidad para arrancar a Saud sus verdaderas intenciones: un poco bebido —lo había visto con una copa de champán en la mano en varias ocasiones—, alterado y lleno de rabia, lograría que hablara; al día siguiente, con la mente despejada y las emociones controladas, no conseguiría una confesión.

—Tú y yo —habló Tariki— sabemos bien que un control de gastos no impedirá que intervengan tu gestión. —En la oscuridad del automóvil, buscó la mirada vidriosa del rey y advirtió que sonreía—. En realidad, tu problema es otro.

—Kamal —completó Saud—, mi único problema ha sido siempre él.

—Pues bien—continuó Tariki—, creo que sólo te queda una alternativa: aliarte con él.

—Te equivocas, todavía me queda otra posibilidad.

El automóvil traspuso el portón de la residencia de Saud y cruzó el parque antes de detenerse frente al pórtico principal. Dos guardias se aproximaron; uno abrió la puerta del Rolls Royce, mientras el otro vigilaba el entorno con un fusil en la mano. Antes de descender, Saud se volvió a su visir y le sonrió de manera irónica:

—Tú ocúpate de aumentar el precio del petróleo que yo me hago cargo del resto.

Indicó al chófer que llevara a Tariki a su residencia, no muy lejos de allí, y se despidió.

A pesar de la temperatura elevada, enero se presentaba apacible y placentero. Las mañanas, más frescas y húmedas, mostraban un cielo límpido y azulado en el parque de la embajada, que a Francesca le agradaba recorrer antes de emprender la jornada. Solía tomar asiento en una banca y admirar las palmeras; le gustaban también el verdor de sus enormes hojas, dispuestas en roseta sobre el ápice, y el amarillo de sus flores y frutos, que colgaban en grandes racimos. Trataba de imaginarse un oasis: un vergel en medio del desierto, le había explicado Dubois, con sombra para protegerse del sol agobiante, agua fresca y cristalina de los *uadis* o ríos desérticos, dulces dátiles para recuperar el ánimo y otros frutos exóticos que los beduinos aprecian como gemas. De todos modos, le costaba visualizar ese pequeño paraíso en medio del hostil paraje.

También destinaba ese pequeño recreo matinal a la lectura de un libro o de la correspondencia que llegaba de la Argentina. A causa de las fiestas, que pasaron sin que ella se diera cuenta —ni siquiera había una iglesia para rezar al pie del pesebre—, recibió tarjetas y extensas cartas. Su madre le enviaba toda clase de bendiciones y deseos de prosperidad, acompañados por recomendaciones y consejos. Fredo, alejado de la religión desde hacía largo tiempo, le confesó que había acompañado a Antonina a la misa del 24 a la noche y logró sorprenderla.

Alrededor de las nueve, Francesca regresaba a la embajada donde Mauricio la esperaba en su despacho con una lista de tareas y pedidos. Disfrutaba trabajar con Dubois y no tenía dudas de que él también la valoraba como asistente. Ciertamente, habían logrado un ritmo de trabajo armonioso, sin sobresaltos ni apuros; planificaban las jornadas y rara vez se salían de lo previsto. Día a día, Francesca se afianzaba en su puesto y volvía a sentirse como en Ginebra, cuando se le consultaba la mayoría de los trámites y la vida laboral de su jefe dependía casi por entero de ella. Ya no experimentaba la sensación de desarraigo y le resultaba extraño pensar que en un tiempo se hubiese preguntado qué estaba haciendo ahí. Parecían haber pasado años desde la mañana en que Malik la recogió en el aeropuerto de Riad. Sin darse cuenta, se había habituado a escuchar cinco veces al día el llamado de los almuédanos a orar; llevaba la *abaaya* sin notarla; comía cordero y tomaba leche de cabra y le sabían bien; comenzaba a entender al personal de servicio cuando hablaba en árabe; las calles, plazas y edificios más importantes de la ciudad le resultaban familiares y, aunque por prudencia no lo hacía, habría podido caminar sola por el centro de Riad sin perderse; los olores y la aglomeración del zoco ya no le molestaban y había aprendido a deshacerse de los insistentes vendedores y de los niños que le daban tirones de la túnica; incluso consideraba natural la actitud displicente de Malik.

Para mediados de enero seguía sin noticias de Aldo. A decir verdad, la sorprendía su silencio. Imaginaba que la relación entre él y Dolores había mejorado, que ya no discutían, ni dormían en cuartos separados, que Aldo la llenaba de arrumacos y que esperaban un hijo. Ante esa idea, no se ponía triste aunque tampoco feliz, y era la contradicción de sus deseos lo que la inquietaba.

Enero transcurrió sin mayores novedades y febrero comenzó con buenas perspectivas. Por eso no supo si alegrarse o desanimarse cuando Dubois le comunicó que viajarían a Jeddah por cuestiones de trabajo y que se alojarían en casa del príncipe Kamal. No había vuelto a saber de él desde la fiesta en la embajada de Francia. Kamal Al-Saud era como un ladrón astuto que entraba y salía de su vida trastornándola, dejándola con el corazón palpitante de una mujer enamorada. Ella no sabía replicarle o hacerle frente. La contrariaba su actitud, esa manifiesta seducción que luego se trocaba en indiferencia. Lejos se encontraba la intención de volver a verlo: quería paz.

Decidió que resultaría más beneficioso si permanecía en Riad a cargo de los asuntos de la embajada, a lo que Dubois se opuso con una tenacidad rara en él. Finalmente, la probabilidad de una reunión con un grupo de empresarios italianos puso fin a la discusión.

—No sé una palabra de ese bendito idioma. Si logro concertar una cita con los italianos, te convertirás en pieza clave de la reunión. Además, conocerás Jeddah, la ciudad que tantos desvelos te provocó cuando investigabas para ese informe que te pedí al poco tiempo que llegaste.

Al día siguiente de la velada en la Embajada de Francia, Kamal faltó a la reunión en casa de su hermano Faisal. La inflación, el sistema monetario, la situación económica y financiera, el desempleo y la industrialización constituirían temas centrales de la agenda del conciliábulo, cuestiones de primer orden que requerían soluciones inmediatas, y que la familia esperaba recibir de él. No obstante, Kamal dejó Riad de madrugada y se dirigió a su refugio en Jeddah. Atravesó el desierto del Nedjed a gran velocidad en su Jaguar, penetró en la región del Hedjaz, donde se detuvo a orar en La Meca, atestada de peregrinos para esa época del año, y alcanzó Jeddah cuando el sol se ponía en el horizonte.

Al cruzar el portón de su finca, comenzó a hallar la serenidad que buscaba con desesperación. Por inusual, le costaba manejar ese estado de ánimo que ni siquiera conseguía definir. No se trataba de tristeza ni de alegría; tampoco se hallaba eufórico ni deprimido; lo experimentaba todo al mismo tiempo, y la confusión lo enojaba, pues por primera vez no era dueño de sí.

En la casa pidió que le sirvieran un café fuerte y que prepararan su caballo. Cambió la túnica por unos pantalones azul oscuro y una camisa blanca de seda, sus sandalias por largas botas y eligió un tocado más liviano, color beige. Bebió el café lentamente en la sala, mientras Sadún, el mayordomo, lo ponía al tanto de las novedades y le preguntaba por la familia, a la que había servido por más de treinta años. Minutos después, caminó hacia las caballerizas. Los palafreneros lo saludaban con una reverencia, sinceramente contentos de verlo; hacía tiempo que el amo Kamal no los visitaba.

En el ingreso al establo lo esperaba su caballo Pegasus, soberbio en su estampa de semental fuerte y arisco, elegante con la montura nueva de gamuza. Se detuvo a distancia y lo contempló con orgullo. Sus empleados habían hecho un buen trabajo, se lo notaba sano y bien cuidado. Fadhil, el encargado de las caballerizas, hombre avezado en la cría de los *muniqui*, sabía que, para el amo, Pegasus era especial, no sólo por estar valorado en casi medio millón de dólares, sino por ser el último regalo de su padre; aunque se recibían ofertas tentadoras, el príncipe las refutaba sin considerarlas.

Cambió impresiones con Fadhil, que sostenía las riendas del inquieto corcel, y luego lo despidió. Acarició la testuz de Pegasus y le habló en árabe mientras le quitaba la montura y las bridas para revisarlo. Le sobó el lomo, sin hallar escaldaduras o heridas; le estudió las patas y las herraduras; le revisó el hocico para descartar el muermo, y le separó los belfos para ver sus dientes, blancos y fuertes. Por fin, la vivacidad y energía del caballo lo convencieron de su perfecto estado físico. Volvió a ensillarlo y lo montó. Al sentir el peso de Kamal, el caballo levantó las patas delanteras, relinchó con bríos y salió a todo galope.

Pegasus se detuvo en la cima de una duna, y Kamal le permitió descansar después de haber galopado tres cuartos de hora. Aún sentado sobre el lomo de su caballo, se abstrajo en el paisaje con la mente a varios kilómetros de allí. Lo sacó de su ensimismamiento el chillido de un halcón que sobrevolaba en círculos.

Emprendió la marcha a paso tranquilo y regular. El desierto siempre operaba maravillas en él: le concedía un respiro, le sedaba el alma y lo llevaba a reflexionar. Al mismo tiempo, y en oposición, lo colmaba de un vigor que emergía de las arenas y que le fortalecía el carácter. De todos modos, aunque más sereno, no podía quitarse de la cabeza a Francesca De Gecco.

Desde aquella noche en la sede venezolana de Ginebra, donde lo encandiló su belleza latina y lo conmovió la tristeza de sus ojos, la obsesión por poseerla le turbó el entendimiento y, cerrándose a cuanto argumento esgrimía la racionalidad, satisfizo el capricho de tenerla en sus dominios.

Deseaba observarla de cerca, conocer el sonido de su voz, el aroma de su cabello, apreciar la suavidad de sus mejillas, rodear la parte más delgada de su cintura, morderle los labios, arrancarle gemidos, desnudarla lentamente, rozarle los pezones, besarle el vientre, hacerle el amor una y otra vez hasta saciarse, como el beduino sediento que bebe del *uadi* y luego se echa a dormir a la sombra de las palmeras. ¿Por qué se obstinaba en esa sed lacerante que estaba enloqueciéndolo? ¿Por qué no tomaba de ella lo que deseaba? Mil excusas lo justificaban: los asiduos viajes, los problemas del reino, sus negocios, las presiones familiares. Ahora que la tenía a su alcance, ¿qué le impedía hacerla suya? Jamás otorgaba concesiones a aquello que quería poseer, no solía ser piadoso con su presa, no se detenía a pensar en los sentimientos ajenos, no atendía a pretextos y poco le interesaban las súplicas. Pero con Francesca De Gecco le ocurría lo contrario. Existía algo novedoso en ella, algo que lo cautivaba sin saber aún de qué se trataba, algo que lo sumía en una especie de sopor que le impedía actuar como de costumbre.

«Es tan joven», se repitió por enésima vez, «¿qué puede darme que yo no conozca?». Quizá se trataba de la candidez y la dulzura de sus ojos. Estaba harto de especular, de convivir con la mentira y la deshonestidad, de jugar el mismo juego sucio de los otros, de mentir para ganar, de ver caer al enemigo y disfrutar con su derrota. En medio de tanta miseria, Francesca le parecía el oasis donde yacer tranquilo y seguro. ¿Por qué no la tomaba y saciaba su sed? Temía lastimarla, ésa era la verdad. De pronto se había llenado de escrúpulos. A ella no quería hacerle daño. Y sabía que, atándola a su suerte, la condenaba. Picó espuelas y el caballo galopó velozmente hasta la casa.

Semanas más tarde supo por Méchin, con quien mantenía contacto casi a diario, que Mauricio se aprestaba a visitar Jeddah interesado en los negocios de unos empresarios italianos. De inmediato le giró un telegrama comunicándole que los esperaba en la finca, a él y a su secretaria.

CAPÍTULO
XI

Mauricio dispuso la partida para el 2 de febrero. Los acompañaría el agregado militar, el teniente Barrenechea, interesado en un negocio de armas, y Malik, chófer de la comitiva. Francesca habría preferido a Kasem, pero Dubois se fiaba de él para dejarlo a cargo de la seguridad de la embajada.

Sara la impelió a permanecer en Riad; por ningún motivo debía encontrarse con Al-Saud, menos aún, convivir bajo su techo. La argelina se ofuscaba ante la sumisión de Francesca y le dirigía severas filípicas acerca de la naturaleza ladina y libidinosa de los árabes.

—Te tomará, te hará suya —insistía la mujer—. ¡Como que Alá es el único Dios y Mahoma su Profeta! Hablaré con el embajador, le confiaré mis sospechas, así te permitirá quedar en Riad.

—No harás nada de eso —ordenó Francesca—. Además, no sabemos si Al-Saud se encuentra en Jeddah. Estoy segura de que sólo nos presta su casa mientras él viaja por Europa. Estás ahogándote en un vaso de agua.

—Estará allí, esperándote —vaticinó Sara—. ¿Es que acaso no eres suficiente mujer para darte cuenta de que te desea?

Francesca hizo a un lado la maleta y se sentó en el borde de la cama. Presentía que Al-Saud se encontraba en Jeddah. Su cuerpo se estremecía de ansiedad al pensarlo. La envanecía imaginar que, en realidad, sólo la esperaba a ella. Los vaticinios de Sara no la molestaban, por el contrario, deseaba que fueran ciertos. De inmediato lamentaba semejante ligereza. «Soy una cualquiera», se reprochaba, pues nada de lo que experimentaba por el árabe se correspondía con el sentimiento puro que profesaba por Aldo; se trataba de una inclinación mundana y frívola, una atracción carnal, deseo de ser poseída, de pertenecerle.

—Supongamos que se encuentre allí —retomó Francesca— y supongamos también que es a mí a quien está esperando, ¿no crees que tengo principios morales y la voluntad que los sustenta para rechazar sus insinuaciones?

—No tienes idea con quién estás lidiando. Si ese hombre ha decidido que serás suya, ni tu voluntad ni tus principios podrán con eso. Te tomará y luego te abandonará. No confundas a este hombre con el jovenzuelo inexperto que dejaste en Argentina, Francesca.

El 2 de febrero, más temprano de lo previsto, iniciaron el viaje a Jeddah, una distancia de aproximadamente 800 kilómetros que Malik aseguró completar en un máximo de ocho horas; llegarían apenas comenzada la tarde.

Al salir de Riad, el paisaje se tornó inhóspito, y la soledad y el silencio contagiaron a los ocupantes del vehículo. Kilómetros y kilómetros de arena ceñían el camino. A lo lejos, envueltas en una perenne nube de polvo, elevaciones de piedra rojiza irrumpían en la uniformidad amarillenta del contexto. De cuando en cuando se avistaban grupos de tiendas, camellos y beduinos, que pronto se perdían detrás del reflejo agobiante del sol sobre la arena.

Barrenechea, el agregado militar, preguntó al embajador acerca de la condición actual de los beduinos y rompió el mutismo. Mauricio habló largo y tendido. Explicó también que el desierto que cruzaban se llamaba Hedjaz y que pronto ingresarían en la otra gran región de Arabia, el Nedjed, que se extiende a lo largo del mar Rojo y que constituye la zona más fértil del reino, en especial al sur, en el límite con Yemen. Mauricio también relató las batallas y peripecias que había afrontado el rey Abdul Aziz a fin de recuperar las tierras que su atávico enemigo, Ali bin Husein, le había quitado a su padre. Se remontó a la infancia de Abdul Aziz para referirse a la guerra civil que, en el siglo XIX, había dividido el reino de los *wahabitas* y obligado a los Al-Saud a exiliarse en Kuwait para no perecer a manos del clan de los Raschid. Detalló con minuciosidad la noche de la fuga, cuando, ocultos en bolsas de cuero sobre lomos de camello, los Al-Saud burlaron la persecución y alcanzaron el país vecino.

Casi al mediodía, en las cercanías de Zalim, una pequeña población de pastores y alfareros, se detuvieron en un parador misérrimo para cargar combustible y almorzar lo que Sara había preparado. Los hombres comían y conversaban. Francesca, inapetente a causa del calor y de la inquietud, se alejó a paso lento, haciéndose sombra con la mano mientras contemplaba los alrededores. Nada había cambiado desde la salida de Riad: arena, polvo, matorrales resecos y una ventisca irritante. Sin embargo, de pie frente a esa imponente vista, se sentía pequeña y abrumada.

Alrededor de las dos de la tarde, Mauricio informó que si tomaban el camino que doblaba a la derecha llegarían a La Meca.

—La Meca es la ciudad sagrada —habló Malik por primera vez—. Está prohibido el ingreso a todo aquel que no sea islámico.

Francesca miró a Dubois, que contemplaba la nuca del chófer con fijeza, molesto por la subrepticia advertencia.

—Lo sabemos, Malik —aseguró Mauricio un momento después—. Jamás osaríamos violar territorio sagrado.

El ambiente se tornó denso, y la incomodidad ganó el ánimo de todos, a excepción de Malik, que, impertérrito al volante, retornó a su silencio. Nuevamente Barrenechea, hombre de buen talante y risa fácil, se dirigió al embajador por cuestiones de trabajo, y pronto se disipó el fastidio y embarazo.

En las proximidades de Jeddah, la frescura del aire y el verdor desplazaban al desierto. La ruta de acceso, salpicada de barrios pobres y establecimientos industriales, ofrecía un espectáculo inusual de árboles, plantas floridas y extensiones de gramilla que hacían inconcebible la idea de que, a poca distancia, reinara el desierto tórrido.

—La finca del príncipe Kamal se encuentra en las afueras —explicó Dubois—. Ahora evitaremos la ciudad. No te desanimes, Francesca. Ya tendremos tiempo de recorrerla con motivo de las reuniones.

Ya en los dominios de la finca de Al-Saud, el automóvil recorrió un gran trecho sobre camino de pavimento, flanqueado de palmeras y de un entorno más bien agreste, antes de alcanzar la morada, que se erguía en medio de un cuidado jardín. La propiedad, completamente blanca, sobria y sin demasiada opulencia, era de tres plantas. Grandes ventanas de madera oscura, casi negra, sobresalían de la estructura como suspendidas en el aire, algunas de ellas cuadradas, otras de arco de medio punto, atiborradas de molduras e inscripciones cúficas. El techo plano, al estilo mediterráneo, coronado de almenas triangulares, le confería el aspecto de una fortaleza.

Se abrió la puerta principal que dio paso a un cincuentón de larga e impoluta chilaba blanca, con fez de colores vivaces. Mauricio le salió al encuentro, y se abrazaron fervorosamente. Francesca y el agregado militar se mantuvieron aparte. Tres muchachitos se hicieron cargo del equipaje y condujeron a Malik a la zona de las cocheras.

Dubois presentó a Sadún, el mayordomo de Kamal, a quien conocía desde hacía muchísimos años, según aclaró. El hombre se quitó el fez y balbuceó palabras de bienvenida. Luego, se dirigió a Mauricio en árabe.

—No los esperábamos hasta entrada la tarde. Esto no complacerá al amo Kamal.

—Salimos de Riad más temprano de lo previsto —se excusó Mauricio.

—Esta mañana tuvimos una grata sorpresa: la señora Fadila y las niñas llegaron de Taif. Pasarán unos días con nosotros.

—¿Están ahora en casa?

—Sí, y muy ansiosas por verte —agregó Sadún, y, con una seña, indicó que pasaran.

En el interior, la sobriedad de la fachada se convertía en exuberancia y lujo oriental. Una amplia y abovedada recepción, cuyas paredes de mármol rosa desplegaban tapices llenos de color y brillo, comunicaba con un gran recinto que simulaba una tienda beduina: del cielo raso colgaba una pieza de tela blanca prolijamente dispuesta que formaba largos pliegues desde el centro del techo hasta los cientos de puntos donde se tomaba en las paredes, adornadas éstas a su vez con cortinados de tafetán pesado y grueso. Alfombras persas cubrían por completo el piso. Una mesa de palisandro, baja y alargada, taraceada con marfil, descollaba en medio rodeada de almohadones, narguiles y sillones enanos. El aroma del sándalo, que se consumía en un pebetero de cobre, hacía muy placentera la estancia.

Un sirviente acompañó a Barrenechea, el agregado militar, a su habitación; Francesca y Mauricio siguieron a Sadún al harén. En el camino, Dubois le explicó que la palabra harén deviene del vocablo *harâm,* que significa prohibir; en ese lugar, apartado del resto de la casa, generalmente oculto detrás de un jardín, las mujeres permanecen sin la *abaaya* y, a causa de esta circunstancia, sólo puede ser visitado por otras mujeres o por *mahrans,* es decir, parientes varones con los cuales una musulmana no podría contraer matrimonio: padres, hermanos, tíos, abuelos.

—¿Y usted va a entrar, señor? —se extrañó Francesca.

—Abdul Aziz, el padre de Kamal, me consideraba su hijo, y como tal me anotó en el libro de la familia. Para los Al-Saud soy un *mahran.*

—¿Y este señor —insistió Francesca, muy impresionada, y señaló al mayordomo—, él puede entrar?

—Sadún es el eunuco del harén.

Cruzaron el jardín y se adentraron en una casa silenciosa y en penumbra. El aire olía a vainilla, un aroma dulzón y embriagador que armonizaba con el decorado. Francesca y Mauricio marcharon callados tras Sadún a través de un laberinto de vestíbulos y corredores. Detrás de una puerta ricamente trabajada, se hallaba una habitación que arrancó una exclamación a Francesca. Era circular, de techo abovedado, surcada por decenas de columnatas de fuste liso y delgado, y tenía en el centro una enorme alberca revestida de mayólicas celestes. Francesca se aproximó y descubrió en el fondo, a modo de pintura bizantina, un caballo blanco alado.

Sadún dijo unas palabras en árabe y abandonó el lugar. Francesca paseó la mirada y la detuvo en la bóveda atiborrada de molduras y ornamentos que variaban entre los rojizos, los dorados y los azules. En el centro, la luz se filtraba a través de cristales de colores y bañaba el sitio con su iridiscencia. Divanes tapizados en damasco, cojines de seda, alfombras, pequeñas mesas y aparadores completaban la decoración. La admiraron la pulcritud y la prolijidad. El mármol del piso y las mayólicas de las paredes brillaban en la tenue claridad.

—Te ha impresionado, ¿verdad? —escuchó decir a Mauricio, y, al notar cierta inflexión triste en su voz, Francesca se limitó a asentir sin mostrar mayor entusiasmo.

Entró una mujer ataviada con una hopalanda de gasa verde Nilo, cubierta, en parte, por largos cabellos negros que llevaba sueltos hasta la cintura. Escoltada por Sadún, caminaba con el porte de una reina, y un aura de luz parecía circundarla. Mauricio se le acercó prestamente y la abrazó. La mujer lo besó en la frente y le sostuvo el rostro entre las manos. Francesca habría permanecido horas observándola; había tal serenidad y feminidad en sus movimientos, como firmeza y orgullo en su expresión.

—*Um Kamal* —dijo Mauricio, usando el modismo árabe por el cual a una mujer se la llama madre (*um*) de su primogénito.

—Querido Mauricio, qué alegría tan grande tenerle entre nosotros.

Dubois se volvió hacia Francesca y le pidió con un movimiento de mano que se aproximase.

—Le presento a mi asistente, Francesca De Gecco. Francesca, ella es la madre del príncipe Kamal, la señora Fadila.

La mujer le habló en perfecto francés para referirse a la hermosura de sus ojos negros y a la blancura de su piel. Francesca, intimidada por la mirada penetrante de Fadila, en la que supo reconocer a la del hijo, bajó el rostro y farfulló un gracias. Una algazara en la puerta principal anunció al grupo de muchachas y niñas que invadieron la habitación.

—¿Tantas esposas tiene el príncipe Kamal? —susurró Francesca a Mauricio.

—A pesar de sus treinta y seis años, Kamal todavía no ha tomado ninguna esposa, lo que exaspera a su madre. Las que ves son hermanas y sobrinas. En realidad, Fátima, aquélla en traje naranja, es su única hermana. Las restantes son medio hermanas y sobrinas, pero él las adora a todas por igual, y ellas a él.

Francesca sonrió, tranquila y contenta. Siguieron las presentaciones. Las jovencitas abrazaban y besaban a Mauricio, y le hablaban todas a la vez; las más niñas se le colgaban del cuello y le hurgaban los bolsillos. «Parecen tan felices», pensó Francesca, maravillada por la frescura e inocencia que irradiaban. De pronto se sintió vieja, y se apoderó de ella el fuerte deseo de quitarse el traje sastre, las medias de seda, los zapatos con taco, bañarse en la piscina y envolverse luego en un traje largo y holgado, de colores estridentes, como el que llevaban esas mujeres.

Le asignaron una habitación en la planta alta. Abrió la contraventana y salió a la terraza; no se escuchaba ni se veía a nadie; aquello parecía un templo. El sueño se apoderó de su cuerpo. Regresó al dormitorio, se quitó el traje sastre y, en enaguas, se recostó sobre la cama. Soñó que despertaba en la misma habitación y que, en medio de una bruma liviana, distinguía una figura de blanco, alta y maciza, que la observaba con fijeza. Le susurraba en una lengua extraña, mientras se le acercaba al rostro. Francesca apretó los ojos para no verlo.

Despertó confundida, preguntándose dónde se hallaba. Se incorporó en la cama y vio que era de noche. Tomó el reloj de la mesa de luz: las nueve. ¿Dónde estarían todos? La casa estaba en silencio. ¿Dormirían ya? Quizá la habían llamado a cenar y ella no había escuchado. Se trataba de una afrenta faltar a la mesa de un príncipe. De todos modos no sabía con exactitud si él se encontraba en la casa; Sadún y Fadila no lo habían mencionado o lo habían hecho en árabe.

Tenía un hambre voraz. Bajaría y, si en la sala se topaba con algún sirviente, le pediría algo para comer. Desechó el traje sastre, parecía un acordeón; eligió, en cambio, un vestido de lino rosa pálido con detalles en blanco. No intentaría nada con el cabello, no tenía tiempo; se quitó las horquillas y lo dejó caer pesada y libremente.

Una escalera al final de la veranda conducía al pórtico del jardín. Los tacos de sus sandalias retumbaban sobre el piso de granito y le crispaban los oídos; la oscuridad del jardín la asustaba y, sin mirar, caminaba deprisa hacia la luz que se filtraba por la puerta en el extremo de la galería.

Encontró a Al-Saud solo, con un libro en una mano y un extraño rosario de cuentas en la otra. Se quedó en el umbral, indecisa entre delatar su presencia o regresar a la habitación. Kamal levantó la vista y le habló con la seguridad y el desparpajo a los que la tenía acostumbrada.

—Señorita De Gecco, pase, por favor. Estaba esperándola. —Devolvió el libro a la biblioteca y se aproximó a la puerta; la tomó de la mano antes de preguntar—: ¿Durmió bien?

Francesca asintió como autómata, con un solo pensamiento: Al-Saud se hallaba en Jeddah, tal y como Sara había presagiado. ¿Por qué ese miedo? ¿Por qué esa falta de control? ¿Acaso no la había seducido la idea de encontrarlo? Respiró aliviada cuando le soltó la mano y le indicó un sillón enano.

—Lamenté no encontrarme en casa al momento de su llegada —dijo, y le alcanzó un vaso con una bebida blanca medio espesa—. Pruebe, es nuestro famoso *labán*. Mauricio me había dicho que llegarían alrededor de las siete de la tarde.

—Gracias —dijo Francesca, y tomó el vaso—. El embajador decidió emprender el viaje más temprano. Llegamos alrededor de las cuatro.

La bebida, similar a un yogur agrio, le crispó el gesto. Kamal sonrió y le retiró el vaso.

—Mejor le hago traer un jugo de frutas.

Al chasquido de sus dedos, apareció una sirvienta a la que se dirigió en árabe; segundos después, la muchacha regresó con un jugo de duraznos, que le quitó la acritud del *labán*.

—Sé que esta tarde le presentaron a mi madre —comentó Kamal, y se sentó frente a ella, con su rosario de abalorios que hacía juguetear entre los dedos—. Le ha causado una buena impresión, cosa difícil, le aseguro, pues se trata de una mujer especial. Mañana por la mañana la espera a desayunar en el harén.

—Su madre es muy amable, alteza, y me siento halagada por la invitación. De todos modos, debo consultarlo con el embajador; quizá mañana temprano me necesite para ir a la ciudad.

—Créame —habló Al-Saud—, Mauricio cancelaría cualquier reunión o compromiso antes de disgustar a mi madre.

Dubois y el agregado militar se presentaron en la sala, y Kamal se puso de pie para recibirlos. Les preguntó si se encontraban a gusto en sus recámaras. A continuación, abrió una puerta de dos hojas y entraron en el comedor, donde una mesa baja y angosta, de unos cinco metros de largo, los aguardaba con la cena. Se sentaron sobre almohadones y Kamal, en consideración al vestido de Francesca, le acercó un taburete. Dos jovencitas se personaron con más fuentes y sirvieron a los comensales, mientras Sadún escanciaba las copas. Francesca observó que escondían la mano izquierda detrás de la espalda y que, con gran agilidad, usaban sólo la diestra.

Dubois y Kamal tomaron la comida con los dedos; Francesca y Barrenechea cruzaron una mirada.

—Anímense —instó Al-Saud.

Barrenechea sonrió y tomó el estofado con la mano. Francesca, que no quería pasar por melindrosa, lo imitó. Hambrienta como estaba, disfrutó la comida, deleitando al príncipe que la animaba sirviéndole él mismo más *abgusht, hummus, alcuzcuz,* pan de pita, *quepi* crudo o ensalada de berenjenas y castañas. Terminada la cena, cuatro muchachas provistas de pequeñas jofainas y toallas de hilo les lavaron y secaron las manos y les repartieron pétalos de rosas y jazmines que restregaron entre los dedos para quitar el vestigio de las especias.

Volvieron a la habitación que simulaba una tienda beduina donde los esperaban el café y las confituras. Pirámides de ciruelas, nísperos e higos blancos alternaban en medio de dátiles almibarados, frutas secas, *baklava, kanafi* y masas finas. Kamal insistió a Francesca que probase el café de Moka, que definió como el mejor del mundo y, a pesar de encontrarlo espeso y fuerte, la joven aseguró que nunca lo había probado más sabroso. Al-Saud le echó un rápido vistazo y sonrió solapadamente.

Barrenechea agradeció la comida y, aduciendo cansancio, se retiró a dormir. Antes de imitarlo, Francesca preguntó a Dubois por los planes del día siguiente y se complació al saber que irían a Jeddah después del almuerzo. Kamal le indicó a una sirvienta que la acompañara hasta su dormitorio.

—¿Podrías prestarme tu estudio mañana por la mañana? —le pidió Mauricio, una vez que la joven dejó la sala—. Necesito trabajar con Francesca sobre algunos documentos.

—Te presto mi estudio —accedió Kamal—, pero no a Francesca.

Mauricio detuvo la taza de café a mitad de recorrido y lo miró.

—Mañana por la mañana, mi madre la espera en el harén para desayunar.

—¿Tu madre la invitó o tú se lo pediste? Estás loco si crees que Fadila la aceptará. Es una imprudencia.

—Fue mi madre quien la invitó. Yo no dije ni hice nada. —Después añadió de mal modo—: Estás celoso, la quieres para ti.

Mauricio se puso en pie de un salto.

—¡Otra vez con eso! Sabes que si una mujer te interesa es suficiente para que yo la vea como a una hermana. Después de tantos años, ¿por quién me tomas? ¿Por un miserable?

—Perdóname, Mauricio. Ya conoces mi endiablado temperamento.

Dubois recorrió la sala con la cabeza baja. Kamal sorbía lentamente el café y seguía sus pasos con la mirada.

—No sé adónde quieres llegar con mi secretaria —expresó Dubois—. Por tu posición, sé que no puedes tomarla en serio. Cavarías tu propia fosa si la hicieras tu mujer. Y no quiero que juegues con ella, es un ser delicado y sensible. —Reflexionó unos instantes y agregó con firmeza—: No te equivoques con Francesca, Kamal. Ya te advertí una vez: no es como las mujeres a las que estás acostumbrado.

—Lo sé —respondió Al-Saud en el mismo tono.

Acto seguido cruzó la sala y alcanzó a su amigo, le puso la mano sobre el hombro y lo miró fijamente. Quizá debería contarle cuánto había hecho para tenerla cerca, lo que había sentido al verla la primera vez en la fiesta de la Independencia de Venezuela, la conmoción de su espíritu, la manera en que la había deseado. Sin embargo calló, reacio como era a desnudar los secretos de su alma.

—Esta tarde recibí telegrama de Jacques —dijo, y volvió al diván—. Llega en dos días, acompañado por Le Bon y su hija. Vienen de Jordania y terminan su viaje en Jeddah.

—Es una pena, pero ya habremos dejado tu casa para cuando lleguen. Mis asuntos aquí no me llevarán mucho tiempo.

—Pues tomarás unas pequeñas vacaciones y pasarás unos días conmigo. ¿Cuánto ha pasado desde nuestra última cabalgata por la playa? Además, en dos semanas vendrán mis abuelos al oasis y se ofenderán al saber que te has ido sin verlos.

Una sirvienta la guió por el laberíntico harén, que ya no permanecía silencioso: voces, risas, los gorgoritos de una niña al cantar, el llanto de un bebé y el chirriar de pájaros surcaban los pasillos. Frente a la puerta, los sonidos se hicieron aún más intensos. Con un sutil empujón, la sirvienta la obligó a entrar en el recinto de la piscina, donde varias muchachas se paseaban desnudas o se bañaban. Niños y niñas, desnudos también, correteaban entre las columnas. Sadún, el eunuco, trenzaba el cabello de Fátima y le susurraba. Una mujer amamantaba a su bebé, mientras una jovencita le depilaba las piernas.

Su impulso fue salir, pero la sirvienta se mantuvo firme en la puerta y le habló en árabe con dulzura. La tomó del brazo y la condujo hasta una banca llena de trajes, toallas, alhajas, potes y frascos. Nadie la miraba, como si no existiera o como si fuera una de ellas. El tenue vapor que se levantaba de la alberca, atravesado por rayos de luz que se filtraban por la bóveda, otorgaba un aspecto fantástico e irreal a la escena. No parecían perturbadas por la presencia de Sadún, que ya había abandonado a Fátima y masajeaba con aceite el vientre de una mujer embarazada. En la piscina, las muchachas se lavaban el cabello, se enjabonaban la espalda o cotilleaban apartadas en las escalinatas. El aroma del aceite mezclado con el de los jabones y champúes, se acentuaban por el calor. Peces de bronce distribuidos en el borde renovaban el agua de la alberca y producían un sonido monótono que adormilaba. A nadie le apremiaba el tiempo; retozaban o descansaban sobre el piso tibio como si fuesen dueñas de los siglos, como si los minutos equivaliesen a horas.

Francesca no prestó resistencia cuando la desnudaron entre dos sirvientas; la relajaba el contacto de esas manos sobre su piel, y la hipnotizaba la voz de una niña que entonaba una melodía cadenciosa y acompasada. La condujeron a la piscina y no se escandalizó cuando Sadún se acercó para hablarle.

—Sumérjase por completo —indicó el eunuco en un mal francés, y la animó a entrar—. Está tibia.

Caminó en el agua con lentitud, mirándose los pies y, una vez en el centro, volvió a encontrarse con el caballo alado. Cerró los ojos y permaneció algunos segundos sumergida. Al salir, mientras el agua se le escurría por el rostro y una brisa fresca le contraía los pezones, tomó conciencia de que el barullo había cesado y de que los ojos negros y profundos de las árabes se posaban en ella. Las muchachas que la habían desvestido le pidieron que se acercase a las escalinatas. Una se encargó del cabello y la otra le masajeó el cuerpo con una esponja vegetal. Entregada, sin dominio de sí, se dejó lavar, incluso las partes íntimas, que las muchachas trataban con habilidad. Había pétalos flotando en la superficie y el vapor olía a rosas. Las demás proseguían con sus faenas y ya no la miraban. No quiso preguntar por la señora Fadila, incapaz de romper el letargo que la envolvía.

La vistieron con túnicas, le pusieron sandalias de taco bajo, le remarcaron los ojos con *khol,* le pintaron los labios de rojo, la perfumaron con aceites, y Sadún le secó y trenzó el cabello.

—Mi señora Fadila desea verla ahora, señorita —indicó el eunuco, mientras le cubría el rostro con un velo de gasa.

Entró en una habitación amplia y bien iluminada, de paredes cubiertas con azulejos multicolores y piso alfombrado. En el extremo opuesto, Fadila, recostada sobre un diván, la contemplaba de arriba abajo.

—Estaba esperándote. Eres ciertamente hermosa —dijo, al desvelarle el rostro—. Sadún, sírvenos el desayuno, por favor.

Tomaron asiento cerca de la ventana que, por dar a un jardín interno del harén, no tenía rejas. Sobre una mesita circular estilo inglés, el eunuco colocó una bandeja con el servicio de té.

—Té, café o chocolate —ofreció.

—Chocolate —aceptó Francesca.

—¿Te han molestado las muchachas? —quiso saber Fadila, una vez que se quedaron a solas.

—¡Oh, no, señora! En absoluto.

—Les pedí que no lo hicieran y que te dejaran disfrutar el momento. La idea de tener a una mujer blanca en el harén las había alterado y temí que te atosigaran a preguntas, en especial mi hija Fátima, siempre ávida por saber de tu mundo. ¿Cómo te has sentido? Pensé que rechazarías la idea de tomar un baño antes de reunirte conmigo. Debes saber que para nosotras es un acto de hospitalidad.

—Lo confieso: en un principio sentí pudor y estuve a punto de marcharme, en especial al ver a Sadún.

—Comprendo. Ustedes las cristianas tienen un concepto del recato muy distinto al nuestro. Cuando yo era pequeña, un francés amigo de mi padre solía pasar algunas semanas de vacaciones en nuestro campamento con sus dos hijas, casi de mi edad. Yo no salía de mi asombro al comprobar que, pese a recibir una buena educación, las niñas ignoraban cuestiones básicas. Por ejemplo, desconocían que en algún momento les llegaría el sangrado menstrual; menos sabían acerca de lo que un marido esperaba de ellas en la cama. No sé qué historia de cigüeñas sacaban a relucir. Cuando les contaba lo que yo sabía, me miraban con ojos desorbitados y replicaban que ellas jamás harían eso. Para nosotras, las cuestiones relacionadas con el cuerpo son naturales y hablamos de ellas con nuestras madres, abuelas y tías desde que somos pequeñas. ¿Por qué sienten tanto resquemor por algo que, finalmente, vive con ustedes, algo que es parte de su naturaleza?

Francesca se tomó un momento antes de contestar, pues, a decir verdad, jamás se había detenido a analizar por qué el sexo y el cuerpo representaban al demonio. A su madre, por ejemplo, no le gustaba hablar del tema; carraspeaba, se ponía roja y evitaba mirarla. Terminó por informarse en el colegio, entre las compañeras. De dónde sacaban la información que con tanta seguridad le transmitían era algo en lo que jamás había reparado. Las hermanas del Sagrado Corazón se limitaban a hablar de la pureza inmaculada y la virginidad de María, de la malicia de los hombres que constituían la perdición de las mujeres y de la bendición de convertirse en monja. La relación de Sofía y Nando no echó demasiada luz a su ignorancia supina; ya fuese por vergüenza o por pudor, Sofía se esmeraba más en los detalles románticos y platónicos que en los carnales y pasionales, y ella, por prudencia, no ahondaba. Siempre quedaba con la duda, segura sólo de una cosa: debía de tratarse de algo placentero, pues, cuando Sofía regresaba de sus encuentros con Nando, sonreía inconscientemente y los ojos le chispeaban. No obstante, a la hora de imaginarse su primera vez, Francesca apretaba las piernas y tragaba con dificultad.

—Supongo que el problema radica en nuestra religión —dijo, por fin—. El catolicismo venera la virginidad de María, la madre de Cristo. Es como si su santidad y mérito radicasen en el hecho de ser virgen.

—Pero tuvo un hijo —objetó Fadila.

—Sí, pero por obra y gracia del Espíritu Santo, sin la intervención de hombre alguno. Por eso se mantuvo virgen.

—¿Y tú que piensas, Francesca? No acerca de María y su virginidad, sino sobre el sexo.

—Es la primera vez, señora, que alguien me dice la palabra sexo sin bajar la voz ni ponerse colorado. A pesar de mis veintiún años, no sé mucho sobre el tema, lo admito, pero no es fácil informarse en el lugar de donde yo provengo. —Sonrió antes de agregar—: Jamás había hablado tan abiertamente, con tanta libertad.

—Libertad —repitió Fadila, y se quedó callada—. Ni ustedes las occidentales, ni nosotras las orientales hemos conseguido ser verdaderamente libres. Los siglos pasan y aún continuamos sumidas en la esclavitud.

—¿Lo dice por vivir dentro de un harén?

—No, en absoluto. No me refería a una esclavitud física pues, de una u otra manera, todos los seres humanos tenemos el espacio limitado, y para las árabes nuestro espacio lo representa el harén, como para ti lo será tu casa, como para tu país lo serán las fronteras que lo delimitan. Para mí —retomó—, harén significa familia. Es mi casa, mi santuario, el lugar donde parí y vi crecer a mis hijos, el sitio donde aguardaba anhelante la llegada de mi esposo, y donde algún día, le ruego a Alá por ello, veré corretear a los hijos de Kamal y de Fátima, y, por qué no, a los de Mauricio, de tanto en tanto. No te dejes influir por las ideas erradas que Occidente tiene del vocablo harén; inevitablemente lo relacionan con lujuria y excesos. ¿Has visto aquí alguna clase de exceso? ¿Hubo algo que perturbó tu moral o tus principios? —Francesca se apresuró a negar, más allá de que la imagen de esos cuerpos desnudos que se paseaban por la habitación de la piscina, aún la confundía—. Aquí somos más libres que en cualquier otro sitio —prosiguió Fadila—, éste es nuestro mundo y mandamos a gusto y placer. Los hombres respetan eso y no se inmiscuyen. Es fuera de estas paredes donde no tenemos libertad, al igual que ustedes.

Se mantuvieron cavilosas: Francesca, que en realidad se sentía mil veces más libre que una árabe, no sabía qué decir, y Fadila deseaba conversar sobre otro asunto.

—Mauricio dice que eres una excelente asistente, muy inteligente y capaz.

—Me gusta mucho mi trabajo, señora. Si es cierto que me desempeño bien no hay mérito en ello, ya que disfruto trabajando.

—De eso se trata, de ser felices, y me alegro de que tú lo seas.

Francesca no quiso profundizar en el tema de su felicidad, que lejos se encontraba de la plenitud. El trabajo se había convertido en un paliativo, pero nada tenía que ver con la dicha de un año atrás en brazos de Aldo.

—Conozco a Mauricio desde que tenía ocho años —prosiguió la mujer—, poco tiempo después del accidente donde perdieron la vida sus padres, y puedo asegurarte que nunca lo había visto tan saludable y contento.

—El embajador encuentra en ustedes la familia que perdió hace tanto tiempo —expresó Francesca—. Estar con ustedes le agrada más que cualquier cosa.

—Sí, es cierto; Kamal ha sido para Mauricio un hermano y mi esposo y yo, sus padres. Sin embargo, ahora lo encuentro radiante, con un brillo en la mirada que no le conocía.

Francesca, sin nada que añadir, agradeció la intervención de Sadún que llamaba a su señora a orar.

A Kamal le gustaba consentir a sus hermanas y sobrinas cuando se hospedaban en su casa. Pasó la mañana en el zoco de Jeddah, más moderno y completo que el de Riad, comprando ropa, alhajas, perfumes y juguetes. Un entusiasmo inusual le sacudía el ánimo; caminaba por las callejas del mercado sorteando vendedores, bultos y mujeres, e impulsado por una energía que no había experimentado anteriormente, nada lo contrariaba y sonreía con facilidad. Puso especial cuidado en la elección de un traje de amazona y debió recorrer varios puestos de flores para conseguir un ramo de camelias blancas. Sus guardaespaldas lo seguían de cerca, cada uno con una montaña de paquetes. De regreso en la finca, Sadún ayudó a los hombres y, entre los tres, llevaron los regalos al interior de la casa.

—Los quiero en el harén —ordenó Kamal al mayordomo, al tiempo que tomaba por su cuenta una bolsa y el ramo de camelias—. Y que no los abran hasta que yo llegue.

—Deberá ir pronto, señor; de lo contrario, hallará cajas vacías y papeles arrugados.

Lo recibieron con un alegre jolgorio, y no encontró diferencia entre el comportamiento de las adultas y el de las niñas: lo perseguían y le suplicaban que les indicara qué paquete correspondía a cada una.

—¡El mío primero! —pedían a coro.

Kamal alzó en brazos a Yashira, su sobrina dilecta, que se le aferró al cuello y lo besó en la mejilla.

—Ayúdame a repartir los regalos, Yashira.

—Primero el de *Um Kamal* —sugirió la niña.

Fadila, que, apartada, escribía a su hermana en El Cairo, levantó la vista y bajó sus lentes hasta la punta de la nariz.

—Ven, *Um Kamal* —llamó Yashira—, recoge tu regalo.

Al-Saud se solazó observándolas mientras se disputaban las prendas, las botellas de perfume y las joyas; como niñas, medían quién había resultado más afortunada en la distribución, enfrascadas en una eterna disputa en la que no lograban acordar cuál era el obsequio más costoso y cuál el más hermoso.

Aunque sonreía, un pensamiento triste ensombrecía a Kamal al preguntarse qué sería de aquellas mujeres, las mujeres de su familia, tan ajenas al mundo real y a los problemas que acosaban al reino, si algo llegara a quebrar la burbuja en que vivían. Algunas madres y abuelas, en definitiva, no eran más que criaturas indefensas, seres inútiles que no sabrían cómo proceder ante la mínima adversidad.

—Tía Fátima quiere saber para quién es el otro paquete y el ramo de camelias —susurró Yashira.

—Sadún nos contó que en la casa tienes una bolsa enorme, repleta de obsequios, y un ramo de camelias —saltó Fátima—. Pensamos que las camelias eran para Zora. Como son sus preferidas...

—¿No estás conforme con la gargantilla, Zora? —fingió apenarse Kamal.

—Por supuesto que estoy conforme, es preciosa. Pero ya conoces a Fátima, quiere sonsacarte para quién es el ramo.

—¿Para quién es, tío? ¿Es para mí? —aventuró Yashira.

—Debería matarte, Sadún —dijo Kamal, y el eunuco se refugió tras Fadila, que no perdía palabra del intercambio.

—Tía Fátima dice que es para la muchacha blanca que se bañó esta mañana con nosotras en la piscina —insistió Yashira, y buscó su mirada con interés.

Kamal se sorprendió sinceramente —su madre jamás habría permitido a una extraña semejante muestra de familiaridad— y por un momento se excitó al imaginar a Francesca desnuda en la piscina.

—Tío Mauricio le pidió a tío Kamal que las comprase para Francesca —aseguró Fadila a la pequeña, y la quitó de brazos de su hijo—. ¿No es así?

—¿Mauricio? —repitió Al-Saud, y se mostró abiertamente confundido.

Fadila le lanzó un vistazo cargado de intención antes de asegurar:

—Si la camelia fuera perfumada sería la flor perfecta, pero no lo es.

Esa noche, Sadún excusó al príncipe Kamal que cenaba con su madre, y Francesca sintió alivio. No deseaba verlo después de haber encontrado sobre su cama un espléndido equipo de amazona y un ramo de camelias con la tarjeta que rezaba: «Mañana a las cuatro deseo vérselo puesto». La llevaría a montar. Se decía que los caballos del príncipe Al-Saud eran de los mejores. Recordó a Rex y cayó en la cuenta de que hacía tiempo que no lo echaba de menos. Lo había montado por última vez la tarde en el maizal, junto al paso tranquilo del bayo de Aldo. «Aldo», musitó. Su nombre pertenecía al pasado, sus facciones se desvanecían y ya no recordaba el timbre de su voz. Resultaba increíble, pero el tiempo comenzaba a mitigar sus recuerdos.

Al-Saud tampoco los acompañó a la mañana siguiente durante el desayuno, y el mayordomo informó que la señora Fadila y las muchachas habían partido muy temprano hacia Riad.

—¿Algún problema? —se preocupó Dubois.

—Anoche discutieron la señora y el amo Kamal.

A media mañana llegaron Jacques Méchin, Le Bon y su hija Valerie, y Francesca se desalentó segura de que Al-Saud postergaría la cabalgata con la excusa del arribo de sus amigos. De todas maneras, a las cuatro de la tarde se alistó con sus pantalones escoceses, su blusa blanca de lino, sus botas y sus guantes de cabritilla.

Un jovencito llamó a su puerta y, con señas, le pidió que lo siguiera. Fuera de los dominios de la casa, la finca abandonaba el estilo cuidado y prolijo. Un vasto potrero, con modernos abrevaderos, se destacaba en primer plano; al lado, un granero, con fardos de alfalfa hasta el techo, y una casilla para guardar monturas y arneses. El movimiento de gente, que pululaba en silencio con herramientas o bridas en las manos, le dio noción de la importancia de la actividad. Los caballos exhibían un pelaje reluciente y marchaban con cabeza enhiesta y paso firme.

Vio a Al-Saud cerca de la caballeriza y se le agitó el pulso. Vergüenza, miedo, inseguridad, anhelo..., sensaciones encontradas y fuertes que la obligaron a detenerse a la entrada y esperar. Kamal, enfrascado en una conversación con Fadhil, el responsable de la caballeriza, despidió a su ayudante al reparar en ella y se acercó. La fascinaron su andar, lo bien que le sentaban los pantalones y la elegancia que le conferían las botas con espuelas, que chispeaban contra los adoquines del piso; llevaba la camisa abierta hasta la mitad del pecho, musculoso e imberbe, y el infaltable tocado sobre la cabeza.

—Veo que he acertado con la medida del pantalón y de la blusa —dijo, a unos metros de ella.

—El traje es hermosísimo —aseguró Francesca—, pero no debería haberlo comprado.

—¿Y cómo pensaba montar sin él? —Francesca, ruborizada, le dedicó una sonrisa pusilánime—. ¿Las botas son cómodas? ¿La medida es la correcta? Debo confesarle que le pedí a una de mis sirvientas que tomase uno de sus zapatos para llevarlo al zoco. Ya está de vuelta en su lugar.

—No lo noté —atinó a balbucear Francesca, perpleja.

Al-Saud la tomó del brazo y la llevó a recorrer la caballeriza, una enorme construcción de ladrillos enjalbegados con techo de zinc a dos aguas. El interior, un largo pasillo flanqueado de caballerizas por donde asomaban las cabezas de magníficos ejemplares, hedía a estiércol, rastrojo y animal sudado, olores que le agradaron porque le recordaban a Arroyo Seco. Inusitadamente locuaz, Al-Saud hablaba de la cría y el cuidado de los *muniqui*.

—Ya le indiqué a Fadhil, el hombre con el que estaba hablando, que le prepare a Nelly cada vez que usted lo disponga. Nelly es una yegua mansa, no tendrá problemas con ella.

—Si usted conociera a Rex, me daría el animal más brioso de su caballada.

Reapareció Khalid arrastrando a Pegasus, que piafaba, daba coces y se negaba a avanzar. Francesca se convenció de que se trataba del caballo más hermoso que había visto, más hermoso que Rex.

—¿Ese caballo montaré, alteza?

—Jamás lo consentiría. Pegasus tiene el demonio en el cuerpo; el año pasado mató a uno de mis hombres que intentaba domarlo.

Francesca se espantó. Pegasus lanzaba tarascadas a Khalid, que, sin soltar las riendas, se apartaba apostrofándolo.

—¡Dios mío! ¡Qué malo es! ¿Quién se atreve a montarlo?

—Yo —aseguró Kamal, y silbó.

El animal detuvo el forcejeo, paró las orejas y, más sosegado, permitió a Khalid acortar el trecho que lo separaba del patrón. Cuando lo tuvo a mano, Kamal le propinó un golpe en la testuz con el guante y le habló duramente en árabe; luego, asió las riendas y liberó a Khalid, que se marchó quejándose por lo bajo.

Francesca no resistió la tentación y acarició a Pegasus, sin atender a la mirada penetrante que Al-Saud le dispensaba ni a la manera acelerada en que le subía y le bajaba el pecho. Se complacía con la tranquilidad del animal que pocos minutos antes habría destrozado a Khalid con los dientes, envanecida porque el árabe comprobaba que ella se las arreglaba muy bien con un caballo rabioso como ése, y le habría pedido de montarlo si, al levantar la vista, los ojos de Al-Saud no la hubiesen asustado.

En un instante que no vivió se encontró entre sus brazos, que la apretaron sin compasión. Intentó liberarse, pero la fuerza del árabe la doblegó con facilidad y quedó laxa sobre su pecho. Entonces, Al-Saud se inclinó sobre su rostro y le cubrió la boca con sus labios. La besó sin mesura, aturdido él también, indiferente al pánico de Francesca, que temblaba y se quejaba, sorprendida por lo ininteligible y vertiginoso del momento. La echó levemente hacia atrás y le pasó los labios por la garganta hasta el nacimiento del escote.

—No imaginas cuánto esperé este momento —expresó él, con la cara hundida en su cuello—. ¿Por qué tiemblas? ¿Acaso me temes? Mírame.

—No —musitó ella, incapaz de volver a encontrarlo con la mirada.

Delicadamente, Al-Saud le levantó el rostro por el mentón.

—Abre los ojos y mírame —ordenó en un susurro, y Francesca obedeció.

La llama de deseo tornaba oscuro el verde de sus ojos. Le tuvo miedo y, sin caer en la cuenta, le apretó la carne de los hombros. Él la besó en la frente, en la nariz, en los ojos, en las mejillas, con una dulzura de la que Francesca no lo creía capaz. Cerca del oído, Al-Saud le susurró:

—¿Sabes lo bonita que eres? Creo que no tienes conciencia de tu poder —dijo, y, tomándole el rostro con ambas manos, volvió a besarla.

Francesca se relajó, y un impulso loco terminó por quebrantar su ya debilitada voluntad. Porque se trataba de una locura admitir que se sentía extraordinariamente bien entre los brazos de ese árabe. La voz de trueno de Le Bon y la risa de Méchin conjuraron el sortilegio. Kamal se apartó y, tras arreglarse la camisa, les salió al encuentro.

Francesca, aún confundida, saludó como un autómata y jamás supo lo que hablaron los hombres durante esos minutos interminables. Pidió excusas, regresó deprisa y se encerró en su dormitorio.

CAPÍTULO XII

Francesca se llevó las manos al cuello, al mismo lugar donde hacía rato Al-Saud le había pasado los labios. «Aldo jamás me besó así», pensó con los ojos cerrados y la respiración fatigosa. Aquel contacto, entre rabioso y romántico, la había anonadado. Procuró enfurecerse y encontrar salvaje y de dudoso buen gusto esa muestra de machismo. Su enojo no duró mucho tiempo y, a medida que se relajaba, sentía un cosquilleo en la boca del estómago.

Dudó si ir a cenar, pero la idea de mostrarse indiferente y dueña de sí la instó a bajar. En la sala, pese a que ya se encontraban todos, sólo lo vio a él. Vestía pantalones beige, camisa celeste claro y llevaba la cabeza descubierta. Pocas veces le había visto el cabello, castaño oscuro y rizado. «¡Qué hermoso es!», se dijo.

Méchin le ofreció el brazo para pasar al comedor. Entre galanterías y comentarios banales, el francés consiguió distraerla y tranquilizarla. Mauricio la contemplaba con extrañeza y, cada tanto, lanzaba vistazos a Kamal, que los devolvía con flemático gesto. Valerie se mostraba más insinuante y provocativa que de costumbre, tanto que el profesor Le Bon carraspeó repetidas veces y retomó una y otra vez los detalles de su visita a Jordania. A Valerie parecían no afectarle las admoniciones de su padre y, sentada junto a Kamal, continuó rozándolo por casualidad, encontrando su mano con la de él en la fuente de los niños envueltos y subiendo y bajando las largas pestañas cuando sus miradas se cruzaban. Al-Saud, ajeno a los avances de Valerie Le Bon, comía y escuchaba. Cuando sus ojos tropezaban con los de Francesca, la contemplaba con seriedad hasta que ella desviaba la mirada.

—¡Qué bello país es Jordania! —aseguró por enésima vez el profesor Le Bon.

—Jordania es un invento de los ingleses —habló Kamal por primera vez en la noche—. Debería ser parte de Arabia. Es un país sin historia ni antepasados, un verdadero engendro.

—Sin embargo —objetó Gustav Le Bon—, el rey Hussein se muestra orgulloso de su estirpe y de su reino.

—Todo se lo debe a Lawrence, que le sacudió de encima a los otomanos —aseguró Méchin.

—¿Qué Lawrence? —preguntó Barrenechea, el agregado militar.

—Jacques se refiere a Thomas Edward Lawrence —intervino Dubois—, más conocido como Lawrence de Arabia.

—Siempre ha sido política de los ingleses desmembrar las zonas de su interés —opinó Francesca, y se asustó al ver que era la única que tenía la palabra y que todas las miradas se posaban en ella.

—¿A qué se refiere? —se interesó Kamal.

—Supongo que se trata del viejo aforismo «divide y reinarás».

—Oh, Francesca, siempre hablando de política —se quejó Valerie—. ¿Es que no tienes un tema más divertido?

—¿De qué debería hablar, entonces? —preguntó mordazmente—. ¿Del último grito de la moda en París o del peinado que la princesa Grace llevó en la última cena de la Cruz Roja?

Se hizo un silencio que el profesor Le Bon rompió segundos más tarde:

—Deberías ser una mujer más informada y culta, Valerie, tal y como lo es Francesca. Así podríamos conversar sobre temas interesantes durante nuestros largos viajes. Yo no me aburriría tanto de ese modo.

—Pero yo sí —se encaprichó Valerie.

Después de la cena, Méchin mantuvo con Kamal unas palabras en privado.

—Sabes que siempre voy al grano —le recordó, una vez cerrada la puerta del estudio.

Kamal tomó asiento y comenzó a juguetear con su rosario de cuentas.

—Habla, pues —concedió.

—¿Qué te has propuesto con la secretaria de Mauricio?

Kamal conocía a Méchin desde que tenía uso de razón. Había sido el mejor amigo de su padre y, por esto, Abdul Aziz lo había nombrado su tutor mientras duraban los estudios en el extranjero. Kamal lo respetaba porque, aunque lleno de los defectos de un típico parisino, demostraba inteligencia y mesura; lo quería además, pues sabía que, para Jacques Méchin, él era el hijo que nunca había tenido.

—¿Por qué me preguntas? —dijo con tono indolente, y encendió un cigarrillo.

—Kamal, te conozco como nadie; podrás engañar a cualquiera, pero no a mí.

—No es mi intención engañar a nadie.

—No emplees conmigo tus juegos de palabras ni apliques tus silencios desconcertantes. Vi ese cruce de miradas entre ella y tú durante la cena. Hasta Valerie Le Bon lo notó. Sé que la deseas y que te has propuesto hacerla tuya. —Kamal lo miraba y fumaba—. ¿Eres consciente de que Mauricio está enamorado de ella?

—¿Te lo ha dicho él?

—No, sabes que es muy reservado. Pero hasta un ciego lo vería. Es otro hombre desde que está con la muchacha. El reino de tu padre —retomó Méchin— está atravesando la peor crisis desde su fundación. Tu hermano Faisal ya maneja el monto del déficit de este año y asegura que se ha incrementado alarmantemente respecto a la misma medición del año pasado. Te esperan para que tomes las riendas. La situación interna de la familia es tensa, peligrosa, me atrevería a decir. Saud no permitirá que lo marginen. Tus tíos y Faisal, a pesar de todo, están dispuestos a hacerlo a un lado y ponerte al frente. Pues bien, ¿en medio de esta tormenta se te ocurre venir a Jeddah para seducir a la secretaria de Mauricio? Deja en paz a esa pobre criatura; es inocente y tierna como una gacela. La harás desdichada si, en estas circunstancias, la relacionas contigo.

Francesca pasó la mañana y las primeras horas de la tarde trabajando con su jefe, empeñado en el análisis de un acuerdo luego de la reunión con los italianos, y en el control de la documentación que enviaría a Riad con el agregado militar, que regresaba al día siguiente. Las horas junto Mauricio se hicieron eternas, inquieta y mal dormida como estaba. Además, lo encontró serio y distante, enojado quizá, lo que la angustió sobremanera y, segura de que el enfado se debía a la pequeña escena con Valerie Le Bon, deseó no haber abierto la boca.

No era ella misma, una mezcla de sensaciones la confundía. Saldría a cabalgar. Cabalgar siempre la había apaciguado. Encargó a una sirvienta avisar a Khalid que montaría a Nelly, la yegua que Al-Saud había dispuesto para ella. Se vistió con el traje de amazona y se peinó con una cola. Miró el reloj: las cuatro y media de la tarde. A esa misma hora, el día anterior recorría las caballerizas junto a Kamal, arrullada por su voz, atraída por su personalidad, impresionada por su belleza física. Luego el beso, el beso que aún le ardía en los labios y en el cuello. Dejó la habitación. Entró campante en la sala y, al toparse con Al-Saud y Valerie que se besaban sobre los almohadones, sintió un golpe en el pecho.

—Disculpen —dijo, y se apresuró a salir.

El empleado de la cuadra que sujetaba a Nelly se desconcertó cuando Francesca le arrancó la fusta, montó la yegua de un salto y la azuzó de tal modo que el animal se encabritó antes de empezar a correr. Kamal encontró al muchacho que aún contemplaba atónito a Francesca y a la yegua, y le ordenó:

—¡Prepárame a Pegasus!

Francesca fustigaba a Nelly, que galopaba con las orejas bajas. Inclinada sobre el lomo, se dejaba aturdir por el viento, por el ruido de los cascos y la respiración acelerada del animal, desbocado para ese momento. Sabía que no podría detenerlo y lo dejó galopar. Francesca apretaba los ojos y la imagen de Valerie tomada al cuello de Al-Saud le arrancaba lágrimas de coraje que se le escurrían por las sienes. Azotó nuevamente a Nelly descargando sobre la yegua la furia y la frustración.

Pegasus era el caballo más veloz de la cuadra. No pasó mucho hasta que Kamal divisó a Francesca, que ya había abandonado los lindes de la finca y en medio de dunas se dirigía hacia el mar. Notó que las fuerzas de la yegua mermaban y que el trecho que los separaba se acortaba rápidamente.

—¡Francesca, detente! —gritó—. ¡Detente, maldita sea!

Francesca miró hacia atrás: Al-Saud se encontraba más cerca de lo que pensaba, hasta podía distinguir con claridad la rabia que lo dominaba. Golpeó con saña las ancas de Nelly y le gritó para soliviantarla, pero prevaleció la rapidez de Pegasus; poco después avistó por el rabillo del ojo el hocico del semental. El mutismo en el que se mantenía Al-Saud la atemorizó y no tuvo el valor de mirarlo nuevamente. Aunque consciente de que pronto la alcanzaría, siguió cabalgando para demostrarle que no le obedecería.

Kamal colocó a Pegasus cerca de Nelly, se puso de pie sobre los estribos e, inclinándose hacia Francesca, la arrancó de la montura y la sentó delante de él. Francesca no tuvo noción de lo sucedido hasta segundos después cuando, al sentir los brazos de acero que la rodeaban, luchó con bríos e intentó tirarse del caballo, que, sacudido por los bruscos movimientos, se encabritó y comenzó a dar coces y resoplidos. Kamal logró sujetarla antes de que tocara el suelo y manejó al enfurecido Pegasus sólo con la presión de las rodillas.

—¡Quédate quieta o te doy una tunda! —amenazó.

Francesca giró dispuesta a golpearlo, pero la fuerza primitiva que destellaba en los ojos del árabe la obligó a estarse quieta. Ni siquiera se animó a pedirle que aflojara la presión de los brazos; callada e inmóvil, padeció el dolor punzante en las ijadas, masticando la rabia y soportando la humillación de saberse sojuzgada.

Kamal recogió las riendas de Nelly, que había terminado unos metros más allá, y emprendió la vuelta. Muy agitado en un principio, consiguió regularizar el pulso y calmarse. Con un movimiento torpe, acercó aún más a Francesca y se complació al notar que le obedecía y acomodaba la espalda contra su pecho. Cabalgaron en silencio hasta la casa, demasiado enojados para hablar; luego, los aletargó el trote acompasado de Pegasus y el contacto cálido de sus cuerpos.

Al llegar, Kamal aflojó su abrazo y la ayudó a descender.

—¡Mírame! —ordenó en un susurro e, inclinándose en la montura, le levantó el rostro por el mentón—. Estás loca si piensas que, después de todo lo que hice para tenerte, voy a dejar que te me escapes por el arrebato de una descocada. Hablaremos más tarde. Ahora ve y descansa.

Picó espuelas y llevó a Pegasus y a Nelly a las caballerizas.

Llamaron a la puerta de su dormitorio. La asaltó una agitación incontrolable. Abrió: era Sadún. El amo Kamal la mandaba llamar. Terminó de peinarse y bajó, dispuesta a acabar con aquella absurda situación.

El mayordomo le indicó que entrase en el estudio. Al-Saud, de pie frente al escritorio, contemplaba unas fotografías. No la miraba, no le hablaba, como si continuase solo, como si ella jamás hubiese entrado. Francesca, que había bajado para endilgarle una invectiva, se quedó quieta, observándolo, apaciguada por los movimientos lentos y la paz del árabe.

Se había bañado y afeitado; aún tenía los rizos húmedos y el aire olía a su loción almizcleña. «¡Qué hombre tan extraño!», pensó. Era inexpugnable y enigmático, pero, ¡qué abierto se había mostrado el día anterior mientras la estrechaba entre sus brazos y la besaba!

Kamal se movió hacia ella y Francesca se apartó.

—No muerdo —dijo Al-Saud, y le extendió las fotografías.

Fotografías de ella y de Marina haciendo compras en Ginebra, de ella camino al consulado, de ella sobre el barco que navegaba por el lago Leman, de ella junto a su jefe en algún cóctel o recepción, de ella a la entrada de su casa.

—¿Cómo las obtuvo? —preguntó, y la voz le salió en un hilo.

—Las mandé sacar. Te hice seguir durante algunas semanas.

Francesca lo miraba a él y a las fotos, a las fotos y a él, y no daba crédito de cuanto veía y escuchaba.

—Tu nombre completo es Francesca María De Gecco. Naciste el 19 de febrero de 1940, en Córdoba, Argentina. Tu padre, Vincenzo De Gecco, murió cuando eras apenas una niña de seis años y tu madre, Antonina D'Angelo, debió emplearse como sirvienta en la mansión de una familia acomodada, los Martínez Olazábal.

—¿Por qué? —susurró Francesca—. ¿Para qué?

—Porque una noche, en Ginebra, te vi y te deseé. Te quería aquí conmigo, en mi tierra, entre los míos, y aquí te traje.

Francesca negaba con la cabeza y balbuceaba en castellano. Había sido él. El extraño e inopinado traslado a Riad era obra suya. Pensó en la esposa del cónsul y soltó una risa que se mezcló con el llanto, el miedo y la furia. Al-Saud intentó tocarla y ella lo repelió con aversión.

—No se atreva —bramó—. ¿Quién demonios se cree que es? ¿Quién demonios se cree que es para decidir sobre mi destino, para sacarme de Ginebra y traerme a este condenado país de salvajes e incivilizados? ¿Por qué? ¿Para qué? ¿Qué daño le he hecho?

Kamal amagó acercársele nuevamente, y Francesca se le abalanzó y le asestó golpes en el pecho. Fue un forcejeo mudo hasta que Al-Saud la doblegó. Sin posibilidad de moverse, presa de la ira, Francesca terminó llorando en sus brazos. Se separó de él lentamente y lo miró con desconcierto.

—¿Por qué me trajo aquí? —insistió—. ¿Por qué me sacó de Ginebra?

—Porque te quiero para mí.

Francesca le dio la espalda y se llevó las manos al rostro, confundida, superada por la realidad que, de un golpe, le habían soltado en la cara. Pensaba rápido, en muchas cosas, y nada claro afloraba. Kamal la tomó por los hombros y volvió a sobresaltarse.

—No me temas —suplicó.

Sí, le temía. A su magnetismo, a su poder, a todo eso le temía. Él era un árabe, hombre duro, caprichoso y tiránico; y, a pesar de todo, ¡cómo lo deseaba! ¡Cómo anhelaba que volviera a besarla y que su ardor la hiciera sentir viva!

—Esto es una locura —pensó en voz alta.

—¡Sí, una locura! —repitió él, y la obligó a volverse—. Yo me vuelvo loco cuando te veo, cuando escucho tu voz, cuando huelo tu perfume, cuando te toco, como ahora. Me vuelvo loco de pasión y de deseo. ¡Bésame! —ordenó y, sujetándola por el rostro, buscó sus labios y se internó en su boca.

La impetuosidad de Kamal la estremeció y, completamente vencida, se aferró a su espalda y le devolvió beso por beso, caricia por caricia, suspiro por suspiro, en libre entrega, con la misma excitación que manaba de él y que la perdía irremediablemente. Tratar de no desearlo le pareció insensato. Su cuerpo, su sonrisa, sus modos, sus ojos que la embrujaban, aquello que había llegado a convertirse en una tortura, ahora lo gozaba sin reservas ni remordimientos, y qué magnífica sensación de plenitud y dicha. La lucha entre lo que debía hacer y lo que su corazón le pedía a gritos terminó en aquel instante y se sintió suya.

—¿Qué será de mí ahora? —se preguntó.

—Serás mía —respondió Kamal.

—Somos distintos —interpuso ella—. Nuestros mundos se han despreciado desde siempre. Nos separan siglos de odio y guerras. ¡Oh, Kamal, tengo tanto miedo! ¡Estoy segura de que esto es un error!

—¡Olvídate del mundo, de la religión, del pasado! Deja que el deseo fluya dentro de ti, que te posea, como a mí. Seremos sólo tú y yo. No temas. Yo te protegeré y no permitiré que nada ni nadie te haga daño. Di que serás mía. ¡Dilo!

—¡Sí, tuya!

Esa noche, Valerie Le Bon, tras poner el pretexto de un dolor de cabeza, no bajó a cenar y, muy temprano por la mañana, su padre y ella dejaron la finca para volver a París. Los días que siguieron, Francesca los vivió sumida en la dicha. Se despertaba con ansias, saltaba de la cama y el día le resultaba escaso para gozar la plenitud que experimentaba cuando Kamal se encontraba cerca o cuando la besaba sin moderación.

No obstante, a veces se inquietaba, la asaltaban dudas e interrogantes. En especial se preguntaba qué dirían su madre y Fredo al enterarse, qué pensarían la señora Fadila y el resto de los Al-Saud, tan aferrados a las tradiciones y al Islam. Francesca quería disfrutar de aquellas vacaciones sin preocuparse por el futuro, y se conformaba al pensar que Kamal se haría cargo de todo. Existían noches en las que se desvelaba al intuir lo que debería enfrentar al unir su vida a la de un príncipe islámico; pero a la mañana siguiente, cuando Al-Saud la recibía en el comedor para desayunar y ella veía que sus ojos brillaban de amor al verla, nada de lo que había apesadumbrado sus sueños contaba. Le bastaba escuchar su voz o verlo entrar en la sala para que los temores se desvanecieran y la felicidad le devolviera la sonrisa. Recordaba su experiencia con Aldo y le parecía adolescente e inmadura. Sólo había servido para guiarla hasta Al-Saud y, aunque procuraba no hacerlo, los comparaba, y veía en Aldo a un niño medroso, incapaz de enfrentar los prejuicios de una sociedad y de una familia convencionales.

Las horas le parecían eternas cuando Kamal se encerraba en su estudio o viajaba a Jeddah para atender sus negocios. A veces hablaba por teléfono durante más de una hora y, aunque lo hacía en árabe y en su habitual tono de voz, el gesto que le oscurecía el rostro la convencía de que en la vida de Al-Saud no todo era color de rosa. Se mostraba reticente cuando le preguntaba y era poseedor de una habilidad extraordinaria para capear los interrogatorios y pasar a otro tema. Una tarde, mientras recorrían la propiedad a caballo, intentó inducirlo a que le contara.

—¿Qué te preocupa? —la interrogó Kamal.

—Nada; quiero conocer más sobre tu vida, ya que tú pareces saberlo todo acerca de la mía.

Kamal bajó de Pegasus y, aferrándola por la cintura, la ayudó a desmontar de Nelly. La tomó de la mano y caminaron hacia el potrero, donde los empleados vareaban y cepillaban a los caballos. Francesca no sabía si le contestaría o si se encerraría en su habitual mutismo. Un momento más tarde, Kamal se movió para mirarla.

—Habrá temas en los que nunca te daré cabida —manifestó, con sinceridad—. No porque desconfíe de ti o porque crea que no eres capaz de comprenderlos. Me fío de ti más que de mí mismo y sé que eres una mujer muy inteligente. Sin embargo, te mantendré alejada de ciertas cuestiones para protegerte.

—¿Protegerme? ¿Quieres decir que corres peligro?

—¿Quién no corre peligro? ¿Existe alguien que pueda asegurar que tiene la vida comprada?

—No me enredes con tus sentencias —se exasperó Francesca—. Sabes a qué me refiero.

—Esto es lo único que necesitas saber de mí —dijo Kamal, y, sin importarle la presencia de los empleados, la aferró por la cintura y la besó con labios enardecidos.

Kamal le hacía los honores de señora de la casa, y los sirvientes la atendían y obedecían con sumisión ciega y respeto, a excepción de Sadún, que la eludía y apenas la saludaba. Kamal se mostraba caballeroso y atento en presencia de Dubois y Méchin, y evitaba incomodarla con muestras de pasión. Sus acciones tenían como único objetivo complacerla y Francesca fantaseaba con que sólo ella ocupaba sus pensamientos, tan importante y deseada se sentía. Visitaban el zoco de Jeddah, donde Kamal le daba muestra de su generosidad gastando el dinero a manos llenas; cuanto más se quejaba Francesca, más gastaba él. Almorzaban en algún restaurante tradicional, y luego recorrían la ciudad. Kamal sentía afición por la parte vieja de Jeddah, notoriamente distinta a la zona moderna que evidenciaba el influjo de la arquitectura occidental. El sector viejo, que Kamal había visitado a menudo junto a su padre, se caracterizaba por calles estrechas de adoquines, construcciones de dos o tres pisos y pequeños negocios de abarrotes. Le llamaron la atención los prominentes balcones de las casas, construidos en madera de colores vistosos y completamente cerrados. Kamal los llamó *moucharabiah*.

—Están hechos de tal forma —explicó— que se puede ver desde el interior sin ser visto.

Esas palabras la remontaron a aquella mañana en Riad, cuando, conducida por Malik al zoco, había columbrado a través de las rejas de una ventana aquel par de ojos tristes y brillantes. ¿Sería ése su futuro al lado de un musulmán? ¿Debería mirar a través de una ventana sin ser vista? No quería pensar, se negaba a avizorar destino tan amargo cuando Kamal se mostraba liberal y flexible. Asimismo, prefería no preguntarle a causa de lo mucho que temía la respuesta; después de todo él pertenecía a ese mundo, lo respetaba y cumplía sus normas.

Una tarde, Francesca encontró a Mauricio leyendo en la sala. Lo contempló desde la puerta y se preguntó si sabría que Al-Saud había manejado su nombramiento en la embajada. Se acordó de su reacción al leer en el legajo que tenía veintiún años y las palabras que expresó a continuación: «En tu lugar iban a enviar a otra persona y, en el último momento, no sé por qué, te designaron». Todo indicaba que se hallaba al margen de las maniobras de su amigo.

Lo saludó y de inmediato Mauricio dejó el libro y se puso de pie. Su nerviosismo la sorprendió; ya no era el Mauricio Dubois de antes, el jefe aplomado a quien tanto admiraba. Conversaron de trabajo y, luego de hacer un balance de la visita a Jeddah, Dubois le confesó, en vistas de los contactos y acuerdos obtenidos, que había superado sus expectativas.

Habló a continuación de que pronto deberían regresar. Habían transcurrido diez días desde la salida de Riad y los asuntos de la embajada demandaban su presencia; calculaba el retorno en un par de días.

—¿Regresar en un par de días? —dijo Kamal a modo de saludo, y palmeó a su amigo en la espalda—. Ni lo sueñes, Mauricio. Acabo de recibir noticias de mi abuelo; llegará al oasis Ramsis dentro de poco y estoy seguro de que desea verte. Después de tantos años, no puedes negarte; conoces al viejo, se sentirá defraudado si no lo visitas.

Dubois objetó y se excusó, pero Kamal rebatió cada uno de sus argumentos. Por fin, Mauricio se resignó a partir en dos días al oasis donde acamparía la tribu del jeque Al-Kassib.

—Mandé preparar los caballos —expresó Al-Saud, y miró a Francesca—. Quiero mostrarte un lugar.

Francesca, que había esperado el día entero por tener un momento a solas con él, salió deprisa a cambiarse y retornó a la sala en pocos minutos. Al-Saud, listo en su traje de montar, conversaba con Dubois y Méchin; lo hacían en voz baja y sus semblantes la preocuparon. De todos modos, de nada valía esforzarse para escuchar porque hablaban en árabe. ¿Aprendería alguna vez esa intrincada lengua de sonidos guturales y simbología confusa?

—Bien, ya estás lista —se complació Kamal—. Vamos, entonces.

Jacques y Mauricio cruzaron miradas cargadas de intención mientras Francesca y Kamal se alejaban.

—Están viviendo un sueño del que pronto deberán despertar —manifestó Méchin, y Dubois asintió.

—¿Adónde me llevas? —se inquietó Francesca, pues hacía más de una hora que la casa había quedado atrás.

—Ya verás. —Y, mirándola de soslayo, remató—: Eres impaciente como una buena occidental.

A medida que avanzaban, el dorado del desierto ganaba al verdor de las palmeras, y el terreno comenzaba a ondularse, primero en sutiles elevaciones, luego, en altas dunas. Cada tanto, un viento racheado y fresco soliviantaba el paso de los caballos, que comenzaban a trotar, y daba un respiro, pues el calor agobiaba.

Francesca miró en torno: el silencio era sobrecogedor, la soledad, absoluta, la imponencia del desierto, atemorizante. Sin embargo, al lado de Kamal no tenía miedo, estaba a salvo, su seguridad la reconfortaba. Él cabalgaba con la cabeza en alto y la mirada atenta, como al acecho; llevaba el gesto endurecido, las mandíbulas contraídas y los músculos del antebrazo se le remarcaban al sujetar las riendas. Se detuvieron en la cima de una duna y descubrieron el mar Rojo a sus pies.

—Es la primera vez que veo el mar —confesó Francesca.

—Vamos —dijo Kamal, e incitó a Pegasus, que bajó hasta la playa.

Galoparon cerca del rompiente. El agua los salpicaba y el viento les inflaba las camisas. Francesca reía de pura dicha y Kamal la contemplaba extasiado. Más tarde, dejaron descansar a Nelly y a Pegasus. Al-Saud extendió una estera donde se recostaron para secarse. Francesca se quitó las botas, se arremangó los pantalones y corrió nuevamente al mar. Retozó con el flujo y reflujo de las olas, se mojó los pies y, buscando caracolas, se empapó los brazos y el pecho.

Kamal se apoyó sobre los codos para observarla. Parecía una niña, reía y exclamaba ante lo novedoso; lucía radiante y más hermosa que nunca. Hacia el poniente, los riscos se difuminaban tras el resplandor mortecino del sol. Lo maravilló el cielo, extrañamente rosa, violeta y naranja. Cerró los ojos y sonrió, desconcertado por el júbilo, embargado de infinita y desconocida paz, pleno de la energía que le transmitía la risa cristalina de Francesca arrastrada por el viento.

—¡Mira, Kamal! —exclamó la joven, y se acercó corriendo—. ¡Mira qué hermosas caracolas! ¡Mira esta piedra, qué suave es! —Y se la pasó por la mejilla.

—Ven —dijo Kamal, y la recostó a su lado—. Estás empapada.

Se quitó el tocado y le secó la cara, los brazos y el cuello. La camisa blanca de Francesca se adhería a su pecho y revelaba la exuberancia de sus senos y la punta endurecida de sus pezones. Se miraron. Francesca le sonrió con timidez y Kamal advirtió que perdía el control. La besó ardorosamente, devorándole los labios, buscándola con la lengua. Su boca abandonó la de ella y le recorrió las mejillas y el cuello, mientras sus manos la exploraban con una insolencia que no habían mostrado anteriormente. Francesca, que gimoteaba aferrada a su espalda, se debatía entre el deseo que gobernaba su cuerpo y el temor que le provocaba el arrebato de Al-Saud, que revelaba un desafuero ignoto para ella. Cierto que ya la había besado con osadía; sin embargo, en ese momento, se trataba de un enardecimiento que la atemorizaba, de un poder arrollador que deseaba poseerla en lo más profundo de su ser.

—Basta, no sigas. Basta —suplicó, e intentó quitárselo de encima.

Al-Saud la soltó y se incorporó, jadeante y agitado.

—Me haces perder el control —dijo, y se llevó la mano a la frente.

* * *

Kamal despertó con el sexo erecto, turbado por las escenas de un sueño lujurioso. Tomó el Rolex de la mesa de noche: la una y media de la madrugada. Dejó la cama y salió al balcón. El aire del mar le acarició el torso desnudo, y los aromas del mirto y del romero que recorrían la galería, le provocaron una sensación placentera. Se acodó sobre la balaustrada para contemplar el cielo estrellado y la luna.

Pensó en Francesca, tan cerca, a sólo unos metros, y la imaginó dormida, con el camisón enroscado en torno a la cintura y sus piernas al descubierto. Sonrió cuando la memoria arrastró hasta sus oídos su risa fresca de esa tarde en la playa. Había disfrutado del mar y del simple hecho de recoger caracolas, expandiendo como un aura esa vitalidad y juventud que él había pretendido tomar en un arrebato. La había asustado, su torpeza no tenía perdón. Se desesperaba porque la quería toda para él. Poseería a ese ser simple que era Francesca, naturalmente inclinado al bien y al amor, esa muñequita frágil y preciosa; y poseería también a ese otro ser complejo, esa mujer fatal que se revelaba sin tapujos cuando él la tomaba entre sus brazos.

A veces lo desconcertaban los celos porque nunca los había experimentado con otras mujeres. Celos de quienes ella amaba, de los destinatarios de sus sonrisas y de sus pensamientos, de los hombres que la deseaban, principalmente del tal Aldo Martínez Olazábal, que habría cruzado el mundo para buscarla si él no se lo hubiese impedido. Asestó un golpe a la columna. Martínez Olazábal jamás volvería a acercarse a Francesca, él se encargaría de eso.

Escuchó un ruido en el extremo opuesto del balcón corrido y divisó el perfil de Francesca, de pie cerca de la baranda. La brisa le pegaba el camisón al cuerpo y marcaba el contorno de sus curvas. El cabello negro y largo le bañaba los hombros. No quería asustarla de modo que carraspeó suavemente para llamar su atención. Francesca volteó y se quedó mirándolo. Kamal avanzó, y la luna iluminó sus facciones y su torso desnudo y musculoso.

—¿Qué pasa? ¿No puedes dormir? —preguntó.

Francesca negó con la cabeza y se ajustó la bata en torno al cuerpo como si tuviera frío.

—Yo tampoco —agregó él.

Se aproximó lentamente, como si temiera espantarla, y le pasó el dorso de la mano por la mejilla. Ella seguía mirándolo con los ojos muy abiertos y la actitud de quien espera ser atacada. Kamal percibió su miedo, y la ternura que sintió casi lo lleva a renunciar al objetivo que se había trazado al encontrarla allí. Pero su deseo por ella era mayor aún; en realidad, era lo único que contaba desde que la había visto por primera vez en Ginebra. Ya no seguiría esperando, había hecho tanto para tenerla que resultaba una necedad no fundirse en ella y convertirse en uno solo. Hacía tiempo que pensaba en Francesca como en su mujer, pero eso ya no resultaba suficiente; quería marcarla como propia, moldearla a su gusto en la intimidad de una cama, sentirse dentro de ella, enseñarle a amar.

La abrazó fervorosamente, y Francesca lanzó un gemido angustioso. Kamal se apartó y le tomó el rostro con ambas manos.

—Francesca, amor mío —susurró, cerca de sus labios—. Debes saber que para mí eres lo más importante, lo único que cuenta. Hace tiempo, cuando te vi aquella noche en la sede de Venezuela, pensé: «Quiero que ella sea mi mujer, la compañera de mi vida», y ahora, que te tengo aquí, que he llegado a conocerte, sé que aquella decisión fue la correcta. Te amo, Francesca —y le besó suavemente los labios—. Te amo tanto.

—Kamal...

—Te necesito esta noche —expresó él, y su acento suplicante la tomó por sorpresa—. Déjame hacerte el amor.

—Tengo miedo —admitió ella segundos después.

—¿Miedo? ¿Es que aún me temes?

—Le temo a no complacerte. Yo no sé nada.

—Francesca —musitó Kamal, y sonrió con benevolencia—. Yo voy a ser tu maestro. Sólo tienes que dejarte guiar. Lo demás vendrá solo. Vamos a mi habitación —indicó y, tomándola por la cintura, la condujo dentro. Cerró la puerta y encendió el velador.

Francesca miró a su alrededor con timidez. Se trataba de una habitación amplia donde destacaba la cama de grandes dimensiones; un grupo de sillones en torno a una mesa de café completaba el mobiliario. Una ventana, que miraba a la parte trasera de la finca, tenía los postigos corridos. Hacia allí caminó Francesca como en busca de una escapatoria. Apoyó las manos sobre el alféizar y sacó la cabeza para que el aire fresco le acariciara las mejillas. Sólo pasaron unos segundos hasta sentir los brazos de Kamal cerrarse en torno a su cintura. Él se había quitado los pantalones y ella sintió su erección contra los glúteos. Comenzó a respirar profunda y aceleradamente a causa del miedo.

Kamal le descorrió el cabello y la besó en la nuca; deslizó las manos por su escote y le acarició los senos. La escuchó gemir y pegarse a su pecho, y supo que controlar la pasión que lo dominaba no sería fácil. Le quitó la bata y le descorrió las cintillas de su camisón; ambas prendas cayeron al suelo. Francesca se encontraba completamente desnuda entre sus brazos. Le acarició los hombros y notó que su piel se erizaba. La obligó a darse vuelta, pero ella se negó a mirarlo; se cubría los pechos con las manos y mantenía la vista obstinadamente hacia abajo. Él, en cambio, la contemplaba con adoración. El silencio era absoluto, sólo lo quebraban sonidos nocturnos ya convertidos en parte de la quietud y la respiración de Francesca. Kamal le apoyó la mano abierta sobre el pecho palpitante y la sintió trepidar.

—No tengas miedo —le dijo.

—Kamal, no estoy preparada. No es tiempo aún.

Al-Saud la acalló con un beso y, luego, sin apartar la boca de sus labios, le susurró:

—Quiero estar dentro de ti. No me rechaces. —Deprisa, agregó—: ¡Libérame de esta tortura, te lo suplico!

Francesca levantó la vista y le sostuvo la mirada. Sus ojos verdes y demandantes la hipnotizaron, y la confusión se desvaneció junto con el pudor, la vergüenza y los principios que por años creyó infranqueables. Un deseo que ya no quería sofocar se desparramó por su cuerpo y la volvió libre y atrevida. Se aferró a Kamal, y el contacto de sus cuerpos desnudos la hizo jadear. Él la cargó en brazos y la llevó a la cama. Allí, perturbado, le acarició las piernas con los labios, le besó las rodillas, los muslos suaves y bien formados, se adentró en su parte más recóndita, y su lengua la hizo gritar.

Ella no había sabido hasta ese instante que una mujer podía sentir de ese modo. Sus anteriores besos y caricias y el momento compartido en la playa habían presagiado lo que vivía en ese instante; sin embargo, nada de lo vivido previamente podía compararse.

Francesca lo dejaba hacer, sin remilgos ni falsas aprensiones, plenamente dichosa, entregada por completo, amándolo. Entre gemidos, se reía de su propia desvergüenza. Hubo un momento de dolor, agudo y lacerante, en el que Kamal se detuvo y la besó y la acarició hasta que la puntada fue disolviéndose y ella se encontró lista para seguir. Entonces, Kamal la penetró profundamente, y el grito que Francesca reprimió al morderse los labios se hizo vivo en él. Por fin, cayó sobre ella, agotado.

—Alá te ha bendecido con el don de la pasión —jadeó Kamal— y yo soy el hombre más afortunado por poseerte.

Francesca permaneció quieta, la mirada fija en el cielo raso. Kamal la recogió entre sus brazos y la pegó a su cuerpo. Le preguntó si se sentía bien, pero ella apenas asintió, demasiado conmovida para hablar, dominada por esa sensación que aún le latía entre las piernas. Apoyó la cabeza sobre el pecho de Kamal y enseguida se concentró en los latidos de su corazón, vertiginosos en un principio, pero que, con el correr de los minutos, volvían a su ritmo habitual.

—¿En qué piensas? —quiso saber, al levantar la vista y descubrirlo tan concentrado.

—En la primera vez que te vi, en la fiesta de Venezuela.

Ella trató de recordar aquel evento, en vano. Pobres imágenes venían a su mente y, en general, tenían que ver con Marina.

—¿Sabe Mauricio que tú manejaste mi traslado a Riad?

—No.

—¿Cómo lo lograste? Me refiero a lo de mi traslado.

—Ah, Francesca, con dinero lo consigues casi todo.

—¿Volviste a verme después de la fiesta de la Independencia de Venezuela?

—En varias ocasiones regresé a Ginebra sólo para verte. Iba a los mismos cócteles, reuniones o conferencias que tu jefe, y ahí te encontraba. Mientras viajaba, me enviaban tus fotografías y un informe de tus actividades. Algunas veces me paraba frente a la puerta del edificio donde vivías y esperaba que salieras.

—Yo nunca reparé en ti.

—Nunca y, aunque una vez me viste, no me miraste.

—¿De veras? ¿Cuándo?

—El día del almuerzo con el gobierno cantonal de Ginebra. Yo estaba en la mesa contigua a la tuya; podía escucharte, mirarte de cerca y hasta oler tu perfume. Y habría matado al italiano que quería seducirte. Casi al final, te levantaste para ir al tocador y caminé tras de ti. Al salir, me llevaste por delante.

—¡Eras tú! ¡Si hasta recogiste mi bolso y me lo entregaste!

—Y por primera vez te toqué. Aquí —y le señaló en el brazo izquierdo.

Francesca se mantuvo silenciosa, tratando de comprender a Kamal, la magnitud de sus sentimientos y de sus pasiones. A veces, pensar en eso le daba miedo.

—¿Y por qué te fijaste en mí?

—Alá te ha hecho fascinante. Tú lo sabes.

—¿Me crees vanidosa, entonces?

—En absoluto. Pero sólo si fueras ciega no apreciarías tu propia belleza y atractivo.

—En realidad —habló Francesca con acento pícaro—, lo único que sé es que a ti nunca deben de haberte faltado mujeres hermosas. Mujeres mucho más fascinantes que yo, una simple secretaria de embajada.

—Tú no eres una simple secretaria de embajada —se molestó Kamal—. Tú eres mi mujer.

—Dímelo —insistió Francesca—, ¿qué fue lo que verdaderamente te sedujo de mí?

—Tu belleza fue lo primero que me atrajo. Luego, cuando te observé detenidamente, descubrí algo que me afectó profundamente.

—¿Qué? —se impacientó ella.

—La tristeza de tus ojos. —Francesca intentó apartarse, pero Kamal la acercó nuevamente a él—. ¡Por Alá que en mi vida había visto ojos que reflejaran tanto el alma de una persona! Dime, ¿qué preocupación te turbaba de esa manera?

—No quiero hablar de eso.

—«Eso» se llama Aldo Martínez Olazábal.

Francesca se incorporó con presteza.

—¿Cómo es que sabes de él?

—Lo sé todo acerca de ti, amor mío.

Francesca volvió a acostarse y evitó tocarlo. ¿Qué le disgustaba en realidad? ¿Aceptar que había amado a otro antes que a él o que Al-Saud supiera todo acerca de ella y ella nada acerca de él?

—¿Aún lo amas? —quiso saber Kamal, e intentó disimular los celos atroces que le endurecían la voz.

—Nunca lo amé; no como a ti.

Se colocó sobre ella y la contempló con ferocidad antes de hablar.

—Ahora tú y yo somos uno solo y jamás podrás separarte de mí.

—Te amo, Kamal Al-Saud, ¿por qué me hablas así?

—¿Dices que me amas?

—Sí.

—¡Júralo! ¡Por tu honor!

—Lo juro.

CAPÍTULO XIII

Francesca despertó confundida. Al volverse y descubrir a Kamal que oraba en dirección a La Meca envuelto en una sábana, la nitidez de lo vivido la obligó a suspirar. Se mantuvo silenciosa en la cama respetando la solemnidad del rito, prendada de los movimientos y del sonsonete de la voz de su amante. Escuchó al almuédano que, desde el alminar de una mezquita cercana, convocaba a los fieles a la plegaria de la mañana, el *fair*. «Dios es grande; no hay más Dios que Alá y Mahoma es su Profeta. Venid a orar». Muchas veces había escuchado esa llamada en Riad; entonces había pensado que aquello jamás le importaría, que nada tendría que ver con ella. En ese momento, contrario a todo cuanto había supuesto, el hombre al que acababa de entregarse oraba a su Dios con la devoción y el temor que sólo un árabe puede profesar.

Debían de ser alrededor de las cinco de la mañana. «¡Qué temprano!», pensó, y el agotamiento de una noche intensa le pesó en los párpados. Más tarde se rebulló entre las sábanas con la certeza de que sólo habían pasado algunos minutos; sin embargo, al no encontrar a Kamal a su lado y al herirle los ojos los rayos del sol que se colaban por los resquicios de la puerta, dedujo que debía de ser muy entrada la mañana. Se angustió al comprobar que, en realidad, eran pasadas las doce. Saltó de la cama, se vistió en un santiamén y bajó corriendo las escaleras en dirección al salón principal. Jacques Méchin y Dubois se aprestaban a almorzar cuando Francesca entró en la sala, aturrullada y jadeante.

—Buenas tardes —dijo y, aunque buscó un argumento válido para excusar su ausencia, conjeturó que no mencionarlo sería más atinado.

—Buenas tardes —respondió Méchin, y le salió al encuentro—. Llegas justo para el almuerzo. Ven, querida. —Y le ofreció el brazo para entrar en el comedor.

Dubois se mantuvo caviloso y taciturno, como desde hacía tiempo. Méchin, que se esforzaba por caldear el gélido ambiente, tampoco era el mismo a los ojos de Francesca. Recordaba sus visitas a la embajada junto al profesor Le Bon y las charlas amenas sobre política e historia, y se daba cuenta de que no aprobaba su relación con el príncipe Al-Saud. ¿Lo considerarían indecente de su parte? ¿Creerían que Kamal merecía una mujer a su altura? ¿Pensaría Dubois que había traicionado su confianza embrollándose con su mejor amigo, un heredero de la dinastía saudí? ¿La juzgarían como a una casquivana, como a una mujer sin principios? Con todo aquello, el almuerzo le cayó como plomo en el estómago.

Se preguntó con enojo dónde estaría Kamal. Lo necesitaba desesperadamente; necesitaba la seguridad de su semblante tranquilo, la paz de sus movimientos lentos, una sonrisa que le diera a entender que todo marchaba bien. ¿Cómo había podido dejarla sola después de lo ocurrido la noche anterior? Lo vivió como una desconsideración. Ni una nota, ni un mensaje con la servidumbre, y Dubois y Méchin tampoco lo mencionaban en absoluto. Quizá ahora, saciada la sed, calmado el instinto, no volvería a mirarla. Se angustió y recordó los presagios de Sara como una condena bíblica: «Te tomará como puede hacerlo con una flor que encuentra a la vera del camino y, luego, te abandonará».

Después del café, Jacques se retiró a descansar, y Mauricio Dubois ordenó a Malik preparar el automóvil para ir a la ciudad. La idea resultó tentadora a Francesca, un paseo por las calles de Jeddah la distraería; además, conversaría con su jefe y limarían asperezas. Pero Mauricio no la invitó y, minutos después, al escuchar el auto en la puerta, se despidió lacónicamente y partió dejándola sola y amargada.

Se recostó sobre los cojines y echó un vistazo a su alrededor. Se acercó a la biblioteca y curioseó los lomos de los libros; ninguno la sedujo, los pocos que había en francés versaban sobre la cría de caballos, la cura de las enfermedades más comunes de los *muniqui* y otras cuestiones relacionadas con los equinos que para nada constituían tema de su interés. «Si al menos hubiese una novela o un ensayo», suspiró, y volvió a echarse sobre los almohadones.

Sadún entró por la puerta del jardín con una parva de toallas y ni siquiera se detuvo a saludarla, lo que le molestó sobremanera. Su temple había sufrido duros embates ese día, y cualquier detalle la irritaba. Desde hacía algún tiempo, el mayordomo también se mostraba parco y distante, cuando, en un principio y pese a la limitación del lenguaje, se había desvivido por servirla y agradarle.

Salió al jardín y se sentó en el borde de la fuente. Tocó el agua, y los nenúfares oscilaron sobre sus hojas carnosas. Una brisa cálida arrastró los aromas mezclados del romero, del mirto, de los muguetes y del laurel, y siguió la estela, que la condujo a la zona del harén, donde se quedó mirando las ventanas cerradas medio ocultas tras las plantas. Se le ocurrió pedir permiso a Sadún para tomar un baño en la piscina, pero enseguida desechó la idea pues le pareció atrevida en ausencia de la señora Fadila. Los acontecimientos se habían precipitado desde aquella mañana junto a la señora. Su vida había dado un giro decisivo y nada volvería a ser como antes. Ya era mujer. La mujer de Al-Saud. Se preguntó por la repentina huida de la madre de Kamal. Ni siquiera se había despedido y, como apremiada por un asunto grave, había dejado la finca con su séquito como escolta.

Le resultó una buena idea montar a Nelly y subió deprisa a cambiarse. En las caballerizas, Khalid se mostró amable y diligente, y sin vacilar ordenó que prepararan la yegua. Junto a Nelly, venían otros dos caballos montados por los guardaespaldas de Kamal. Francesca observó que llevaban armas y cuchillos calzados en la cintura.

—El amo me ha ordenado que cada vez que usted monte sola, Abenabó y Káder deberán acompañarla —señaló Khalid, en un francés mal pronunciado.

Francesca lanzó un vistazo a los nubios, hieráticos sobre las monturas, y pensó que la única actividad placentera del día se empañaría. No podría ser ella misma con esos hombres por detrás, le coartarían la libertad.

—No es necesario que me acompañen —probó a decir—. No pienso salir de los lindes de la propiedad. ¿Qué podría sucederme, Khalid?

—¡Ah, señorita! No me diga nada a mí y acepte la custodia de Abenabó y Káder. ¿Con qué cara me presento yo a mi señor si a usted le pasa algo? —aseguró.

Marchó con los guardaespaldas que, a pesar de conservar una distancia prudente, parecían encontrarse sobre las ancas de Nelly. ¿Por qué Kamal habría dispuesto esa medida de seguridad? ¿Correría peligro su vida? ¿Quién lo protegía a él mientras sus hombres estaban con ella? Aunque durante los primeros tramos este pensamiento la alarmó, la belleza del paisaje y la inquietud de Nelly, que tascaba ansiosa el freno, le hicieron olvidar sus oscuras cavilaciones.

De vuelta en la casa horas más tarde, se desilusionó al enterarse por Méchin de que Kamal seguía fuera y que cenarían sin él. A paso lento, arrastrando la fusta, partió a su recámara para bañarse y cambiarse. Luego, sentada frente al tocador, mientras se cepillaba el cabello húmedo con desgana, volvió a repetir, esta vez en voz alta: «La mujer de Kamal Al-Saud», y se preguntó si ser su mujer significaría largas esperas, aburridas jornadas, guardaespaldas metiendo las narices en su intimidad, miradas aviesas, temores, secretos.

Aunque pensó excusarse y permanecer en su dormitorio, bajó a reunirse con Mauricio y Jacques. La cena discurrió sin contratiempos, y Francesca, insensible ya a la mala cara de su jefe y a los intentos fallidos de Méchin por animar la velada, continuó cavilando, envuelta en los mismos soliloquios que a lo largo del día le habían cambiado el estado de ánimo varias veces.

El ruido de un automóvil en la entrada y, un instante después, la voz de Kamal dando órdenes en la puerta principal acalló a Méchin, hizo levantar la cara a Dubois y llenó de brillo la mirada ausente de Francesca. Expectantes, lo aguardaron comparecer. Al-Saud se presentó en el comedor envuelto en una capa de seda blanca y con una *ghutra* muy elegante que Francesca no le conocía. Saludó con la venia oriental y pidió disculpas por haberse ausentado para la cena. No dio explicaciones y ninguno se atrevió a pedirlas.

—Espero que todo sea de vuestro agrado. Tomaremos el café en la sala más tarde —agregó, y se retiró a su dormitorio.

Francesca lo siguió con la mirada hasta que se perdió tras el quicio de la puerta; sólo cuando sus pasos se acallaron, reaccionó. Le pasó frío por la espalda y un peso en la boca del estómago le impidió seguir comiendo. Lo había sentido tan distante e inaccesible como las primeras veces en la embajada. Se disculpó con Méchin y Dubois y dejó el comedor. Se quitó los zapatos de taco alto, cruzó el pórtico a la carrera y subió las escaleras igualmente deprisa. Ya en su dormitorio, permaneció apoyada en la puerta con la vista fija taladrando la oscuridad, hasta que las risas provenientes de la planta baja la sacaron del ensimismamiento.

Se puso el camisón y se metió en la cama, con sus labios temblorosos y los ojos anegados de lágrimas. Necesitaba a su madre: tenía la impresión de que todo era un caos, y deseó que Antonina estuviese allí para ovillarse en su regazo y oírle decir: «*Va tutto bene, figliola mia*», y que luego apareciera Fredo y la llenara de besos y la estrechara en un abrazo. De repente añoraba su ciudad: la Plaza España, el bulevar Chacabuco, el palacio de los Martínez Olazábal. Arroyo Seco también le faltaba, y don Cívico y doña Jacinta, y los paseos sobre Rex, y Sofía, y su vida en la Argentina. Nunca debió irse, escapar había sido un error. Se largó a llorar y hundió el rostro en la almohada para que no la escucharan.

En medio del llanto, le pareció que alguien avanzaba por el corredor y se detenía frente a su puerta. Un segundo después, Kamal entraba sigilosamente. Francesca le dio la espalda y fingió dormir esperando que no la despertase y que se marchara pronto. Al-Saud, en cambio, se quitó la bata y se deslizó bajo el cobertor. La tomó por la parte más fina de la cintura y le besó el hombro. Francesca sintió el pecho desnudo de él contra su espalda y la dureza de su virilidad sobre sus nalgas, y ahogó un gemido. Kamal la obligó a darse vuelta. Al rozarle la mejilla con los labios, detuvo las caricias.

—Estás llorando —se alarmó—. ¿Qué tienes? ¿Te duele algo?

—No.

—Aún no te repones de lo de anoche —supuso él.

—No se trata de eso —aseguró ella.

—¿Qué le pasa a mi princesa, entonces?

Francesca se aferró a su cuello y siguió llorando. Al-Saud se acomodó sobre el espaldar de la cama y la dejó soltar su pena: que extrañaba a su madre y a su tío Fredo, que quería volver a Córdoba, que necesitaba a sus amigos, a su caballo, sus cosas, sus lugares.

—¿Por qué te fuiste y me dejaste aquí todo el día? —le reprochó—. Me sentí sola y aburrida. Hoy te necesité más que nunca.

—Perdóname, ahora entiendo que ha sido una desconsideración de mi parte, pero no creí que te molestara. Tenía asuntos pendientes y no quería postergarlos un día más. ¿No te dijo Sadún que iría a Jeddah y que, quizá, regresaría después de la cena?

—Sadún no habla conmigo últimamente.

—Ya veo.

—Mauricio y Jacques tampoco.

—Lo sé, Francesca, pero no debes preocuparte, deja todo en mis manos. Si supieras cuánto te necesité hoy no me regañarías.

—¿De veras? —ironizó—. Tú nunca pareces necesitar demasiado a nadie.

—¡A ti sí! —se enfadó Kamal, y la obligó a mirarlo—. Eres lo único que cuenta, te lo dije anoche. Yo nunca hablo por hablar. Me hiciste tanta falta que por momentos habría mandado todo al demonio y vuelto a casa a buscarte. Jamás dudes de mí, Francesca. En medio de las reuniones te recordaba gimiendo y gozando mientras te hacías mujer entre mis brazos, y el pensamiento se me obnubilaba, soñaba despierto.

La fuerza de Kamal y la vehemencia de sus palabras borraron las dudas y los pensamientos tristes que la habían atribulado todo el día y, en tanto aumentaba la audacia de las caricias, la añoranza y la desilusión se convertían en felicidad y confianza plena.

Kamal la cubrió con su cuerpo y la contempló largamente con veneración. A Francesca la conmovía cuando la contemplaba de ese modo, la hacía sentir amada y hermosa. Le sostuvo la mirada con la respiración en vilo, sometida por esa atracción que manaba de la piel de su amante, que la volvía tan distinta y la obligaba a entregarse a esos deleites instintivos y lascivos que siempre le habían dicho que eran pecado. Al-Saud le bajó las tiras del camisón y le besó los pezones. Francesca le pasó los dedos por el cabello, mientras arqueaba la espalda en busca de la voracidad de sus labios.

Kamal experimentaba una rebelión en su interior a la que no estaba habituado; su maestría en la cama tenía que ver con el control y el absoluto dominio de la situación. Con Francesca sucedía lo contrario: la sangre le hervía en las venas y estallaba sin continencia una excitación despótica a la que él quedaba sometido sin remedio. Pero él quería mostrarle a Francesca que aquel juego de manos, jadeos, lenguas y palabras entrecortadas, aquel preámbulo en el cual descubrían los secretos y los encantos de sus cuerpos, era tan maravilloso como el acto mismo, y por eso buscaba controlarse y no volverse un animal en celo.

Cuando acabaron, siguieron besándose y susurrándose palabras de amor, aún presos de esa pasión inagotable. El aire fresco de la noche les secó los cuerpos sudorosos y terminó por apaciguarlos. Francesca, entre los brazos de Kamal, le marcaba el contorno de los músculos con el dedo. Él jugueteaba con sus rizos.

—¿Qué hiciste hoy para pasar el rato? —se interesó el saudí.

—No mucho. Traté de leer, pero tus libros no me interesan. Sentí deseos de bañarme en la piscina del harén pero no me animé a pedirle permiso a Sadún.

—¿Pedir permiso? —interrumpió Kamal—. Tú eres la señora de la casa, puedes hacer lo que quieras cuando quieras. ¿He sido claro? No quiero volver a escuchar que te privas de algo por miedo a Sadún o a cualquier otra persona. Sadún y los demás son tus sirvientes, y les pago para que te atiendan como a una reina.

—Khalid fue muy amable —prosiguió la joven—. Ensilló a Nelly apenas se lo pedí y lo hizo de muy buen modo, aunque no fue lo mismo cabalgar sin ti.

—¿Abenabó y Káder fueron contigo? —Francesca asintió—. De ahora en más, ellos serán tus guardaespaldas. Adonde vayas, irán contigo.

—¿Por qué, Kamal? No me gusta que dos hombres me sigan a todas partes; no me siento libre.

—No discutas en este tema, Francesca. Ahora eres mi mujer y cualquiera podría hacerte daño para hacérmelo a mí.

Francesca meditó esas palabras y terminó por pensar que la imposición de los nubios era una prueba del amor de Al-Saud, y no volvió a cuestionar su decisión.

—Mañana partimos hacia el oasis donde acampa la tribu de mi abuelo —retomó Kamal—. Te gustará conocer a mi abuela, es una mujer extraordinaria.

—¿Cómo se llama?

—Juliette.

—¿Juliette?

—Sí, es francesa. Mi abuelo la llama Scheherezade.

—¿Scheherezade, como la heroína de *Las mil y una noches*?

—Exactamente. Dice que mi abuela lo engatusó igual que Scheherezade hizo con el sultán Schahriar cuando le contó todos esos relatos fantásticos a lo largo de mil y una noches para evitar que la asesinara. —Kamal lanzó una corta carcajada—. Sí, te gustará conocerlos; a veces parecen niños cuando discuten, pero se quieren profundamente.

—Cuéntame cómo una francesa terminó casándose con un beduino del desierto —se impacientó Francesca.

Al-Saud le refirió la misma historia que su abuela le había contado a él años atrás. Juliette D'Albigny era la hija de un hombre adinerado de París, amante de los caballos, en especial de los árabes, y amigo íntimo del por entonces jeque Al-Kassib. Le había comprado algunos ejemplares y así había comenzado la amistad. Un verano decidió visitar a su amigo el beduino y llevar consigo a su joven hija, después de que ésta le hubiese insistido durante años que le mostrase el desierto. Juliette pisó suelo árabe ese verano y nunca volvió a dejarlo. Harum, el hijo y orgullo del jeque, se enamoró perdidamente de ella, y ella, a poco, cayó cautiva de los encantos y extravagancias de él. En un principio, ninguna de las dos familias aceptó la relación: D'Albigny, porque no quería a su única hija casada con un árabe que vagabundearía por el desierto la vida entera, y el jeque Al-Kassib, porque no quería a una infiel como miembro de su tribu. Además, Juliette resultaba demasiado extrovertida en opinión del viejo árabe, acostumbrado a mujeres sumisas y respetuosas. Juliette manifestó que jamás regresaría a París y Harum amenazó al jeque con abandonar la tribu. Ambos padres terminaron por comprender que el amor que los unía era demasiado grande para luchar contra él y decidieron aceptarlo. Los jóvenes contrajeron matrimonio según el rito islámico un mes más tarde.

—Desearía estar en el oasis ahora mismo —dijo Francesca.

Flotaban en un sopor mórbido y cálido. A veces cerraban los ojos y dormitaban; los abrían repentinamente y se aseguraban de la presencia del otro. Kamal se puso de lado y recorrió el cuerpo desnudo de Francesca con la mano, desde el hombro, pasó por el antebrazo, siguió por la curva de la cintura y la cadera, por la suave pierna hasta la rodilla, y desde allí se remontó hasta el cuello, y le tocó la oreja, el pelo, los hombros, los senos. Cada centímetro de esa mujer le pertenecía, la conocía toda, la había conquistado por completo. Se pegó a su espalda y la abrazó posesivamente.

—Eres mía —susurró.

—Tú bien lo sabes —aseguró ella.

No volvieron a hablar por un buen rato. De pronto, Francesca quiso saber si Kamal dormía.

—¿Kamal?

—Dime.

—¿Qué pasará cuando regresemos a Riad?

—¿Qué pasará con qué?

—Con nosotros.

—Yo no regresaré a Riad —anunció él—. Cuando volvamos del oasis, viajaré a Washington. Estaré fuera unas semanas, no serán muchas, y te prometo que cuando vuelva nos casaremos.

—¿Casarnos? —repitió ella.

Tanteó el interruptor del velador y lo encendió. Kamal se apoyó sobre el respaldo de la cama y colocó un brazo a modo de almohada detrás de la cabeza.

—¿Por qué me miras así? ¿He dicho una locura?

—No, claro que no.

—¿Acaso no quieres casarte conmigo?

—Sí, claro que sí. Me tomas por sorpresa, eso es todo. No imaginé que sería tan pronto.

—Te dije que te quería para mí —expresó Al-Saud, como recordándole una vieja promesa—. No quiero esperar más tiempo. Serás mi esposa, con la voluntad de Alá.

Francesca había caído en una especie de estupor. Fijaba sus enormes ojos negros en los verdes de él, mientras se daba un tiempo para ordenar sus pensamientos. Amaba a ese hombre y confiaba en él, guiada por el instinto, ciertamente, pues poco sabía de su pasado y de su presente; pero le bastaba que él la mirara para acabar con sus dudas; que la tocara para que se le electrizara el cuerpo; que le dirigiera una sonrisa para que ella la conservara como un tesoro; lo sentía dentro de sí y no dudaba de que la haría dichosa; ella se entregaba y el orgasmo llegaba, saciándole el deseo abrasador que él mismo había despertado al mirarla, al tocarla, al sonreírle.

—¿Por qué te sorprende? —preguntó Kamal—. Serás mi esposa y mi amante también, la madre de mis hijos, la que comparta mis sueños, mis frustraciones, mis cansancios, mis alegrías. Serás mi refugio y yo seré el tuyo. Alá bendecirá nuestra unión y los frutos de nuestro amor serán sagrados. Si quieres —concedió un momento después— nos casaremos también por el rito cristiano, pero eso será un secreto, nadie de mi familia deberá saberlo.

—No me importa casarme por uno u otro rito —aseguró ella, y de inmediato pensó en Antonina y en el sermón que le espetaría—. Aunque lo haré por mi madre, para que no me reproche. Es muy católica.

—Sí, mi amor, lo que quieras.

—Ya tengo ganas de estar en el oasis —repitió Francesca, acurrucada en el pecho de su amante.

—Mañana conocerás el verdadero corazón de mi reino, la estirpe que dio vida a esto que hoy llamamos Arabia Saudí.

A la mañana siguiente la despertaron los golpes que alguien propinaba a su puerta. Encontró el camisón a los pies de la cama, enredado en el cobertor, y se lo puso deprisa; se echó la bata encima e invitó a pasar. Sadún entró con el desayuno en una bandeja, y la vivacidad de su rostro moreno la desconcertó.

—Buenos días, señorita. Espero que haya pasado una excelente noche —le deseó en un mal francés, y acomodó la bandeja sobre la cama—. ¿Prefiere café o chocolate? Le recomiendo esta tarta de dátiles, es mi especialidad. Desayune tranquila mientras yo preparo su baño; más tarde, la ayudaré con la maleta. El amo Kamal me pidió que la despertara y que le dijera que se reunirá con usted en un momento. Se levantó a las cinco y, después del *fair*, comenzó con los preparativos para el viaje a Ramsis. Ahora está alistando los caballos.

Sadún se encaminó al baño, y Francesca escuchó el quejido del grifo y el agua que golpeaba el enlozado de la tina. Al aparecer nuevamente, se dirigió al ropero, de donde sacó el traje de amazona, que acomodó sobre el diván, y las botas, que lustró con una franela.

—Le traeré un sombrero, señorita. No es conveniente que cabalgue todo ese tiempo con la cabeza expuesta al sol. Regreso en un momento.

Francesca lo vio partir convencida de que Kamal lo había reprendido severamente, y se sintió culpable, aunque de inmediato reconoció que jamás lo había escuchado levantar la voz ni emplear malos modos con sus empleados, ni siquiera en aquella oportunidad en que una de las muchachas que servía la mesa volcó la jarra de *labán* sobre la alfombra persa del comedor. Sin embargo, lo que Kamal hubiese dicho o hecho a Sadún lo había cambiado por completo.

CAPÍTULO XIV

Marchaban a paso regular sobre las monturas bajo un sol agobiante que se recrudecía conforme se alejaban del mar y se internaban en la península. Kamal y Mauricio encabezaban la comitiva. Francesca los observaba conversar amena y confidencialmente. Se cuidó de acercárseles, convencida de que rompería la armonía.

Méchin cabalgaba rezagado detrás de los jóvenes, que no reparaban en que los años no pasaban en vano y que el parisino ya no estaba para esos zarandeos. Pero cabalgar hasta el campamento del jeque cada temporada era un rito que ni los achaques de Méchin impedirían. Por eso, el francés se enjugaba el sudor de la frente, se abanicaba con su sombrero safari y consultaba el horizonte con sus binoculares cada vez más frecuentemente, pero no se quejaba. Francesca colocaba a Nelly cerca del caballo de Jacques y procuraba animarlo; le alcanzaba la cantimplora y le preguntaba acerca de los abuelos de Kamal y de la tribu.

Los sirvientes cerraban la marcha, algunos a caballo, otros, en cambio, guiaban camellos abarrotados de equipaje y, aunque a Francesca le resultaban criaturas imponentes y atractivas, se mantenía a distancia, alertada por Sara, que le había dicho que se trataba de bestias imprevisibles, llenas de mañas, proclives a escupir y echar tarascones.

Malik cabalgaba junto al grupo de sirvientes. Francesca sentía su mirada en la nuca, como el aliento acezante de un animal peligroso. Se habían cruzado en escasas ocasiones en la finca de Kamal, gracias a que él estaba totalmente entregado a complacer los requerimientos del embajador; sin embargo, esas pocas veces le habían bastado para confirmar la índole de los sentimientos que el chófer albergaba hacia ella. Malik exteriorizaba su naturaleza con descaro cuando la miraba fijamente y una corriente de odio la sacudía. Se preguntó si sabría de su relación con Al-Saud. Miró hacia atrás y lo encontró conversando animadamente con Abenabó y Káder, y ya no le quedaron dudas de que, si no estaba al tanto, pronto lo estaría.

—¿Falta mucho? —preguntó, para quitarse a Malik de la cabeza.

—Una hora, más o menos —respondió Jacques—. Hace años que hago este recorrido, querida, pero es la primera vez que me canso tanto.

—Yo también estoy cansada y desearía llegar pronto —admitió Francesca—. Me contó el señor Al-Saud que su abuela es parisina.

—Exactamente. Los D'Albigny son de la crema y nata de París. Debió provocar un escándalo que Juliette desposase a Harum. Tengo entendido que estaba medio comprometida con un miembro de la alta sociedad parisina. Pero cuando a Juliette se le pone algo en la cabeza no hay quien la haga cambiar de parecer. Te agradará la abuela de Kamal, y tú a ella —acotó Méchin, y por primera vez en mucho tiempo Francesca notó que volvía a ser el mismo Jacques Méchin de antes.

Se dibujó una línea negra en el horizonte, y Francesca creyó que se trataba de otro espejismo. No obstante, a medida que avanzaban, la línea cobraba realismo y cuerpo. Finalmente, se convirtió en una algarada que se aproximaba a todo galope. Los jinetes blandían sus armas sobre sus cabezas y vocalizaban sonidos monocordes y agudos. A Francesca se le heló la sangre. Sus compañeros, en cambio, sonrieron.

—No temas —dijo Jacques—. Es la comitiva de recepción que nos envía el jeque.

Kamal y Mauricio apuraron a sus caballos, y Méchin y Francesca los imitaron. Minutos después, se produjo el encuentro. Kamal saltó de Pegasus, y dos beduinos, a los que sólo se les veían los ojos, lo recibieron en un abrazo. Con habilidad, se despojaron del tocado y exhibieron sus rostros curtidos por la arena y el hálito candente del desierto.

—Son los tíos de Kamal —explicó Méchin a Francesca—. El de la derecha se llama Aarut; el otro, Zelim.

—¿Y el jeque Al-Kassib?

—El jeque nunca forma parte de la comitiva de recepción. Él nos espera en su tienda, en el oasis, como indica el protocolo beduino.

Jacques le ofreció ayuda para descender, y juntos se acercaron a saludar. Kamal lanzó un rápido vistazo a Mauricio, que presentó a Francesca como su asistente, lo que la desanimó ostensiblemente; por más que buscó con la mirada a Kamal, no logró atraer su atención, tan enfrascado estaba con sus tíos. Montaron nuevamente y se pusieron en marcha. Hasta Méchin se unió al grupo de Kamal, Mauricio y los beduinos, y quedó sola en medio del resto de la comitiva. Se sentía incómoda y marginada, acechada por varios pares de ojos que la estudiaban con la minuciosidad de un médico.

Las primeras copas de palmeras emergieron del mar de dunas y se adentraron en el oasis, donde una actividad frenética de hombres y mujeres se sumaba al verdor y a la frescura del aire para convertir ese refugio en un espacio encantado. La única tienda completamente blanca descollaba también por la imponencia de su tamaño. A la entrada se apostaban dos hombres corpulentos con cimitarras sujetas al cinto y los brazos cruzados a la altura del pecho. Saludaron reverentemente cuando el príncipe Al-Saud entró en la tienda del jeque.

Francesca quedó sorprendida: jamás imaginó que una burda y rústica tienda encerrase lujo discreto y armonía de tonalidades. La envolvió el aroma de las esencias que se quemaban en hornillos de cobre, al tiempo que sus ojos se recreaban con el brillo de los narguiles de oro, el raso de los almohadones, los rojos, azules y dorados de las alfombras y las piezas de arte dispuestas sobre una mesa taraceada con marfil.

Kamal le rozó la mano con disimulo al avanzar para saludar a su abuelo. El joven y el viejo se estrecharon en un abrazo. Se hablaron con efusividad en árabe, sin reparar en una anciana que contemplaba la escena tras unos cortinados.

—¿Es que acaso has olvidado a esta pobre vieja, Kamal? —preguntó, en perfecto francés.

—Abuela —murmuró Al-Saud, y caminó hacia ella—. Estás hermosa, como siempre.

Los saludos continuaron y nuevamente Mauricio presentó a Francesca como su asistente personal. Dos muchachas acomodaron sobre una mesa que ocupaba el centro de la tienda bebidas frutales y *labán*. Momentos después, la tranquilidad y mansedumbre de aquella gente volvían a reinar y, mientras bebían, conversaban acerca de caballos.

—Hombres malvados —dijo Juliette, mirando en torno—. Han sometido a esta pobre jovencita al tórrido desierto gran parte del día y aún la mantienen aquí, escuchando necedades. Ven, querida —indicó a Francesca, y se puso de pie—. Te acompañaré a la tienda que preparé para ti.

La piel tan diáfana de Juliette, lo delicado de sus facciones y el andar garboso de su cuerpo menudo, que una túnica de gasa celeste ayudaba a realzar, la asemejaban más a un hada de cuento que a una mujer de carne y hueso, y obligaban a Francesca a volver la vista hacia ella una y otra vez. «Salvo por la elegancia», se dijo, «no hay nada de esta mujer en la señora Fadila», y pensó también que, de joven, debió de haber sido una beldad.

—Por aquí, Francesca —la invitó la anciana, al tiempo que descorría las telas de la entrada a una tienda—. Ya han dejado tu equipaje en la alcoba. —Y señaló otro cortinado que dividía la carpa en dos—. He hecho preparar la tina con agua caliente para que tomes un baño. Seguramente, querrás hacerlo antes de la cena.

—Es usted muy amable, señora. No debería haberse tomado tantas molestias.

Francesca sonrió, y Juliette se quedó mirándola. Por un segundo vio su propio reflejo cincuenta años atrás, cuando, joven y hermosa, llena de pasión por la vida y segura de sí, lo había arriesgado todo por amor.

Zobeida, la beduina que atendería a Francesca durante su estancia, se deslizó sigilosamente en la tienda, cargada de toallas, frascos de perfumes, afeites, esencias y óleos.

—Querida —habló Juliette—, te dejo con Zobeida. Ella te dará lo que desees. Nos veremos en la cena. —Y se marchó.

Francesca permaneció inmutable en el centro de la tienda contemplando los detalles que la rodeaban, percibiendo también los ruidos del exterior —los sonidos de la lengua árabe, el relincho de los caballos, los balidos de las ovejas— y se sintió una intrusa. «¿Qué hago yo en este oasis del desierto, conviviendo con una tribu beduina? ¿Cómo llegué hasta aquí?». Resbaló por un túnel de recuerdos y, pese a que las imágenes se agolpaban desordenadamente, veía con claridad los rostros. «Nada es casualidad», le había dicho su tío Fredo en una ocasión. «Cada uno de nosotros es parte minúscula de un plan enorme e infinito, donde nuestras líneas se cruzan o no según la voluntad del Arquitecto que lo ha trazado». Había tenido que recorrer tanto para encontrar el verdadero amor, había sufrido tanto también. En medio de un lugar tan apartado y ajeno a todo cuanto le resultaba familiar, se preguntó si realmente ése era su destino. Susurró el nombre de Aldo, y la embargó la nostalgia de ese amor de verano tranquilo y previsible, nostalgia de aquel hombre de su mundo, que manejaba los mismos códigos y principios. A ella, en ocasiones, la asustaba la hombría estrepitosa y contundente del árabe que la había escamoteado del lugar al que pertenecía y que la había convertido en su mujer sin siquiera preguntárselo.

Zobeida la tomó por el antebrazo y, como no hablaba una palabra de francés, se deshizo en gestos para indicarle que pasase a la habitación contigua donde la esperaba una tina de cobre rebosante de agua caliente, cuyo vapor inundaba la estancia con el perfume de las sales y de los aceites. A un lado, se destacaba un catre con un colchón alto cubierto de pétalos de rosas y de jazmines. El detalle la tomó por sorpresa.

—Muchas gracias —dijo a la sirvienta, que le devolvió una sonrisa.

Zobeida apoyó sobre un pequeño mueble lo que aún sostenía en brazos y se acercó a Francesca para quitarle la casaca. La obligó a sentarse sobre el catre e hizo otro tanto con las botas de montar, las medias y los pantalones. Le masajeó los pies con una destreza y habilidad que la adormilaron. Zobeida terminó de desnudarla y la condujo a la tina, donde Francesca se sumergió por completo, enervada por la calidez del agua.

La beduina le frotó el cuerpo con jabón de madreselva, practicando un masaje enérgico que le estimuló la circulación y le enrojeció la piel; comenzó por las manos, los dedos, luego el antebrazo, el brazo y el hombro. A pesar de ser intenso, el masaje le resultaba placentero y la aletargaba. Prosiguió con los pies, las piernas, el vientre y los pechos, para liberar luego sus dedos en la cabeza de Francesca. El aroma del aceite con que le frotó las puntas del pelo ganó al de la lavanda y la madreselva. Lo hacía todo en silencio, sólo se escuchaba su respiración serena, que le rozaba la piel húmeda, y los sonidos externos que se confundían con la calma. Salió de la tina soñolienta, y Zobeida la guió hasta el catre, donde se quedó dormida envuelta en una toalla.

Al despertarse una hora más tarde, Zobeida ya había extendido a los pies de la cama un vestido con una nota de la señora D'Albigny que decía: «Es para ti. Me gustaría que lo llevaras esta noche». El festín de esencias y aromas continuaba impregnando el ambiente, fresco pese al agobiante sol. Se levantó animada y Zobeida se dedicó a acicalarla para la cena. Le frotó las manos con una mezcla de glicerina y jugo de limón, que las volvió suaves y de una blancura impoluta; la perfumó con agua de jazmín y la maquilló apenas, cuidando de destacar sus lanceolados ojos negros. De un brasero, tomó madera de sándalo chamuscada, que colocó sobre un plato, e indicó a Francesca que levantara los brazos para pasar el fragante y espeso humo cerca de sus axilas. El vestido, de seda blanca con encaje de Bruselas en torno al escote, le sentaba maravillosamente; caía acampanado hasta la mitad de las pantorrillas, dejando sus hombros y brazos al descubierto. Decidió llevar los zapatos de cabritilla que Kamal le había comprado en Jeddah. Zobeida le recogió el cabello y, con una tijera caliente, marcó pequeños bucles que le enmarcaban el rostro y acentuaban la tonalidad alabastrina de su piel.

Jacques Méchin pasó a buscarla y juntos llegaron a lo del jeque Harum Al-Kassib. Se produjo un silencio entre los convidados que la perturbó. La contemplaban detenidamente, en tanto ella buscaba con desesperación a Kamal, enfrascado en una conversación en el otro extremo de la tienda.

—¡Bendito sea Alá, clemente y todopoderoso, que ha guiado hasta mi tienda a la mujer más hermosa del desierto! —se extasió el jeque Harum, y de inmediato aclaró a su esposa—: A excepción de ti, Scheherezade, por supuesto.

Kamal interrumpió su charla y contempló extasiado a Francesca, poseído una vez más por el hechizo de su belleza. El jeque presentó a la joven al resto de los invitados, jefes subalternos de su tribu, y a continuación manifestó con histrionismo que moría de hambre. Ofreció el brazo a Francesca y la invitó a sentarse a su diestra en una mesa baja y atochada de manjares. El resto se acomodó libremente, y Kamal ocupó el lugar a la izquierda de su abuelo, frente a Francesca. La notó incómoda y nerviosa.

Juliette ordenó que se sirviera, y, luego de una circunspección inicial, los comensales no mostraron templanza y saborearon sin remilgos los distintos platos y bebidas. Se conocían de años, conversaban afablemente y recontaban viejas anécdotas, que los hacían reír a carcajadas. Mauricio ostentaba una sonrisa continua, como si por fin hubiese encontrado aquello que lo hacía feliz, y Méchin se mostraba más dicharachero que de costumbre, alentado por el jeque, que hacía rato había perdido las formas y buenas costumbres, y vociferaba, entre bocado y bocado, sus ideas y opiniones. Kamal sonreía con las ocurrencias de su abuelo, comía y hablaba poco.

La algarabía y amistad de esas personas acentuaba la soledad y nostalgia de Francesca. Se sentía una extraña, ni siquiera entendía la lengua en la que hablaban. Deseaba que la cena terminase y regresar a la tienda.

—Nadie vuelva a hablar en árabe —ordenó Juliette—. En ese caso nuestra invitada queda fuera de las conversaciones.

—Discúlpenos, señorita —se lamentó el jeque, y le besó la mano—. Hemos sido unos maleducados.

Francesca levantó la vista y se topó con Kamal, que la observaba fijamente; la inexpresividad de su rostro la atormentó. Comenzaba a molestarla el laconismo trapense de su amante; le resultaba difícil acceder a su alma cuando generalmente se mostraba reservado y serio. Le sostuvo la mirada y no se molestó en ocultar el resentimiento por no haber sido presentada como su futura esposa. Una sonrisa, un gesto de amor, eso era lo que le pedía para estar bien.

—Tu madre —empezó el jeque, dirigiéndose a su nieto— no ha querido venir al oasis para no encontrarse contigo. Dice que está furiosa y que no desea verte.

Francesca se alarmó; Dubois y Méchin intercambiaron miradas de consternación.

—¿Otro lío de faldas? —insistió el jeque Harum, y carcajeó.

—Ya conoces a tu hija, abuelo —habló Kamal—. Imposible conformarla.

—¿Cómo se encuentra Faisal? —preguntó Juliette deprisa—. Hace tiempo que no sabemos de él.

La mención del hermano de Kamal dio origen a nuevas polémicas. Discutieron el resto de la noche acerca del gobierno, del petróleo y de la situación de los beduinos.

Kamal arrojó certeramente una piedra a los casos de los caballos para distraer al guardia que se mantenía estoico cerca de la tienda de Francesca. Al ver que el hombre se alejaba atraído por los relinchos, entró precipitadamente y, gracias a la luz que trasparentaba los cortinados, descubrió la silueta oscura de Francesca sentada en el borde de la cama y la de Zobeida, que le cepillaba el pelo. Corrió la tela que los separaba y las sobresaltó.

—Nos asustaste —le reprochó Francesca.

Kamal se dirigió a la doméstica en árabe, que, sin mirarlo, dejó el cepillo sobre el mueble y se marchó.

—¿Qué quieres?

—¿Qué quiero? —se sorprendió Kamal—. Hacerte el amor, eso es lo que quiero.

—Se nota —dijo, y le miró la entrepierna.

Kamal la tomó por los hombros y la levantó del catre.

—Déjame —se quejó Francesca.

—¿Qué te pasa?

—Quiero estar sola.

—Pero yo quiero estar contigo.

—¿Así será siempre? —preguntó ella, mordaz—. ¿Cuando su alteza me desee deberé caer rendida a sus pies y mientras su alteza no me desee deberé mantenerme apartada, sola y triste?

—¿Por qué me hablas así?

—Estoy cansada, déjame sola, quiero dormir.

—¡No te dejaré! —se ofuscó Kamal, y la asustó—. ¡Dime qué sucede!

Volvió a aferrarla por los hombros y la sacudió levemente. Se miraron de hito en hito. Por fin, Francesca suavizó el gesto al ver el desconcierto pintado en el semblante del árabe.

—¿Por qué no le dijiste a tus abuelos que soy tu prometida?

—Tontita —se serenó Kamal—, tanto lío por eso. —Y la abrazó.

—Para mí es importante. Tengo la impresión de que no cuento para ti, que no piensas en mí sino cuando me buscas de noche. El resto del tiempo no existo.

—No digas eso —imploró Al-Saud, y la tristeza de su voz terminó por ablandarla—. Ya te he dicho que eres lo único que cuenta en mi vida. Cuando no estoy contigo te pienso tanto que creo que puedes sentirme. Cuando no estás conmigo muero de celos de aquellos que sí lo están, de aquellos que te ven sonreír, que huelen tu perfume, que se atreven a desear tu belleza, que es toda mía. Esta noche te habría llevado lejos de la tienda de mi abuelo para no compartirte con nadie, y si no mencioné mi decisión de casarme contigo fue para que te dejaran tranquila. Tú no los conoces; se habrían puesto insoportables, te habrían preguntado y estudiado como en interrogatorio policial. Además, quiero que primero te conozcan para, luego, con calma, comunicarles acerca de nuestra boda.

—¡Oh, Kamal! —sollozó Francesca, y se aferró a su cintura—. Me confundes. ¿Por qué eres así, lacónico y reservado? ¿Por qué no hablas conmigo? Me cuesta llegar a tu esencia cuando te mantienes tan callado y alejado.

—Perdóname, mi amor, es una costumbre inveterada en mí. No me gusta que los demás conozcan mis pensamientos ni que sepan de mí. Por eso, en parte, no dije nada acerca de lo nuestro; tú eres lo más importante en mi vida y siento que, si te comparto, te expongo y no estoy dispuesto a arriesgarte. ¡Pero contigo cambiaré, lo prometo! Me abriré a ti como un libro para que leas en él y sacies tu curiosidad.

—No se trata de curiosidad. Se trata de saber acerca del hombre con el cual he decidido unirme para siempre. Te amo como nunca pensé amar a un hombre, pero sé tan poco de ti que a veces me asusto y me pregunto a quién estoy entregándome. En ocasiones pienso que esto es un error.

—¡No! —se desesperó él—. ¡No vuelvas a decir eso! Esto no es un error. Sólo di que me amas. Dilo de nuevo, repítelo.

—Te amo, Kamal. Eres el amor de mi vida.

—¡Francesca! —susurró, y la besó en los labios.

Terminaron sobre el catre en una lucha desesperada por quitarse la bata, el camisón, los pantalones y las botas de montar. Hicieron el amor con desesperación, apremiados por el deseo que les quemaba el cuerpo. Francesca le jadeaba al oído; su aliento cálido y el aroma de su piel, mezcla de sudor, sándalo y jazmín, le llegaban como oleadas cuando acometía entre sus piernas, y lo excitaban hasta el punto de olvidar la sutileza de las paredes y de gemir como animal herido. Francesca le pasaba las manos por la espalda, le alcanzaba las nalgas y se las apretaba para tenerlo muy dentro, el cuerpo vibrante de Kamal confundido con el suyo, como si fueran una sola cosa. Aquella impudicia desvergonzada de su amante, que le había arrebatado la inocencia y que ahora la volvía lasciva y lujuriosa, finalmente la liberaba, pues, como nunca, se sentía osada y segura, sin miedos ni dudas, capaz de enfrentar al más bragado; la redimía también del peso del pudor que, evaporado con la sangre virginal, le había revelado el paraíso a manos de un hombre que le decía: «Mira, ésta eres tú, esta mujer a la que yo deseo tanto». Kamal era la referencia de su propia feminidad.

Ese momento, después del acto sexual, cuando acercaba el cuerpo de Francesca al suyo, donde el febril deseo se había trocado en saciedad y paz, le marcaba una diferencia abismal con cuanto había experimentado, porque, a pesar de haberla poseído, aún continuaba necesitándola desesperadamente.

—Tu madre está enojada contigo a causa de mí, ¿verdad?

—Sí.

—¿No me quiere como esposa para ti porque soy católica?

—Quiere a alguna jovencita de la alta sociedad de Riad.

—¿La alta sociedad de Riad? —habló Francesca, con displicencia—. Ya veo que a mí me persiguen las altas sociedades —satirizó.

Kamal sabía a qué se refería, pero no hizo ningún comentario. El gesto, sin embargo, se le ensombreció de celos pues Francesca había aludido a su antiguo amor pese a estar entre sus brazos.

—¿Quién es Faisal?

—Mi hermano.

—¿Hermano o medio hermano?

—Medio hermano; mi única hermana es Fátima. Pero no hay diferencias para mí. Faisal es además un gran amigo. Te gustará su esposa Zora, es una mujer maravillosa. Es la directora del primer colegio para niñas que se fundó en el reino. Ella y Faisal lo fundaron. Le preguntaré a Zora si puede enseñarte el árabe.

Se quedó pensando en eso de aprender árabe. Se manejaba tan bien con el francés que nunca lo había necesitado. Se preguntó qué otras cosas debería aprender para pertenecer al mundo de Al-Saud. ¿Memorizar el Corán y repetir las *sunnas* como el Padrenuestro? ¿Orar cinco veces al día con la cara pegada al suelo y practicar las abluciones de rigor? ¿Vivir entre las paredes de un harén y llevar la *abaaya* cada vez que traspusiera la puerta? ¿Ayunar en el mes de Ramadán? Levantó la vista en busca del rostro de Kamal para serenarse.

—Con tu hermano Saud no te llevas tan bien, ¿verdad?

—¿Por qué lo dices?

—La noche que me lo presentaste en la embajada de Francia noté cierta tensión entre ustedes.

—Me molestó que te mirara el escote —interpuso Kamal.

—Parecía algo más que celos por una mirada indiscreta. En realidad, parecía un resentimiento de años.

—No estamos muy de acuerdo en algunas cuestiones de política y administración del reino; eso nos ha distanciado un poco, pero sigue siendo hijo de mi padre y yo lo respeto como rey.

—¿Por qué esperaste tantos meses para confesarme que habías sido tú el que me trajo a Arabia?

—Haces demasiadas preguntas —se quejó Al-Saud.

—Dijiste que te abrirías como un libro —redarguyó Francesca.

—Es cierto. —Y luego de un silencio, habló—: Existían circunstancias que me llevaron a aplazar lo nuestro. En primer lugar, la animosidad que experimentabas por nosotros.

—No es verdad —mintió.

—Sí, es verdad, y no te culpo. Viviste experiencias que sólo empeoraron tu imagen un poco maltrecha de los árabes. Lo del libro de arte, por ejemplo, cuando llegaste a Riad.

—Debí imaginarme que habías sido tú el que me lo devolvió.

—Después, lo de la *mutawa* en el zoco. ¿Qué habrías dicho si esa tarde, en tu recámara, con el pie levantado y vendado a causa del golpe, te hubiese dicho que ya eras mía?

—Te habría mandado a freír espárragos —admitió Francesca, y rió.

—Además, de improviso me surgieron varios viajes de negocios y no me detenía mucho en Riad. Los asuntos de Mauricio en Jeddah vinieron como anillo al dedo. Hablando de viajes, mañana acompañaré a mi abuelo a Jeddah.

—¿Puedo ir contigo?

—No, no puedes. Mi abuelo no lo consentiría. Vamos a Jeddah a vender lana y caballos, y dirá que una mujer en la comitiva traerá mala suerte a los negocios. Es casi un rito para él que yo lo acompañe todos los años a vender sus productos. Irán también Mauricio y Jacques.

—¿Regresarán por la tarde?

—Regresaremos en tres días.

—¡Tres días! ¡Tres días aquí sola! Tres días sin ti. ¿Por qué me haces esto? —agregó, apagada.

—Estarás con mi abuela; verás que no tendrás tiempo para pensar en mí.

Kamal regresó al cuarto día con Rex inquieto trotando a la par de Pegasus. La comitiva —hombres, caballos y dromedarios atiborrados de bultos— prosiguió hacia el redil. Kamal, por su parte, entregó los corceles a un palafrenero y se evadió a la tienda de su abuela, que leía una carta. La anciana se corrió los lentes a la punta de la nariz y le sonrió con complicidad.

—No está aquí lo que buscas —dijo.

—A ti te buscaba —replicó Kamal; se sentó a su lado y la abrazó.

—Está en su tienda, descansando —indicó Juliette.

—Tenías que adivinarlo, ¿verdad?

—Si no la hubieses tomado para ti, habría pensado que tengo un nieto ciego o idiota. Esa muchacha es como la luz, cálida y brillante. Elegiste bien, hijo mío. Y haz oídos sordos a las fatuidades de tu madre.

Se conmovió con las palabras de su abuela y permaneció en silencio. Juliette le acariciaba la mejilla y lo contemplaba serenamente, y le hacía acordar a cuando era niño y pasaba los veranos en el oasis.

—Está descansando en su tienda —volvió a decir Juliette—. Hoy no se ha sentido bien. ¡Tranquilo, no es nada! —Lo tomó por la muñeca y lo obligó a sentarse nuevamente—. Debe de ser el calor; no está acostumbrada.

De hecho, Francesca no se había sentido bien ninguno de los cuatro días de ausencia de Kamal. En un primer momento el cansancio y un fuerte dolor de cabeza se confundieron con la desazón y la tristeza, y no les destinó mayor importancia. Esa tarde, sin embargo, después de almorzar frugalmente, debió recostarse porque, según Juliette, tenía la presión baja.

La noche antes de la partida se había dormido entre los brazos de Kamal, pero a la mañana siguiente despertó sola, con el borboteo del agua que Zobeida vertía en la bañera. Desayunó con Juliette, que la invitó a cabalgar hasta la hora del almuerzo. Abenabó y Káder las acompañaron. Al llegar al *uadi*, el arroyo que se forma en la época de lluvias y que semanas más tarde se evapora sin dejar rastro, bajaron de los caballos y se sentaron a la orilla, protegidas por la sombra de una palmera que rebosaba de dátiles.

—Mi nieto está enamorado de ti, Francesca —expresó Juliette, y la buscó con la mirada—. Lo conozco como si lo hubiese parido y puedo asegurarte que no es el mismo. Sé que es por ti —manifestó, y se cuidó de comentar que Zobeida había confirmado sus sospechas al referirle la entrada sigilosa de Kamal en su tienda la noche anterior—. Aunque trata de disimular, te contempla con una ternura de la que no lo creí capaz. Mi muchacho te quiere verdaderamente. ¿Por qué esas lágrimas?

Francesca se pasó el dorso de la mano por los carrillos y procuró sonreír. Se sentía tensa. Era la primera vez que hablaba de su relación con Al-Saud, y no había esperado que fuese con la abuela, a pesar de su actitud amistosa y comprensiva.

—Vamos, Francesca, no es para que te pongas así.

—Discúlpeme, señora. Yo también estoy enamorada de él, pero creo que no será posible. Cuando estoy a su lado, me hace sentir segura, que todo saldrá bien y que nada podrá separarnos. Pero luego, miro a mi alrededor y veo que todo es tan distinto a mí, a mi educación, la gente es diferente, piensan diferente y yo no sé qué pensar. Estoy confundida, no de su amor o del mío, sino de lo que tendremos que enfrentar.

—Sé exactamente cómo te sientes, sé lo que estás sufriendo; tu alma se hace trizas pensando que no podrás estar con el hombre que amas. Pero también te digo que por Kamal corre sangre noble, fuerte y valiente. Es el hombre, y no lo digo porque sea mi nieto sino porque es la verdad, más inteligente, hábil y decidido que conocí. Él debería ser el rey.

—Justamente por eso temo que no podremos estar juntos. Él pertenece a su pueblo, al reino. Conozco sus responsabilidades y obligaciones. Él no es un hombre cualquiera que puede decidir sobre su vida personal; en su caso, las consecuencias cuentan. Kamal es parte de la realeza de este país, jamás le permitirán casarse con una occidental.

—Lo que dices es cierto, no puedo negarte esa realidad. Pero mi nieto está orgulloso de ti y siente que contigo puede conquistar el mundo. No permitas que un puñado de viejos anquilosados arruine el amor que sienten el uno por el otro.

Juliette la animó con historias y secretos de la infancia y adolescencia de Kamal que le revelaron una faceta de él que no conocía y, aunque habían pasado años, Juliette insistía en que su nieto todavía conservaba un espíritu sensible y romántico que ocultaba para no sufrir. «No es fácil el destino que le tocó a mi muchacho», repetía la anciana con frecuencia, pero Francesca no se animaba a preguntar de qué destino hablaba.

Si bien se mantuvo entretenida junto a la señora D'Albigny, no dejaba de añorarlo con una intensidad que la desconcertaba. Su ausencia se volvía insoportable por momentos, y la necesidad de su cuerpo, de su voz, de su desenfreno en la cama, de su dulzura después, la desvelaban y conciliaba el sueño con dificultad. La mañana del cuarto día, cuando Zobeida entró en la tienda para ayudarla con el baño y le informó que el jeque y su caravana aún no habían llegado, Francesca se desanimó ostensiblemente, tanto que Juliette, al verla macilenta y alicaída, le aconsejó una siesta después del almuerzo y de un fuerte té muy azucarado.

Kamal la encontró dormida. Acercó un taburete a la cabecera del catre y se quedó mirándola. Dormía profundamente, sin hacer ruido, ni la respiración se le escuchaba. Lo asustó la palidez de sus mejillas y lo estático de la posición; acercó el rostro para cerciorarse que respiraba y, al rozarle los labios con el tocado, Francesca comenzó a rebullirse.

—Despierta con calma —le dijo Kamal al oído, y le besó la mejilla cálida de sueño.

—¿Eres tú realmente o estoy soñando?

—Acabo de llegar.

Francesca se aferró a su cuello y le besó las mejillas, los ojos, la boca, la frente, mientras le repetía que lo había echado de menos, que no volviera a dejarla sola, que lo necesitaba.

—¿Por qué tanta desesperación? —atinó a preguntar Kamal—. Mi abuela me dijo que lo pasaron muy bien juntas.

—Sí, sí, tu abuela es muy buena, pero yo no puedo vivir sin ti.

Al-Saud la separó un poco y le tomó el rostro con las manos; la miró fijamente, ostentando ese gesto inextricable que Francesca nunca acertaba a descifrar.

—¿Es cierto eso que dices? ¿Que no puedes vivir sin mí?

—Sí, es cierto. Eres todo para mí. Te has convertido en la razón de mi vida. —Y como Kamal siguiera mirándola con extrañeza, preguntó—: ¿Dudas de lo que estoy diciéndote?

—No, jamás. Es que he deseado tanto que lo dijeras. Temí... Después de todo, fui yo quien te arrancó de los tuyos y te trajo hasta aquí. No, no dudo de ti. Me perteneces, en cuerpo y alma; puedo sentir tu entrega cada vez que te poseo. No, jamás dudaría de ti —aseguró, y preguntó deprisa—: ¿Cómo te sientes? Mi abuela me ha dicho que hoy no estuviste bien.

—Ahora que estás de nuevo junto a mí, me siento magníficamente.

Kamal le sonrió y la besó en los labios. Con cierta urgencia, le ordenó:

—Ponte el traje para montar y acompáñame fuera que tengo una sorpresa para ti.

En un corral más pequeño colindante con el redil principal, un palafrenero cepillaba las ancas de Rex, mientras otro le colocaba una montura nueva de reluciente cuero negro con el nombre Francesca Al-Saud grabado en oro.

—¿Dónde está mi sorpresa? —preguntó, y Kamal le señaló el caballo.

A la visión del animal, Francesca detuvo la marcha.

—Se parece a Rex.

—Es Rex. Se lo compré a Martínez Olazábal para ti.

Francesca alternó sus ojos desorbitados entre Al-Saud y el caballo hasta que corrió al potrero y se le abrazó al cuello. Los palafreneros se alejaron a una señal de Kamal. Francesca le besó la testuz y le dijo que lo quería, que lo había extrañado, que le había hecho falta. La presencia de Rex en esa tierra tan lejana significaba recuperar parte de aquello que había dejado atrás y que ya no volvería a tener; se aferraba al semental como si, con ese abrazo, abrazara también a su madre, a Fredo, a Sofía, y como si, en su olor penetrante, revivieran los olores del campo, de la ciudad, de la cocina de la mansión, del jardín de Ponce, del departamento de su tío; porque Rex pertenecía a aquel mundo y en él había un poquito de cada cosa. Sintió añoranza, nostalgia, y, cuando comenzaba a dolerle el corazón a causa de tantos recuerdos dichosos, volvió la mirada hacia Kamal y lo encontró apostado en la cerca. Él se acercó a paso tranquilo. Le sonreía con dulzura.

—Feliz cumpleaños, amor mío.

—Te acordaste —apenas musitó ella, emocionada.

Se internaron en el oasis que recorrían juntos por primera vez, y detuvieron los caballos al notar el silencio cómplice del desierto que ya había ahogado los sonidos del campamento. Hicieron el amor contra el tronco áspero de una palmera: Kamal la levantó rápidamente y Francesca le atenazó la cintura. Solos, en medio del oasis, lejos de todo y de todos, no se reprimieron y, mientras el orgasmo les anegaba los sentidos y les entumecía el cuerpo, bramaron sin templanza, consumidos por ese fuego voraz que sólo apagaban en el otro. Kamal se mantuvo quieto, disfrutando las últimas corrientes de aquel río de sensualidad que fluía desde Francesca y que lo trastornaba. Aún la sostenía en el aire, la espalda contra la palmera y las piernas a horcajadas alrededor de él, cuando le confesó, jadeante:

—Alá me ampare porque estoy perdido a causa de ti. Me he vuelto loco por tu culpa y ya nada me importa excepto tenerte.

La bajó con cuidado y apoyó la frente sobre el tronco, por encima de la cabeza de ella, en un intento por normalizar la respiración. Se subieron los pantalones y se acomodaron las camisas en silencio.

—Aún no te he dado las gracias por Rex —dijo Francesca, y lo retuvo por la muñeca—. Para mí, es como si, con un toque de magia, hubieras hecho aparecer uno de los recuerdos más hermosos que dejé en la Argentina.

—Habría otros —objetó Kamal— que, con un toque de magia, me gustaría hacer desaparecer de tu mente.

—Ya lo has hecho hace tiempo.

Cabalgaron un trecho sin hablar, cada uno abstraído en sus propias cuestiones.

—¿Cómo compraste a Rex? —preguntó Francesca finalmente—. ¿No me dirás que viajaste a la Argentina?

—Sabes que mi negocio principal es la compra y venta de caballos; estoy habituado a adquirir y vender ejemplares en cualquier parte del mundo. Al ver la fotografía de Rex sobre tu mesa de noche, de inmediato hablé con mi agente en París y le ordené que lo comprara. Él viajó a Córdoba y cerró el trato con Martínez Olazábal. En un principio, encontró algo de resistencia por parte del capataz del campo.

—¡Don Cívico! —recordó Francesca—. Debe de estar muriéndose de la angustia. Apenas llegue a Riad le escribiré para explicarle. ¡No podrá creerlo! Kamal, no tienes idea lo feliz que me has hecho. Por fin, Rex es mío y no tendré que ocultarme para montarlo.

Hasta el campamento, Francesca le recontó las peripecias vividas junto a su caballo, y Kamal llegó de muy buen talante.

Esa noche, después del viaje desde Jeddah, el jeque y los miembros de su comitiva cenaron con frugalidad e intercambiaron pocas palabras. Se marcharon a dormir sin hacer sobremesa ni fumar bucólicamente el narguile. Al-Saud acompañó a Francesca hasta su tienda. Se quedaron sentados bajo el toldo de la entrada contemplando el cielo estrellado. Francesca se aletargó entre los brazos de Kamal, arrullada por su voz; él le contaba de leyendas de caballos alados, alfombras voladoras y genios embotellados. Cuando se quedó profundamente dormida, Al-Saud la cargó en brazos y la llevó al catre, donde Zobeida la esperaba para desnudarla y arroparla entre las fragantes sábanas.

Al día siguiente, Kamal pasó la mañana y las primeras horas de la tarde practicando cetrería con su abuelo, arte que dominaba con destreza desde la adolescencia. Esa noche, recuperados por completo del viaje a Jeddah, la tribu quería festejar, eufórica por el éxito de la venta de la lana y de los afamados caballos Al-Kassib. También rendirían homenaje al nieto del jeque y príncipe heredero, que pronto desposaría a la mujer blanca que había llegado con él; también creían que, como de costumbre, Kamal les había traído buena fortuna en los negocios de Jeddah.

Durante la cabalgata a esa ciudad, Kamal había hallado el momento para comunicar a su abuelo y a sus tíos la noticia de su compromiso con Francesca. Jacques y Mauricio escucharon en silencio y no hicieron comentarios, a pesar de que con ellos jamás había compartido sus serias intenciones.

El jeque y sus hijos se sorprendieron sinceramente y después se preocuparon, en especial por tratarse de una joven occidental y cristiana, una compañera tan poco propicia para el futuro rey de Arabia Saudí. De todos modos, no mencionaron sus recelos y lo felicitaron con efusividad, asegurándole que ni las huríes en el Paraíso eran tan bellas como Francesca. De regreso en el oasis, la noticia de la boda corrió como reguero de pólvora entre los miembros de la tribu, y una alegría general se apoderó de todas las tiendas.

Terminada la cena, el jeque, su familia e invitados salieron de la tienda para recibir los honores. En el centro del campamento ardía una enorme fogata, y los beduinos, junto a sus mujeres e hijos, se acomodaban alrededor, en medio de una algazara que se acalló súbitamente a la vista del amo. Un hombre dio un paso al frente e indicó al jeque y a Kamal las ubicaciones principales, y pidió a Juliette, Mauricio, Jacques y los hijos del jeque que se acomodaran cerca. Luego, dirigiéndose al público, presentó el espectáculo.

Francesca, que era a quien desposaría el venerado príncipe, no suscitaba mayores pasiones entre los del pueblo, y quedó relegada detrás de un grupo de ancianas que zascandileaban todas al mismo tiempo y gesticulaban de tal modo que le tapaban la escasa visión del espectáculo, una típica danza beduina. Diez hombres, ataviados con coloridas prendas de satén, formaron una hilera en el centro del improvisado escenario. Al sonido de la música, resonancias acompasadas y lamentosas, monocordes y disonantes, que resultaron desagradables a Francesca, los bailarines giraron sobre sí coordinadamente, quedando hombro con hombro, y comenzaron a blandir sus cimitarras en varias direcciones con extrema precisión. Francesca contenía el aliento a la idea de que alguno le arrancase de cuajo la cabeza a su compañero. Mientras el resto continuaba con las riesgosas maromas y los sonidos lánguidos se repetían, un bailarín abandonó la fila y recitó versos en honor del jeque y del príncipe saudí.

—Ésta es una de las danzas más antiguas de Arabia; se llama *Ardha* —susurró Jacques Méchin a Francesca.

—Es muy interesante —mintió la joven.

—Supongo que te habrás llevado una gran sorpresa al ver a tu caballo aquí.

—¡Oh, Jacques! Usted no podría imaginarlo.

Méchin rió, estimulado por la alegría de Francesca y el brillo de sus ojos negros. La encontró más hermosa que nunca, con el cabello espeso y oscuro que le llegaba hasta la cintura y el rosado del vestido que le sentaba de maravilla. «Quién tuviera treinta años menos», se lamentó, y al mirarla con más detenimiento, como tratando de descubrir el sortilegio que había embrujado al intelectual y parco Mauricio y que había conquistado el infranqueable corazón de Kamal, concluyó que todo se reducía a esa extraña mezcla de inocencia y voluptuosidad, a la absoluta inconsciencia de sí misma, a la sencillez de su espíritu cuando, en realidad, se esperaba hallar, dentro de ese cuerpo mundano y apetecible, una mujer voraz y avezada. La deseó como hacía tiempo no deseaba a una mujer, y de inmediato se sintió vil y traidor.

—Kamal no podría haber elegido mejor —expresó, para alejar la tentación.

Francesca lo miró complacida y le agradeció. Por primera vez desde el inicio de su relación con Al-Saud, el gesto de Méchin volvía a ser aquel sincero y amistoso, desprovisto de los subterfugios en los que había caído últimamente.

—Son jóvenes y están llenos de valor —continuó el francés, hablando más para sí—. Salvarán los obstáculos, lo sé.

—¿Qué obstáculos, Jacques?

El tono aniñado de la joven lo llenó de piedad y pensó que Francesca era como una oveja entre lobos. También pensó en Kamal que, siendo un lobo, debería proteger a su oveja para que no la despedazaran. «La despedazarán», vaticinó, y un escalofrío le erizó la piel.

—Francesca, eres una joven inteligente y perspicaz, y decirte que todo será fácil entre tú y Kamal sería como insultar tu inteligencia. —Hizo una pausa para encender la pipa en busca de una excusa para ordenar sus pensamientos—. Los árabes son personas maravillosas; gentiles, generosos, confiables, son los buenos y leales amigos que cualquiera podría desear, pero también son impulsivos, aguerridos e inflexibles. Sus creencias religiosas son más importantes para ellos que su propia vida y, créeme, Francesca, están dispuestos a morir por defenderlas. Protegen a los suyos como fieras y rara vez permiten a alguien inmiscuirse en sus asuntos. Kamal es uno de ellos. Eso sí, uno especial. Él ha tenido la posibilidad de conocer el mundo y otras formas de pensamiento. Por sus venas corre sangre occidental, lo que le significó una ventana por la cual asomarse para conocer otra parte de sus ancestros. Está lleno de un aire renovador que podría llevar a Arabia a ocupar el lugar de los países más potentes del mundo. Sé que él puede lograrlo. Tiene el valor y la sabiduría para hacerlo. Pero en su camino encontrará enemigos que tratarán de socavar todo lo que él consiga. —Calló por un instante, y su mirada se enterneció—. Y tú, sin duda, eres de sus logros más grandes y valiosos. Eres la que eligió como mujer.

Francesca quedó sin habla, un tanto embarullada. Por un lado, el discurso había sonado alarmante, por otro, le había resultado un panegírico al amor. Se limitó a agradecer, y no deseó ahondar algunos de los conceptos por temor a la realidad que encerraban. De todos modos, bien sabía ella que en Riad nadie la quería.

Los aplausos llegaron a sus oídos indicando que el *Ardha* había finalizado. El presentador despidió a los bailarines y anunció el próximo número. Kamal y el resto de los homenajeados parecían disfrutarlo, especialmente Dubois que, con una excitación inusual, conversaba con Juliette y el jeque, aplaudía y reía de cualquier cosa. Francesca no encontraba estimulante el espectáculo en absoluto y decidió, en vistas de que regresaban a la ciudad a primera hora de la mañana siguiente, retirarse e intentar dormir pese al bullicio.

En la soledad de la tienda, halló la quietud que ansiaba. Estaba rendida y debía de tener la presión baja de nuevo. Se puso el camisón y la bata. Resignada a la ausencia de Zobeida, que participaba del festejo, volvió a cepillarse el pelo después de tantos días que, con extremo cuidado y delicadeza, lo había hecho la beduina. La extrañaría, sin dudas; la echaría de menos, a ella y a su silencio tranquilizador, a sus manos pletóricas de habilidad, al perfume de su piel cobriza; le faltarían también los desayunos con Juliette, las cabalgatas al corazón del oasis, las conversaciones acerca de Kamal mientras remojaban los pies en el *uadi*. Pensó en los días vividos en Jeddah, y la inminencia del regreso al trabajo y a la vida normal la devastó. Se había aficionado al mundo de Al-Saud y no deseaba volver a Riad, como si el regreso significara la ruptura del encanto, el despertar de un sueño placentero. Comprendió que ahora pertenecía a ese lugar.

Kamal entró en la alcoba y le rodeó la cintura por detrás. Se besaron, se acariciaron, se olieron, se desearon y, en el instante en que estaba por arrastrarla al catre, Al-Saud recordó para qué la buscaba.

—Vamos, quiero mostrarte algo.

—Deja que me cambie.

—No, ven así; estaremos solos.

Se tomaron de la mano y salieron de la tienda. Corrieron sorteando palmeras, bordeando el *uadi*, sintiendo el agua fresca en los pies desnudos. Los guiaba la luz de la luna, que iluminaba una franja de tierra. Se detuvieron en la cima de un médano, y Francesca se admiró ante la grandiosidad de aquel valle de arena platinada que se extendía a sus pies en una eternidad maravillosa e imponente, que suscitaba miedo y gozo, ganas de recorrerla y pánico de adentrarse en sus misterios, que le fatigaba la respiración y la obligaba a asirse con firmeza a la mano de Kamal. Permanecieron en silencio, con la vista perdida en la negrura del horizonte. Atrás había quedado el campamento envuelto en un halo de luz rojiza y sonidos melancólicos. Adelante se proyectaba la inmensidad del desierto, que ya la había cautivado. Miró a su amante para hablarle y lo encontró absorto en el paisaje nocturno.

—De veras amas esta tierra, Kamal. Lo veo en tus ojos.

—Aquí nací, aquí nacieron mis padres, esto fue lo que conocí desde que vi la luz y esto fue lo que me enseñaron a querer y a respetar. Durante los años de pupilaje en Inglaterra no existió día en que no despertara soñando con volver al desierto. Añoraba tanto a mis caballos, deseaba sentir sus cascos hundirse en la arena, montarlos hasta extenuarlos. Extrañaba mi hogar, a mi madre, a mi padre. Todo lo que había dejado aquí era lo mejor que tenía, y no deseaba más que volver.

Francesca amó ese momento y lo guardó entre sus recuerdos más preciados pues, por primera vez, sentía que Kamal le abría el corazón y le mostraba su interior con desprendimiento y confianza.

—Cuando ingresé en La Sorbona —prosiguió él— me deslumbré. La magnificencia del lugar, la sabiduría de los profesores, la majestuosa biblioteca, gente de todos los rincones del mundo... En fin, pensé en no volver a Arabia. —Sonrió tristemente, y añadió—: Ni Maurice ni Jacques lo creyeron. Pero tardé cinco años en regresar. Volví en ocasión del atentado contra mi padre. Saud, mi hermano, lo protegió y fue él quien salió herido.

Después de ese comentario, Kamal se encerró en su habitual mutismo y mantuvo la vista fija en el horizonte. Segundos después, Francesca le presionó el antebrazo. Él se volvió y la miró largamente.

—¡Qué hermosa eres! —dijo por fin, y le besó los labios, el cuello, el escote.

Cayeron de rodillas al suelo, donde continuaron las caricias febriles y los gemidos contenidos. La tomó allí, sobre la arena tibia, a cielo abierto, con las estrellas y la luna llena como únicos testigos de sus jadeos y palabras de amor. Quedaron exhaustos, mudos, un poco desconcertados.

—Jamás me sentí igual —confesó él, y apoyó la cabeza sobre el pecho sibilante de ella.

Había refrescado, y Francesca tenía frío. Kamal la envolvió en su capa y la acurrucó contra su pecho. Miraron el cielo, tachonado de estrellas. Francesca no recordaba tantas, ni siquiera en Arroyo Seco. Se sintió más viva que nunca, llena de paz, y se dijo que eso era ser feliz.

—Francesca —pronunció Kamal, como arrojando la palabra al viento—. Tienes un hermoso nombre —dijo, recordando el efecto que había causado en él cuando el investigador privado que contrató en Ginebra lo mencionó por primera vez.

—Mi padre se llamaba Vincenzo Francesco. Me llamaron así por él.

—Háblame de tu padre.

Se incomodó, rara vez hablaba de Vincenzo. Con su madre habían sellado un pacto tácito y no tocaban el tema; Antonina lloriqueaba a la sola mención de su esposo y Francesca no soportaba verla sufrir. A Sofía no tenía mucho que contarle, pues poco recordaba, y Fredo parecía evitar la cuestión.

—Murió cuando yo tenía seis años —dijo, después de un rato—. Pero eso tú ya lo sabes. Recuerdo pocas cosas de él: el día del velatorio, el entierro después. Mi madre lloraba tanto. Yo me tapaba los ojos y rezaba para que las lágrimas se le acabaran, pero nunca se acababan. Hubo momentos en que odié a mi padre por hacerla llorar tanto. Lo odié también por dejarnos solas. —Tenía un nudo en la garganta, que le dolía de aguantar; tragó saliva y continuó—: Mi madre raramente habla de él; cada vez que comienza a contarme algo, llora, y yo odio que lo haga. Tengo un recuerdo de mi padre, muy lejano, casi parece un sueño, pero intuyo que fue verdad. Yo estaba en mi cuna, dormida y, al abrir los ojos, vi su rostro entre los barrotes de madera. Me contemplaba con mucha dulzura y, al ver que yo había despertado, me sonrió y me acarició la cabeza. Me pregunto cuánto tiempo habrá estado mirándome. Quizá fue un sueño y mi padre nunca me miró entre los barrotes de la cuna. Jamás lo sabré. Me quería mucho, lo sé, lo siento. Todavía recuerdo —continuó, con voz congestionada— el sonido de sus llaves cuando regresaba de trabajar. Al entrar en casa, preguntaba: «*Dov'è la mia principessa?*» Y yo corría hacia él. Siempre hacía lo mismo: me levantaba en brazos, me daba vueltas en el aire y me llevaba a la cocina para saludar a mi madre. ¡Oh, Kamal, cómo me gustaría que estuviera vivo y que te conociera!

Sus lágrimas mojaban el brazo desnudo del árabe, que la rodeaba y trataba de consolarla.

—¡No llores, pequeña, te lo suplico! Soy capaz de soportar cualquier cosa excepto que llores. Perdóname, no pensé que el recuerdo de tu padre te entristecería tanto. De ahora en adelante serás feliz. Nada enturbiará tus días y yo estaré siempre a tu lado para asegurarme de que sea así. ¡Oh, amor mío! No sé qué decirte para que el dolor te abandone y vuelvas a sonreír.

Francesca se calmó y Al-Saud le secó las mejillas con su camisa.

—Me emocioné hablándote de mi padre, pero no creas que he sido infeliz toda mi vida a causa de su muerte —aseguró Francesca, más dueña de sí—. Tío Fredo tomó su lugar y ha sido el mejor de los padres.

—Presiento que tu tío es un gran hombre —comentó Kamal.

—Sí. Ha sufrido mucho él también. Abandonó Italia después de que su padre se suicidara al perderlo todo a causa del juego. Los Visconti pertenecían a la nobleza, ¿sabes? Eran propietarios de un castillo que les había pertenecido por siglos. Villa Visconti lo llamaban. Mi tío tiene un óleo en su oficina y nunca se cansa de contemplarlo. Se pone muy triste recordando su patria y su adorada villa. Algún día me gustaría conocerla; en realidad, me gustaría conocerla junto a él.

—¿Por qué te fuiste de Córdoba? —quiso saber Kamal tras un silencio.

—Por cobarde. Me fui para no volver a ver a Aldo Martínez Olazábal. Había prometido que nos casaríamos, pero me engañó. Su familia es de las más ricas de Córdoba, pertenece a la clase alta, lo consideran una persona muy respetable. Yo, en cambio, soy la hija de la cocinera.

La fluidez y seguridad de su confesión la tomaron por sorpresa y, complacida de referirse a su pasado sin que esto le causara pena alguna, prosiguió:

—Me dejó para casarse con una de su clase. Sé que no la ama pero, en fin, ésa fue su decisión. La vida es un continuo optar. Algunas veces acertamos, otras veces nos equivocamos. Yo creo que sea cual sea la decisión, errada o acertada, debe salir del corazón, del propio convencimiento y no como consecuencia del miedo. En realidad, ahí está la verdadera valentía, ¿no te parece?

—Me parece que eres la mujer más valiente que conocí. Eres pura, transparente y estás llena de valor. Eso es lo que me lo dicen tus ojos. Jamás podrás ocultarme lo que ellos dicen, te delatan, mi vida. Tú eres la valiente, porque decidiste alejarte de ese hombre para dejar de sufrir. Huir para dejar de sufrir no es de cobardes sino de valientes. Abandonar todo lo que nos resulta familiar y conocido en busca de la paz y la armonía es una sabia decisión.

—Los días vividos junto a ti, Kamal Al-Saud, están siendo los más felices de mi existencia.

CAPÍTULO XV

Al enterarse del compromiso de Francesca con Al-Saud, Sara se enojó con ella.

—¡Caerán rayos del cielo! —prorrumpió.

—Ya sé que será difícil —aceptó la joven—. Para ellos soy una infiel y no me aceptarán fácilmente, pero tendrán que acostumbrarse porque voy a casarme con él.

Sara tomó asiento en el borde de la cama y la contempló serenamente; la mirada se le había dulcificado y ya no fruncía el entrecejo.

—¿Tienes idea de con quién vas a casarte? —preguntó finalmente, y ante el silencio desconcertado de Francesca, continuó—: Eres tan inocente y estás tan al margen de las cosas que por eso no temes tanto como yo a Kamal Al-Saud. Él será el próximo rey de los árabes —expresó Sara con solemnidad.

—¿El próximo rey?

—En estos días, Arabia vive una de sus crisis más graves, y todo a causa de los malos manejos del rey Saud. En el 58 se vivió algo similar. Hay quienes dicen que la familia Al-Saud estuvo a punto de quebrar, y si no lo hizo fue por la intervención del príncipe Kamal que, nombrado primer ministro, tomó el control del reino y lo sacó a flote. En el 60, y pese a los ruegos de tíos y demás hermanos, el príncipe Kamal renunció a su cargo de primer ministro por graves diferencias con el rey, y desde ese momento los problemas regresaron y se agravaron.

—¿Cómo sabes tú todo esto? —preguntó, abismada a la realidad de lo poco que conocía a Kamal.

—En su momento —explicó Sara— se lo escuché decir a mi anterior patrón, muy relacionado con la familia real.

Se había entregado por completo a él ignorando prácticamente su pasado. No se arrepentía, pero admitía que la inquietaba no saber; habría preferido que fuera el propio Kamal quien la informara de sus problemas y no una empleada de la embajada. En definitiva, lo único que conocía era su actividad en la finca de Jeddah. La historia de intrigas palaciegas que Sara le contaba le resultaba ajena e increíble; no obstante, coincidía con detalles anteriormente pasados por alto. Recordó la lacónica confesión de Kamal acerca de su hermano Saud, y los dichos de Sara cobraron valor: «No estamos muy de acuerdo en algunas cuestiones de política y administración del reino; eso nos ha distanciado un poco».

—Kasem dice que este viaje a Washington del príncipe Kamal es para hacerse con el apoyo de los norteamericanos en caso de convertirse en rey. Y seguro lo conseguirá —manifestó Sara— pues cuenta con el apoyo de toda la familia, que ya no soporta el comportamiento del rey Saud. Esta ciudad se convertirá en un polvorín a punto de estallar, porque no creo que el rey se haga a un lado sin presentar batalla. ¿Tienes idea del dinero que está en juego? Miles de millones de dólares, querida. Y por miles de millones de dólares hasta se puede llegar a matar.

—¡Qué dices, Sara! —se escandalizó Francesca—. ¿Quieres decir que la vida de Kamal está en juego?

Habían pasado tres semanas desde el regreso de Jeddah, y Al-Saud aún continuaba en el extranjero. La llamaba a menudo y le enviaba costosos arreglos florales, pero a ella no le resultaba suficiente: lo quería a él. Cada mañana se levantaba con la esperanza de verlo aparecer, pero los días se sucedían con una lentitud exasperante, y Kamal no se presentaba. Por teléfono, lo notaba preocupado y distante; perdía la mitad de la llamada insistiendo en que sólo debía dejar la embajada si era absolutamente indispensable y que no lo hiciera sin la compañía de Abenabó y Káder. Francesca, que esperaba su llamado para decirle que lo amaba, que lo necesitaba, se limitaba a preguntarle si le sucedía algo, si se sentía bien, si tenía algún problema; él se excusaba en el cansancio.

La tensión de las reuniones, donde arreglos y entendimientos con autoridades del gobierno norteamericano ponían en juego, quizá, el futuro del reino árabe, lo había devuelto a la pesadilla de la realidad; el contraste con los días vividos junto a Francesca en la finca de Jeddah y en el oasis aumentaba sus pocas ganas de estar en Washington. Pero ése era su destino: salvar de la destrucción lo que su padre había levantado con voluntad y denuedo, arriesgando su vida en tantas batallas libradas, algunas contra ejércitos armados, otras en mesas de negociación donde las primeras potencias del mundo siempre habían presidido hierática e inflexiblemente. Ahora, en medio del caos financiero, debía apelar a ellas nuevamente, consciente de sus múltiples debilidades y de su única fortaleza, el petróleo. De todos modos, la capacidad de negociación que le otorgaba se volvía nula si no manejaba con sagacidad las circunstancias adversas y potenciaba los puntos a favor. Arabia necesitaba a Estados Unidos, pero Estados Unidos no necesitaba a Arabia en la misma medida.

Estados Unidos, que después de la Segunda Guerra Mundial ostentaba la hegemonía del planeta, se presentaba como su principal socio, inexorablemente poderoso e indiscutiblemente relacionado con los asuntos de Medio Oriente, en especial con Irán, tras haber sofocado en 1953 la primera revolución socialista con Mossadegh a la cabeza y de haber restituido a Reza Pahlevi con todos los honores de un sha de la antigua Persia. También tenía en el bolsillo a la Libia del rey Idris, seguro proveedor de petróleo de la más alta calidad. Por lo tanto, Estados Unidos tenía dos fuentes de hidrocarburos asegurada. Kamal debía negociar con cautela.

Con el recuerdo de la histórica entrevista del rey Abdul Aziz con el presidente Roosevelt a bordo del *Quincy* en el mar Rojo, Kamal reintentaría la alianza con los americanos, que le supondría abrir las puertas estratégicas cerradas tiempo atrás a Saud, fundamentalmente a causa de la creación de la OPEP. Bien sabía él que la creación del cártel del petróleo había constituido la respuesta justa a la arbitraria baja del precio fijado, más conocido como *posted price,* en 1960 por parte de la Esso, comportamiento que sin esperar imitaron las demás compañías, violando así un trato que los regía desde principios de siglo y que regulaba los cánones para los países productores, ya miserables, por cierto. La injusta situación, sin embargo, debía medirse con calma, pues el poder que da el manejo de los recursos financieros, de la tecnología y de la información continuaban en manos de ellos, los occidentales: esto era lo que Kamal entendía y que Saud se negaba a ver.

El petróleo, abundante en el desierto árabe, de excelente calidad y fácil obtención, sangre vital que surca las venas de la industria y que le da vida, se volvería inútil como la arena si se optaba por la actitud errada, es decir, aquella que los enfrentara con el verdadero amo del mundo. Necesitaba a los yanquis para asegurarse el crédito y las inversiones que sacarían a Arabia del atolladero. Sin recursos financieros ni industrias, el reino continuaría siendo un país de pacotilla, con automóviles importados y *jets* ultramodernos hasta que el petróleo se acabara, el dinero desapareciera y volviera a ser el páramo desierto e incivilizado que había sido por siglos. La tecnología de occidente, ése era el objetivo de Kamal.

A pesar de encontrarse en desacuerdo con los manejos políticos y la ideología del líder egipcio Nasser, rescataba una frase sabia, casi profética, de su libro *Filosofía de una revolución:* «El petróleo, hermanos míos, es el nervio vital de la civilización. Sin él no habría ya medio alguno de existir». Sí, nervio vital de la civilización, pero con Irán y Libia por aliado, que entregarían buques llenos hasta el tope, la preponderancia del reino saudí perdía valor relativo.

Sin embargo, Kamal conservaba un as en la manga: la participación de Arabia en el seno de la OPEP. El cártel no llevaría adelante ningún cambio sustancial si los saudíes no lo apoyaban. Era, pues, la preponderancia de Arabia Saudí en la OPEP lo que negociaría Al-Saud con los yanquis, que significaba, en otras palabras, evitar el tan temido embargo, porque, ¿quién podía asegurar a Occidente que los socios árabes con los que contaba, que representaban a pueblos complejos, pasionales y aguerridos, respetarían el statu quo por tiempo indefinido? Hasta el mismo Reza Pahlevi no se mostraba tan dócil como en un principio, y sus palabras con motivo de la rebaja del *posted price* lo demostraban: «Aunque esta iniciativa de las compañías pudiese parecerles justificada por el estado del mercado, es absolutamente inadmisible para nosotros, ya que se ha tomado sin consultarnos y sin nuestro acuerdo». ¿Quién podía afirmar a los gobiernos americano e inglés que no volvería a surgir un Mossadegh o un Nasser? Nadie, pero Al-Saud podía garantizarles que, mientras contara con su apoyo, en la OPEP ningún miembro volvería a amenazarlos, al menos no seriamente, con el monstruo del embargo petrolero.

Camino a la Casa Blanca, donde los esperaban el secretario de Estado y el de Recursos Naturales del gobierno de Kennedy, Al-Saud y Ahmed Yamani leían los últimos estudios acerca de la capacidad petrolera de los campos de Texas. Kamal sesgó los labios con sorna al comparar los misérrimos diecisiete barriles diarios que obtenían los yanquis de sus pozos texanos en contraposición con los veinte mil que, en el mismo lapso, daban las tierras saudíes, sin contar las apabullantes diferencias de calidad.

—Esta mañana me informaron que en la reunión estarán presentes Howard Page y Harold Snow —comentó Yamani.

El primero, avezado en cuestiones de Medio Oriente, asesor del Consejo Directivo de la Esso, había sido de los pocos en advertir en el año 60 que, si se rebajaba el *posted price*, las reacciones de los países productores serían de una magnitud difícil de contener. El segundo, inglés y empleado jerarquizado de la British Petroleum, vaticinó, tras conocer la noticia de la baja en el precio del crudo, que el mundo se tambalearía. La presencia de ambos especialistas significaba un punto a favor para Al-Saud y una muestra de buena voluntad por parte de los secretarios de Kennedy.

—Con Page y Snow presentes, se nos facilitarán las cosas —manifestó Ahmed.

El chófer atendió una llamada telefónica y se lo pasó a Kamal.

—Es para usted, alteza —indicó, y le alcanzó el tubo—. Es de Nueva York, de la joyería Tiffanny's.

—Sí, él le habla. No, dije perlas de Bahrein. Cuatro vueltas. Sí, un solitario. No, todo en platino. Prefiero el más grande, el de siete *carats*. Muy bien. Hasta luego.

Kamal devolvió el teléfono al chófer y retomó la lectura. Ahmed se quedó mirándolo, sin saber cómo referirse a un tema de la vida privada de Al-Saud cuando jamás le daba cabida en ella.

—Tu madre me dijo que piensas casarte con la secretaria de Mauricio —se aventuró a decir Yamani.

—Mi madre haría bien en quedarse callada —dictaminó Kamal, sin apartarse del informe.

—¿Cuántos años tiene?

Al-Saud levantó la vista y traspasó a Ahmed con su mirada de azor.

—Veintiuno —concedió.

—Por su carácter y vivacidad pensé que tendría más.

—¿Tú también me dirás que soy un viejo para ella? —replicó con picardía—. Empiezan a aburrirme con la misma cantinela.

—Era simple curiosidad. —Después de un silencio, tomó coraje y espetó—: Es hermosa y muy atractiva, aunque occidental y cristiana. Si la haces tu mujer, la convertirás en el blanco de los ataques. Ella será tu mayor debilidad.

«Mi debilidad», repitió Al-Saud para sí, y sonrió, confundiendo a su amigo.

—Como tu amigo te lo digo —prosiguió Ahmed—, pero también como tu asesor: lo que se avecina te convierte en un miembro de la realeza saudí antes que en un hombre. Deberías quitártela de la cabeza, primero por tu bien, después por el de ella. Sabes que tu familia jamás la aceptará. La harán pedazos antes de verla casada contigo.

* * *

El aire taciturno de Dubois se había acentuado en los últimos días con motivo de las malas noticias que llegaban desde la Argentina. El agregado militar, el teniente Barrenechea, comentaba acerca del descontento de las Fuerzas Armadas, y era sabido que «el descontento» de los militares en la Argentina sólo podía significar que se avecinaba un golpe de Estado. A diario, Mauricio hablaba a la Cancillería para recabar noticias y profundizar en la situación política del gobierno de Frondizi. Las novedades, sin embargo, arribaban confusamente y parecían más chismes que versiones de un organismo oficial. La verdad era que nadie sabía con certeza lo que acaecería.

En medio del nerviosismo y la desorientación que se vivía en la embajada, Francesca supo que esperaba un hijo. Las náuseas y mareos diurnos, el inexplicable cansancio durante la jornada y la alteración de su estado de ánimo preanunciaron lo que, días después, le confirmó el retraso de la regla. Sentía una felicidad que no sabía si debía permitirse, pues un hijo de Al-Saud complicaría aún más su ya intrincada relación. Temía que el propio Kamal tomara a mal la noticia, que le recriminase la falta de cuidado y prevención. De igual modo, se sentía feliz y no deseaba resistirse a esa felicidad. Le resultaba un milagro que un ser minúsculo y frágil creciese en sus entrañas, una criaturita nacida del amor entre ella y Al-Saud.

En contra de todas las suposiciones, Sara vivió el embarazo de Francesca como si se tratase de su propio nieto. La colmaba de cuidados, atenciones y consejos; la obligaba a comer carne de cordero en el almuerzo y en la cena, y a beber un litro de leche de cabra por día; le preparaba un tónico nauseabundo para evitar que se le destruyera la dentadura y que los huesos se le hicieran polvo; le masajeaba las piernas con un mejunje de miel y limón que mantenía las venas a raya y propiciaba la buena circulación. «Sería un pecado que en unas piernas como éstas te salieran varices», decía. Francesca la dejaba hacer, porque, en medio de tanta incertidumbre y soledad, Sara le recordaba a su madre.

A menudo pensaba en Antonina y en Fredo y, pese a mantener una correspondencia fluida con ellos, no había encontrado la forma de comunicarles semejante noticia. En verdad, no temía la reacción de Fredo, abierto y liberal como era, sino la de su madre, tan arraigada a las costumbres y ritos cristianos. Por fin, tomó coraje y les escribió para confesarles que se casaría con Al-Saud.

Además de los cuidados, Sara resultaba excelente compañía cuando terminaba la jornada de trabajo. Le gustaba escucharla hablar pues sabía mucho acerca de las costumbres árabes. Una tarde Francesca le preguntó por qué, si en un principio había estado tan enojada y disconforme, ahora se mostraba contenta y predispuesta.

—Ahora es distinto —aseguró la mujer—, llevas a su hijo en el vientre. Los árabes son ladinos y brutales, pero se les amansa el corazón cuando de un hijo se trata. A causa de este bebé, el príncipe Kamal jamás te abandonará.

Le contó acerca de la costumbre islámica de circuncidar, y le aclaró que, a diferencia de los hebreos, que la practican a los recién nacidos, los árabes lo hacen a la edad de ocho años y con festejos que llegan a durar tres días. Francesca no sabía que los musulmanes se circuncidaban y Sara encontró muy graciosa su ignorancia cuando había concebido un hijo con uno de ellos.

—Las de tu raza ven muy sugerente acostarse con un circuncidado; dicen que gozan más. —Luego, dejó de reír y sentenció—: Él te desvirgó, por eso te hace su esposa; si no hubieses sido virgen, jamás te desposaría.

A Francesca le costaba pensar en un Kamal tan obtuso y medieval; sin embargo, no se animaba a desechar de raíz los comentarios de Sara cuando a ella misma la habían asaltado dudas acerca de la naturaleza de las creencias y pensamientos de su amante. No dudaba de su amor, de eso estaba segura; no obstante, sus silencios, sus miradas inextricables, los secretos que le escondía, la apabullante realidad de que, sobre todo, era árabe, la enfrentaban a la verdadera índole de Kamal, un hombre más bien duro e insensible, aunque pasional y mundano, a veces fogoso como el desierto, frío en ocasiones, al igual que sus noches de cielo despejado y luna llena, como si la característica climática de la tierra en la que había nacido le hubiese moldeado el espíritu a su imagen y semejanza, calentándole la sangre con la misma facilidad que se la enfriaba.

Sara aumentó sus dudas e inquietudes al recordarle la calidad de polígamos de los árabes, que, según indicó, podían desposar hasta a cuatro mujeres. Recitó de memoria el párrafo del sura que habla acerca del matrimonio: «No os caséis más que con dos, tres o cuatro mujeres. Elegid las que os agraden. Si no podéis mantenerlas debidamente, no escojáis más que una, o contentaos con vuestras esclavas». El párrafo le resultó de tal palmaria insolencia y desvergüenza que permaneció afligida el resto del día.

Una tarde, la última de marzo, Sara y Francesca conversaban en la cocina de la embajada cuando Malik se presentó con un telegrama.

—Es para usted, señorita —dijo, en ese tono de fingido respeto que a Francesca fastidiaba tanto.

—No me gusta Malik —dictaminó Sara, una vez que el chófer hubo salido—. No me gusta cómo te mira. Es callado y tranquilo, pero no debemos engañarnos: es resentido y malicioso. Fue él quien nos vino con el cuento de tu relación con el príncipe Kamal. «Lo tiene en un puño», dijo, y el gesto se le endureció de cólera. No me gusta para nada —repitió.

Francesca, ansiosa por leer el telegrama, pasó por alto el comentario y rasgó el papel deprisa.

—¡Kamal llega mañana! —exclamó.

El *jet* Lear de Kamal aterrizó en el aeropuerto de Riad a primera hora de la mañana siguiente. Antes de presentarse en el palacio del rey, donde lo aguardaban su hermano Faisal y sus tíos Abdullah y Fahd, pasó por su casa, tomó un baño y desayunó. No había pegado ojo en todo el viaje, con la mente puesta en Francesca y en las decisiones que tomaría una vez que llegase a la ciudad. Por más que sabía que los asuntos del reino ocupaban el primer lugar en las prioridades, no le agradaba la idea de retrasar la boda.

A lo largo de su vida, nunca había temido nada ni a nadie; ahora, sin embargo, experimentaba el miedo por primera vez a causa de ella; porque quizá todos tenían razón y, con la decisión de desposarla, le causaba daño. Cada noche, al regresar al hotel, mientras Ahmed Yamani contestaba llamadas telefónicas y leía la correspondencia, él se paseaba por la habitación con la ansiedad de una fiera enjaulada. Se daba una ducha fría y, luego, envuelto en su bata, se echaba en el sillón a desgranar los abalorios de su *masbaha* en busca de sosiego.

«Éste no soy yo», se decía, y no lo era desde hacía casi un año, desde aquella noche en la fiesta de la Independencia venezolana cuando sus ojos descubrieron en un rincón de la sala al ser fascinante y luminoso que arruinaría la paz de su existencia. Descollaba en medio de tanto oropel gracias a la pureza de su mirada y de su belleza. Contemplaba el boato con superioridad y, sin embargo, nada en ella lucía presuntuoso; hablaba con decisión, pese a que sus movimientos no dejaban de ser sumamente gráciles y femeninos. Y cuando la vio bailar, la habría arrancado de manos del inexperto que la conducía, que osaba tocar ese cuerpo espigado y tierno, que él ya había decidido, le pertenecía. Francesca se había vuelto su obsesión desde esa noche en adelante, y el haberla poseído no sofocaba la revolución de sentimientos y sensaciones sino que la recrudecía, pues quería más, la quería toda para él. No le gustaba el cariz que tomaba la situación, pues, por primera vez en sus treinta y seis años, dependía de alguien para vivir. Por eso se había impuesto, como una especie de cilicio alrededor del corazón, atender primero los asuntos de gobierno y luego encontrarse con ella.

Llegó al antiguo palacio del rey Abdul Aziz, que ahora Saud usaba como lugar de trabajo, pues para él y su familia había hecho construir una descomunal residencia en el barrio Malaz, el de la clase alta de Riad. El viejo palacio, con la imponencia y sobriedad de una típica fortaleza medieval, construida con adobe y piedra, pobre en ventanas y aberturas, era, sin embargo, el lugar más querido de Kamal, pletórico de recuerdos de la infancia, una etapa feliz de su vida.

Traspuso el portón rastrillo y estacionó su Jaguar cerca de la entrada principal, donde el guardia, después de una reverencia espartana, le indicó que lo esperaban en el despacho del rey. Kamal, que tenía la esperanza de no toparse con su hermano, caminó resignado por el patio embaldosado, escenario de sus juegos con Faisal y Mauricio. A la entrada del despacho, saludó con afecto a los guardaespaldas de Saud, El-Haddar y Abdel, apostados como pilares sobre las jambas de la puerta. Esclavos de la familia primero, al manumitirlos en 1953, no habían querido abandonar al rey Abdul Aziz, por quien profesaban una devoción ciega, y él los nombró sus guardaespaldas. Fieles hasta la muerte, habían demostrado arrojo en varias ocasiones: en el atentado de 1950, por ejemplo, donde El-Haddar perdió un ojo, que orgullosamente cubría con un parche negro, mientras Abdel debió luchar entre la vida y la muerte durante tres días a causa de las heridas en el estómago. Como ya no estaban para esos trotes, Saud los conservaba como chóferes o recaderos, pero siempre a su lado, pues en nadie confiaba más que en esos dos. Se decía que si se deseaba conocer o saber algo acerca del rey y de sus secretos se debía preguntar a Abdel o a El-Haddar; ahora bien, que alguno soltara prenda era harina de otro costal, pues, se aseguraba, ni las torturas más aberrantes los habrían ablandado.

Además de Saud, Kamal encontró en el despacho a su tío Abdullah, encargado de la Secretaría de Inteligencia, a su tío Fahd, ministro de Relaciones Exteriores, a su hermano Faisal, secretario de Estado, al ministro del Petróleo, el jeque Tariki, y a Jacques Méchin, que se acercó para saludarlo con sincera alegría. A poco, llegó Ahmed Yamani, que se disculpó por la demora. Conversaron de trivialidades sin prisa y, aunque parecían relajados, ninguno pasaba por alto la tensión reinante desde la llegada de Kamal, como si junto a él, hubiese entrado un aire gélido y una sombra lúgubre. Abdullah, hermano dilecto de Abdul Aziz, su mano derecha junto a Méchin, tomó la palabra y explicó las medidas financieras propuestas por el rey.

—Antes de que llegaras, Kamal, Saud nos mostraba su plan programado de gastos hasta fin de año. —Y le pasó un informe, que Kamal hojeó.

—En la última parte —indicó Tariki— está la proyección de los ingresos con los que haremos frente a los gastos. Como verás, deberemos bajar las pensiones de la familia, pues las condiciones...

—Los recursos están sobrevalorados —interrumpió Kamal, y se produjo un silencio de muerte.

—¿Por qué lo dices? —se apresuró a intervenir Méchin.

Kamal disertó acerca de las condiciones de mercado: del *posted price,* de la tasa de interés del crédito internacional, que, por cierto, sería más alta que la prevista en el informe, de la superproducción petrolera rusa, que si bien no tenía la calidad del carburante árabe, muchas compañías lo tomarían por bueno, del nivel inflacionario, del sistema monetario y de la realidad política, nada favorable para los países integrantes del cártel. Por último, aseguró que los recursos serían un treinta por ciento menos que lo estimado y que el déficit ascendería a varios millones de dólares, sin contar el que arrastraban del año anterior, a duras penas cubierto con anticipos del pago del petróleo.

—Si es cierto lo que dices —habló Saud— volveremos a endeudarnos para cubrir el déficit, pues ya no se pueden bajar los gastos más de lo que lo hemos hecho.

—¿Y a quién le pedirás el dinero? —preguntó Kamal.

—A los bancos de siempre.

—No te lo prestarán —manifestó—. Con la creación de la OPEP te has echado encima a todo Occidente, y los bancos a los que piensas recurrir son su expresión más acendrada. Te pondrán mil excusas: que el precio del petróleo está bajo, que ya estás endeudado, que las garantías no son suficientes, y no te soltarán un dólar. Para ellos, la existencia del cártel representa una continua e inaceptable amenaza sobre el recurso energético más importante. Actuarán ahora que la OPEP es frágil y vulnerable.

—Terminarán por claudicar —se enfureció Saud—. Se arrastrarán para pedirme que les venda petróleo.

—Tú te arrastrarás —señaló Kamal, con tono tranquilo e impasible; el resto, en cambio, contuvo el aliento—. Ellos son los dueños del poder, debes entender eso, Saud.

—Pero necesitan nuestro petróleo —intentó Tariki.

—Necesitan petróleo —corrigió Kamal— y lo tienen asegurado con Irán y Libia.

—Tú no tienes ni idea —retomó Saud, presa del despecho— de los problemas que he tenido que soportar en estos años de reinado. Cuando nuestro padre murió, el reino estaba lejos de ser lo que creíamos.

—Nuestro padre —apuntó Kamal— murió en paz, pues alcanzó todo lo que se propuso y más. Recuperó las tierras que le habían arrebatado a su familia, unió las regiones de Hedjaz y de Nedjed, y fundó el reino. Consolidó su poder, y si hoy las grandes potencias del mundo nos respetan es gracias a él. Hasta los ingleses tuvieron que claudicar en sus intentos por dominarlo.

La conversación se caldeaba y los ánimos se inquietaban. Méchin decidió poner un coto al preguntar a Kamal si tenía alguna propuesta para capear la borrasca financiera en la que ya se encontraban al garete. En este punto, Ahmed Yamani sacó de su maletín varios informes y los distribuyó. Al ver el nivel bajísimo de gastos previstos, Saud y Tariki se opusieron.

—Tú eres el soberano de nuestro pueblo —aceptó Kamal—, la decisión está en tus manos. —Y con esto puso punto final a la polémica.

Fahd, que en silencio había parangonado el informe de Tariki con el de Yamani, se quitó los lentes, se puso de pie y, en un modo menos diplomático y conciliador que el de su hermano Abdullah, se dirigió a su sobrino el rey:

—La familia quiere que Kamal vuelva a ocuparse de los asuntos económicos y financieros como en el 58.

Las miradas escrutaron alternadamente el rostro del rey y el del inmutable príncipe.

—No es necesario —manifestó Saud—. La situación está bajo control. Este presupuesto de ingresos y gastos que preparó el ministro de Hacienda nos permitirá soportar la crisis de fondos hasta que el dinero por la venta del petróleo entre en nuestro poder. No quiero de vuelta la figura del primer ministro; sólo conseguiría poner en evidencia que tenemos problemas, y eso nos desprestigiaría en el extranjero.

—Ya estamos desprestigiados —soltó Kamal, y a Saud le tomó un momento comprender que su hermano había sido más directo de lo que pensaba.

—¿A qué te refieres? —espetó, de mal modo—. ¿Lo dices por la creación del cártel?

Tariki, verdadero mentor de la OPEP, intervino en la disputa entre los hermanos al exponer las razones que los habían abismado a la ingrata tarea de enfrentarse a las *majors*, es decir, a los monstruos petroleros ingleses y norteamericanos. Resultaba urgente aplacar los ánimos. Era plenamente consciente de que si Saud caía, lo arrastraría a él, y no tendría derecho a réplica, pues nadie en la familia dudaba quién era el cerebro que gobernaba Arabia desde hacía poco más de ocho años.

—En realidad —continuó Tariki—, la creación de la OPEP apunta a un objetivo mayor y supremo que es el de transformar los mercados de materias primas del mundo para evitar el pillaje al que nos someten los poderosos desde tiempos inmemoriales. No sólo se trata de agrupar a los países productores de carburante, sino a todos los países del Tercer Mundo que abastecen con sus *commodities* las industrias del Primer Mundo. Nos uniremos los más débiles para formar una sociedad invencible.

—¡Vaya socios que has elegido —ironizó Kamal—, los más pobres y endeudados del planeta! Cuando hablo de desprestigio me refiero a la actitud que estamos tomando frente a quien ostenta la hegemonía del mundo. Son ellos los que usan nuestro petróleo porque tienen industrias, son ellos los que nos pagan porque tienen dinero, y por estas dos razones, son ellos los que imponen las reglas. Nosotros deberíamos tirar a la basura el petróleo que con tanta facilidad encontramos en nuestras tierras si no fuera por las compañías que lo compran, pues no tenemos la tecnología siquiera para refinarlo, menos aún para usarlo; dependemos de ellos incluso para transportarlo en tubos hasta el puerto de Jeddah. Para el Primer Mundo, el hecho de que nosotros hayamos adquirido cierta notoriedad es simplemente a causa de un capricho de la Naturaleza. Nosotros sin Occidente no somos nada, y no podemos darnos el lujo de enfrentarnos a ellos.

—Pareces un secuaz de las compañías petroleras —expresó Saud, y se puso de pie—. Veo que la mujer cristiana con la que andas ha terminado por trastornarte de tal modo que eres capaz de traicionar a tu propia sangre.

El ambiente se tornó inmanejable, los gestos se tensaron y las miradas apuntaron al suelo. Kamal recogió sus papeles y los guardó en su portafolio con calma y sin apuro. Luego levantó la mirada imperturbable y la clavó en la de su hermano.

—No deberías haber dicho eso —manifestó.

Abandonó el despacho con la seguridad que le daba saber que Saud no lograría controlar los gastos y que los bancos no le prestarían un centavo para financiarlos. Se ahogaría, y él lo vería perecer sin tenderle la mano.

Fahd y Abdullah echaron un vistazo de reproche a su sobrino el rey antes de seguir a Kamal, escoltados por Yamani, Faisal y Méchin. La habitación se sumió en un mutismo que revelaba a gritos el desconcierto, el nerviosismo y la indecisión de los que permanecieron. Saud comenzó a tamborilear los dedos sobre el escritorio, mientras Tariki lo miraba con aire admonitorio.

—Lo mandaré matar —dijo por fin el rey.

—No harás nada de eso —ordenó Tariki—. Si lo mandas matar, terminarás por cavarte tu propia fosa, pues todo apuntará a ti. En este momento, en Medio Oriente, ningún grupo de poder ganaría nada asesinándolo y, por el lado de Occidente, ningún gobierno enviaría sus fuerzas secretas a eliminarlo cuando es su niño mimado y futuro aliado. Por ende, quedarías tú como su único y posible verdugo. ¿Por qué crees que pasó casi un mes entre Washington y Nueva York? Si quieres deshacerte de Kamal tendrás que pensar en otra cosa, deberás buscarle un punto débil, un talón de Aquiles, y golpear duro y sin piedad. ¿Qué hay de esa cristiana que mencionaste? ¿Qué se sabe en concreto respecto a ella?

Saud mandó a llamar a sus guardaespaldas, El-Haddar y Abdel, y les ordenó que se contactaran con Malik, su espía en la embajada argentina.

En la otra ala del palacio, el grupo que había abandonado el despacho del rey se congregaba en la oficina de Abdullah. Después del exabrupto de Saud, ninguno había vuelto a abrir la boca y, mientras cavilaban acerca de las circunstancias y sus consecuencias, bebían un café espeso y caliente, y sobaban cuentas multicolores.

—No hablaré aquí —dijo Kamal súbitamente—. Este lugar debe de estar infestado de micrófonos.

—Quédate tranquilo —pidió Abdullah—. Hago revisar la oficina cada mañana antes de comenzar a trabajar.

Faisal preguntó a Kamal acerca de su viaje a Norteamérica, y de inmediato se dedicaron a los temas de Estado. Ninguno mencionó la acotación zafia y extemporánea de Saud, pero a todos les rondaba en la cabeza la misma certera idea: que tenía los días contados como rey. Sus extravagancias y comportamiento licencioso, para nada de acuerdo con los dogmas islámicos acerca de la templanza del espíritu, habían acabado por hartar a la familia, que desde un principio había notado la escasa capacidad organizativa y la falta de carisma del sucesor de Abdul Aziz. Faisal, que sostenía el inmediato retorno al Corán como único medio para recuperar la antigua grandeza, era el más interesado en poner fin al escandaloso reinado de su hermano mayor, y presionó a Kamal una vez más para que tomase a su cargo el puesto de primer ministro sin pérdida de tiempo.

—No lo haré, Faisal —aseveró Kamal—. No aceptaré el puesto de primer ministro mientras no cuente con la garantía de que seré amo y señor en las cuestiones económicas y financieras. Quiero libre albedrío en los Ministerios de Economía y del Petróleo, y no toleraré a Saud metiendo sus narices y cuestionándolo todo. No viviré de nuevo lo del 58.

Se discutió durante más de una hora. Por último, Kamal resumió ideas y asignó encargos. Cuando cada uno supo lo que debía hacer y luego de fijar la fecha de la próxima reunión, se despidieron. Era casi mediodía.

—No te vayas aún —pidió Abdullah a Kamal—. Necesito hablar contigo.

Pensó interponer una excusa, pero desistió al ver en la mueca de su tío el rostro tan querido de su padre. Después de la muerte de Abdul Aziz nueve años atrás, Abdullah se había convertido en su guía y consejero. Sin duda, se había tratado de uno de los soldados más valientes con que había contado Abdul Aziz para llevar a cabo el proyecto de unificación de la península. Intrépido y arrogante en la guerra, mostraba, sin embargo, una faceta completamente distinta en tiempos de paz, y la mesura de su carácter se condecía con la sabiduría de sus razonamientos. Era muy consultado entre los miembros de la numerosa familia saudí. Se recurría a él para solucionar problemas de diversa índole, desde una designación en el gobierno hasta el nombre de un bebé.

—Tu madre ha venido a verme la semana pasada —empezó Abdullah—. Se trata del asunto con la muchacha argentina.

Kamal abandonó el sillón y se paseó por la habitación.

—Yo interpuse que seguro se trataba de otra de tus aventuras, pero ella dice que esta vez es distinto, que deseas casarte con ella. ¿Es cierto eso?

—Sí, es cierto.

—Kamal, se trata de una cristiana.

—Discúlpame, tío, no discutiré contigo ni con mi madre ni con nadie acerca de mi vida privada.

—Tu vida ya no es privada desde el momento en que la familia está pensando en ti como futuro rey.

Se miraron a los ojos, se midieron, trataron de esgrimir argumentos para convencerse mutuamente, y, por último, desistieron. Kamal tomó sus cosas, saludó con la típica venia oriental y se dispuso a abandonar el despacho.

—Aguarda un minuto —intentó Abdullah—. ¿Has pensado en el infierno que vivirá esa muchacha a tu lado en medio de una familia hostil, sujeta a costumbres para las que no está ni remotamente preparada?

—Lo único que sé —manifestó Kamal, luego de una reflexión— es que mi vida sería un infierno si ella no estuviese a mi lado.

—Eres un egoísta.

—Puede ser.

Abenabó y Káder condujeron a Francesca al departamento de Kamal en el barrio Malaz, lugar que presentaba cierto riesgo, pues la familia Al-Saud en pleno habitaba allí; sin embargo, a la hora de la siesta no se encontraba un alma en la calle. Alrededor de las dos y media, el automóvil se detuvo frente a un pequeño pero elegante edificio, y Káder acompañó a Francesca, envuelta por completo en la *abaaya,* al segundo piso. Sin necesidad de llamar, Al-Saud le abrió.

—Hola —dijo Francesca.

—Hola —respondió él, y la hizo entrar.

Impartió órdenes a Káder, que permaneció de guardia en el palier de recepción de la planta baja. La guió a la sala principal en silencio, donde la desembarazó de la túnica, la chaqueta y el bolso. Se detuvo frente a ella y la acarició con la mirada, una mirada sin visos de lubricidad, mansa y sosegada, que sorprendió a Francesca. Kamal estiró el brazo y le pasó los dedos por la mejilla.

—Todos dicen que te hago daño atándote a mi suerte.

—Hazme daño, entonces —dijo ella, y le sonrió movida por la simple felicidad de tenerlo enfrente, y su sonrisa derritió la temperancia de Al-Saud, que la apretujó entre sus brazos y le besó la coronilla, la frente, los ojos húmedos, las mejillas, hasta que sus labios encontraron los de ella, cálidos y anhelantes.

—¡Pequeña! ¡Pequeña mía! —repetía Kamal, mientras la despojaba de la ropa.

Volvieron a amarse con la pasión de los días compartidos en Jeddah y en el oasis. Momentos después, se recuperaban dentro de la bañera, con el agua espumosa hasta el cuello, Francesca recostada sobre el pecho de Kamal. A veces se adormecían y, cuando se despertaban, hablaban en voz apenas susurrada. Kamal la besaba suavemente, jugueteaba con su pelo húmedo y la recorría desde el contorno de la cintura hasta la voluptuosidad de sus pechos.

—¿Cuántas mujeres tuvo tu padre? —quiso saber Francesca.

—Muchas.

—¿Más de cuatro como ordena el Corán?

—¿Has estado leyendo el Corán?

—No. Sara, el ama de llaves de la embajada, me recitó ese sura. También me dijo que a ustedes los circuncidan cuando tienen ocho años. ¿Puedo ver?

Kamal rió con ganas y le mostró.

—Yo no sabía que estabas circuncidado.

—Eso me complace —expresó él.

—¿Qué te complace?

—Que yo haya sido y sea el único en tu vida.

—Sí, lo eres —aseguró la muchacha, y volvió preguntar—: ¿Cuántas mujeres tuvo tu padre?

Kamal rió de nuevo. Al notar cierta burla en su risa, Francesca se enfurruñó.

—¿Por qué ríes?

—Porque me resulta divertido verte escandalizada. Tengo que reconocer que mi padre parecía querer poblar el reino sólo con su descendencia. Incluso tuvo hijos con algunas de sus esclavas. Un verdadero semental el viejo.

—¡*Mamma mia*!

—Y a ti, ¿qué cosa te salta en mente? ¿Que yo voy a tener muchas mujeres porque mi padre las tuvo o porque el Corán lo permite? Debes entender que, en este sentido, nos guían los mismos criterios que a cualquier hombre occidental. Aquel árabe que encuentra a una mujer que quiere y con la cual se halla en plenitud, seguramente no siente necesidad de contraer matrimonio con otra. ¿Tienes idea de cuántos europeos conozco que mantienen por años a dos mujeres, la esposa y la amante? Cuando no se trata de varias amantes a la vez. Lo de los occidentales es una poligamia encubierta y, me atrevería a decir, socialmente aceptada. Cuantas más mujeres, más viriles. Lo que ocurre es que los occidentales cambian el sentido a las palabras y confunden las cosas; hacen promesas y no las respetan. ¿O acaso no juran frente al altar fidelidad hasta que la muerte los separe?

Kamal la dejó callada y meditabunda. Le vino a la mente el amor furtivo entre el señor Esteban y Rosalía, y se acordó también de ella misma, aquella noche, la noche en que Aldo Martínez Olazábal llamó a su ventana y que, oculta en las penumbras del parque, casi sucumbe a su deseo. Estos recuerdos, sumados a la concisión del razonamiento de Kamal, le devolvieron la tranquilidad perdida la tarde que Sara le recitó el sura coránico. Entonces, hizo un agujero en la espuma y apoyó las manos de él sobre su vientre.

—Vamos a tener un bebé —dijo, y se giró para ver la reacción de su amante.

Al-Saud perdió el color cetrino de las mejillas y él, que nunca distraía la mirada, por un momento fue reflejo del desconcierto y la sorpresa.

—¿Qué te sucede? ¿Acaso no te complace la idea de ser papá?

Kamal no habló, prendado del contraste de su mano oscura sobre el vientre níveo de Francesca.

—Alá sea loado —musitó después, con la voz quebrada—. Un hijo mío creciendo dentro de ti. Un hijo mío dentro de ti —repitió—. ¿Por qué no me lo dijiste en cuanto llegaste? No te habría tocado. ¿Y si lo hemos dañado? He sido muy brusco contigo. ¡Lo hicimos en el piso! ¡Y en realidad fui una bestia! —se alteró, y Francesca encontró muy divertida su preocupación—. No te rías, no seas inconsciente. Salgamos de la bañera. Iremos a ver al doctor Al-Zaki. ¿No sientes dolores? ¿No tienes contracciones?

—¡Kamal, por amor de Dios! —se sorprendió Francesca—. ¡Tranquilízate! Tu hijo y yo estamos en perfectas condiciones. Y ni se te ocurra dejar de hacerme el amor porque estoy embarazada. No seas ignorante, eso no le hace daño al bebé. Me siento muy bien, salvo algunas descomposturas matinales.

—¿Descomposturas matinales?

—Las habituales, las que sufre cualquier mujer embarazada durante los primeros meses.

—No me importa, quiero que Al-Zaki te vea. Él se ocupa de los nacimientos de mi familia. Vamos.

Salieron de la bañera. Kamal la envolvió en una toalla y la cargó hasta el dormitorio como si se tratase de una inválida. La depositó en el lecho y se arrodilló junto la cabecera. Parecía haber recobrado la mesura y, mientras le sonreía y le despejaba la frente de los mechones, la contemplaba con una ternura que la emocionó.

—Te amo tanto —susurró Francesca—. Tenía miedo de que no lo quisieras.

—Cómo se te ocurre. Nuestro hijo es lo más grande que Alá me ha dado. —Le besó el vientre y descansó su mejilla sobre él—. Para mí, tú y el bebé son la razón que tengo para existir.

Francesca se reprochó la desconfianza y se preguntó qué la llevaba a atribularse con interrogantes vanos cuando sabía que Al-Saud era un buen hombre. ¿Por qué, después de todo lo vivido, aún sentía escrúpulos respecto a él? Lo observó mientras se cambiaba, serio y adusto como de costumbre, la mente afanada en vaya a saber qué cosa, inmerso en un mundo arcano al cual ella no accedía.

—En tres días parto hacia Ginebra —informó Kamal—. Se trata de un viaje corto; en menos de una semana estaré de regreso y comenzaremos con los preparativos de la boda. Ahora que mi hijo viene en camino, no hay razón para esperar.

—Otro viaje —se desazonó Francesca—. Otra vez sola.

—Los días pasarán como un suspiro.

—Cómo pueden pasar como un suspiro si prácticamente no tengo permitido salir al parque de la embajada. Abenabó y Káder no quieren llevarme al zoco de compras. Me paso el día entero encerrada en mi oficina, en la del embajador o en la cocina.

—Y así seguirá siendo —dictaminó Al-Saud, con dureza—. Abenabó y Káder cumplen órdenes mías. No quiero que te expongas, menos aún si yo no estoy en la ciudad. —Y ante la aflicción de la joven, Kamal se ablandó—: Escúchame, mi amor, éste no es un momento fácil para mí; existen cuestiones importantes que debo resolver antes de poder estar completamente tranquilo. Te pido que me comprendas y obedezcas. ¿Cómo podría seguir viviendo si algo te ocurriese, a ti o a nuestro bebé? No me lo perdonaría.

—¿Qué puede ocurrirme?

—Tú no debes preocuparte. Debes vivir tranquila, cuidarte y alimentarte para que nuestro bebé sea sano y fuerte como su padre. Le diré a Jacques que te visite a diario; sé que te gustaba conversar con él en otro tiempo. —Tomó perspectiva y, tras dirigirle una mirada estricta, le dijo—: Te noto más delgada. ¿Acaso no estás comiendo bien?

—No soporto nada en el estómago, vomito casi todo. Al principio, no toleraba el olor a leche; ahora, me ha dado también con la carne y el perfume que usa Mauricio. No tienes idea de las peripecias que hago para verlo lo mínimo e indispensable.

—No le has dicho que estás embarazada, ¿verdad?

—No, pensé que tú querrías hacerlo. Sólo Sara lo sabe.

—¿Cómo está Mauricio?

—Muy preocupado; las noticias que llegan de la Argentina hacen prever que el golpe de Estado es inminente. Si los militares toman el poder, ¿Mauricio tendrá que renunciar al cargo de embajador?

—No si puedo evitarlo. Con respecto a lo del embarazo, por el momento que nadie se entere.

Kamal se acercó a la mesa de noche y extrajo del cajón un primoroso estuche de terciopelo azul y se lo entregó. Francesca lo abrió con manos trepidantes y descubrió una gargantilla de cuatro vueltas de perlas que Kamal le colocó alrededor del cuello.

—Son perlas del archipiélago de Bahrein, las mejores que existen. Lo mejor del mundo para ti, Francesca —y le besó el cuello.

La joven levantó la vista y le sonrió para ocultar un mal pensamiento, pues su madre siempre decía que las perlas traían lágrimas.

CAPÍTULO XVI

La última tarde de abril Francesca la pasó llorando después de hablar por teléfono con su madre. Antonina le espetó las palabras como si quisiera que la atravesaran. Entre otras expresiones, manifestó que la idea de que su única hija se uniera en matrimonio a un musulmán le revolvía las tripas. Antonina terminó por soltar el auricular y Fredo lo tomó en el aire.

—Tu madre está muy enojada ahora, pero verás que con el tiempo se acostumbrará a la idea. Yo la convenceré.

Francesca sabía que no sería así: Antonina jamás aceptaría a un islámico por yerno. «¿Por qué tanto problema? ¿Qué interesa la religión si nuestro amor es verdadero y puro?». A nadie parecía importarle lo que para ella resultaba esencial, ni a su familia ni a la de Kamal. Siguió llorando, y en las lágrimas se confundieron el dolor por la hostilidad de su madre y la angustia por la ausencia de Kamal, que le había prometido un viaje de días que terminó por convertirse en uno de semanas. Se preguntó si siempre sería igual, si se pasaría la vida esperándolo. Al rato llamó Sofía, enterada de la boda por Fredo. «Llamala», le había dicho, «le va a hacer bien». Escuchar la voz de su amiga después de tanto tiempo le levantó el ánimo. Sofía no mencionó a Aldo, en parte por prudencia, en parte porque el tema de la boda de su amiga con un príncipe saudí le resultaba más interesante que la lúgubre existencia de su hermano y, en su ansiedad por conocer los pormenores, casi no daba tiempo a contestar.

Tras el período en Ginebra, enredado en cuestiones de la OPEP y del petróleo, Al-Saud viajó a París, donde asuntos de sus empresas particulares lo reclamaban urgentemente. Con anhelo adolescente, esperaba la hora del día para comunicarse con Francesca y preguntarle por su hijo. Inusualmente locuaz, le recontaba lo que le había comprado al bebé: alguna prenda del ajuar, la cuna y el moisés también, y juguetes, tantos que ya no sabía dónde ponerlos, y un cochecito para llevarlo de paseo, y una cadena y una medalla de oro iguales a las que su padre le había regalado a él cuando nació, un andador para cuando comenzara a dar los primeros pasitos. Francesca escuchaba el listado interminable con paciencia, luego preguntaba: «¿Cuándo regresas?» y Kamal le respondía invariablemente: «Dentro de poco». Esa tarde, sin embargo, Kamal llamó para decirle que volvía al día siguiente.

Por la noche, cerca de las diez, se sentó a responder la carta de Marina donde le confirmaba lo de su boda y lo del embarazo. Sara entró en la recámara con su habitual sigilo y paso cansino, y le apoyó la mano sobre el vientre.

—¿Cómo te sientes? —susurró, para no alterar la paz reinante.

—Mejor ahora que Kamal regresa. Aunque estoy tan ansiosa que no pegaré un ojo en toda la noche.

—Eso no es bueno para el bebé —dictaminó la argelina—. Te prepararé una manzanilla para relajarte.

Sara marchó hacia la cocina y, al entrar, se topó con Malik sentado a la mesa. Lo miró de reojo y pasó a su lado sin hablarle. Ella sabía que Malik, como fanático de los preceptos *wahabitas,* llevaba una existencia de asceta: abominaba el lujo y los excesos, comía frugalmente, no fumaba, no bebía, no apostaba, odiaba la música y la danza, cumplía a rajatabla las cinco oraciones diarias y el mes de Ramadán, peregrinaba seguido a La Meca y resultaba común encontrarlo en su dormitorio meditando de rodillas sobre el suelo en actitud de faquir. Hacía manifiesto que aborrecía todo aquello que provenía de Occidente, en especial a las mujeres, a quienes llamaba «concubinas del demonio», impertinentes con aires de libertad, tentadoras con sus cuerpos casi desnudos, llamativas con sus rostros excesivamente maquillados, embriagadoras con los vahos agobiantes de sus perfumes, e irreverentes al desplegar esa voluptuosidad para caminar y hablar.

—Buenas noches, Sara —dijo, con inusual buen humor, aunque no pasó inadvertido a la argelina que se hallaba inquieto—. ¿Qué haces?

Sara le echó otro vistazo receloso antes de contestarle.

—Preparo un té para Francesca.

Malik se puso de pie y caminó sin rumbo por la cocina. Se estregaba las manos y se mordía el labio inferior. Detuvo repentinamente su andar y permaneció quieto como estatua cuando escuchó el borboteo del líquido en la taza.

—Te está llamando Kasem —le dijo a Sara de manera enérgica—. Anda, Sara, ve, te llama Kasem —acució Malik, y la mujer dejó la cocina.

—Alá sea bendito por esta oportunidad —exclamó el hombre entre dientes, al tiempo que tomaba del bolsillo una ampolla color caramelo. La tarde entera había elucubrado una idea y en ese momento, que todo parecía en vano, la ocasión se presentaba ante él. Rompió por el cuello la botellita de vidrio, vació el contenido en el té de camomila y lo revolvió. Juntó los restos de la ampolla, los guardó nuevamente en el bolsillo y echó un vistazo a su alrededor antes de abandonar la cocina por la puerta trasera.

Sara, desconcertada al ver que nada quería Kasem de ella, se detuvo a la entrada al comprobar que Malik había desaparecido.

—Hombre idiota —masculló la mujer, y volvió a la manzanilla, que azucaró antes de llevársela a Francesca—. Bébelo todo, querida; te hará dormir.

Francesca terminó la carta de Marina y, mientras aguardaba que la camomila se entibiara, se desvistió y se puso el camisón y el *déshabillé*. Volvió al tocador, donde comenzó una misiva para su madre. «Si supieras lo feliz que soy...» escribió en la primera línea, y sorbió un trago de té que sabía más amargo que de costumbre. «Tal vez Sara dejó reposar las hebras demasiado tiempo», supuso, y continuó escribiendo y bebiendo.

Las letras comenzaron a desdibujarse ante sus ojos. Se dio cuenta de que hacía un esfuerzo para no bajar los párpados. Los brazos le pesaron y, como sin vida, cayeron a los costados de su cuerpo. Un cosquilleo le recorrió las piernas hasta la punta de los dedos, y supo que no habría podido ponerse de pie. Trató de dominar aquel sopor que la gobernaba, pero tenía los músculos desmadejados y el entendimiento agotado. Su mano dejó escapar la pluma, que, al dar contra el suelo, esparció gruesas gotas azules. Miró el ruedo del *déshabillé*, salpicado con tinta, y se inclinó para limpiarlo. Como si tuviera voluntad propia, su cabeza se echó hacia delante y arrastró a Francesca, que cayó torpemente al suelo. Tuvo la impresión de que la tragaba una garganta sin fin. Allí tendida, comenzó a sollozar, un gemido seco, casi inaudible. Experimentó una angustiante soledad antes de desvanecerse.

Malik entró en la recámara de Francesca minutos después; se había movido con cautela por la embajada, completamente a oscuras y silencioso, guiado por la seguridad que le daba conocer con precisión la cantidad de pasos a recorrer y la ubicación de los muebles. Hacía días que practicaba caminar a ciegas por el largo corredor que unía la zona de servicio con las habitaciones.

En el dormitorio encontró la cama aún tendida, el velador encendido y ningún rastro de Francesca. Avanzó sigilosamente hasta hallarla inconsciente en el suelo; la movió con el pie y comprobó que dormía un sueño profundo del cual regresaría en varias horas. La cargó como un saco y se aventuró en el corredor; ya había decidido que si escuchaba voces o ruidos, la abandonaría ahí mismo y desaparecería.

Alcanzó la puerta trasera, la que daba al patio de servicio y, antes de salir, se percató de que el guardia también durmiera. Cruzó con precaución el parque, pues si bien no corría riesgos en ese sector, la entrada principal se hallaba custodiada por Káder, el guardaespaldas de Al-Saud. A media cuadra divisó el Mercedes Benz que, le habían indicado, encontraría estacionado. Desde el interior del automóvil, alguien abrió el maletero y bajó apenas la ventanilla del lado del conductor.

—Ponla dentro del baúl —le ordenó una voz gruesa y profunda, y Malik se apresuró a cumplir el mandato—. Ahora regresa a la embajada y actúa con normalidad.

Convencido de que participaría en el secuestro, Malik palideció. Anhelaba con fervor malsano conocer personalmente los detalles del destino atroz que aguardaba a «la puta occidental», como llamaba a Francesca desde su relación con el príncipe saudí. Bien conocía él qué clase de criatura despreciable y diabólica se escondía detrás de ese biombo de oropel. Jamás lo habían confundido sus modos de niña cándida, su voz suave y su buen trato, menos aún, su apabullante hermosura. Desde el día en que la conoció, escuchó la voz de Alá que lo prevenía contra su malicia encubierta y le confiaba salvaguardar al Islam y a su gente de las artimañas de esa infiel, que llegaba con claras intenciones de desprestigiar y blasfemar, y casi lo había conseguido, y nada menos que con el dilecto del rey Abdul Aziz. Sería una satisfacción verla padecer. Por otra parte, él no era idiota y sabía que las investigaciones pronto lo apuntarían como el contacto interno que la había entregado. Imposible permanecer en la embajada.

—Me habían dicho que iría con ustedes —intentó argumentar.

—Vuelve a la embajada —repitió la voz— y mantén la boca cerrada.

—Pero...

—¡Haz lo que te ordeno!

El Mercedes Benz se puso en marcha, y Malik se quedó mirándolo en medio de la calle hasta que desapareció unas esquinas más adelante.

* * *

Mauricio Dubois, sentado junto a Méchin en la parte posterior del automóvil de la embajada, intentaba comprender de qué forma las cosas habían llegado tan lejos, a causa de qué maldito designio se habían trastornado de tal modo. No obstante, y más allá de las razones y los motivos, la realidad era única e incontrastable: Francesca había sido secuestrada, no existía duda. En ese momento, camino al aeropuerto de Riad para recibir a Kamal, se preguntaba cómo se lo diría, porque pese a los reparos del principio, ahora se encontraba seguro de que su amigo estaba perdidamente enamorado de ella. Lo culparía; después de todo, antes de partir hacia Ginebra semanas atrás le había dicho: «Cuídala, Mauricio». La culpa, la vergüenza y la incertidumbre estaban enloqueciéndolo.

—Cuéntame de nuevo cómo ocurrieron los hechos —pidió Jacques Méchin.

—No hay mucho para decir —admitió Mauricio—. Esta mañana, Sara, el ama de llaves, se percató de la ausencia de Francesca. Verificamos que no hubiese salido con Abenabó y Káder, o con Malik, el otro chófer que tenemos, pero nadie la había visto ni sabía nada de ella. Es como si se la hubiese tragado la tierra.

—¿No existe la posibilidad de que Francesca haya escapado por propia voluntad?

—Imposible —afirmó Mauricio—. Ese argumento está fuera de discusión. Francesca no abandonaría Arabia por ningún motivo, puedo asegurártelo. Como te decía, las cerraduras de las puertas no están forzadas.

Káder, al volante del vehículo, les indicó que el *jet* Lear de su majestad acababa de aterrizar. Méchin, Dubois y los dos guardaespaldas bajaron del coche y avanzaron en dirección del avión que maniobraba varios metros más allá. Kamal descendió y cambió unas palabras con el piloto y la azafata al final de la escalerilla; luego, buscó con la mirada su Jaguar y se sorprendió al ver a Méchin y a Dubois que, escoltados por Abenabó y Káder, se aproximaban a paso rápido. El asombro dio lugar a un mal presentimiento, y se le anudó la garganta. Cubrió el trecho en dos zancadas y atinó a preguntar:

—¿Dónde está Francesca?

Sólo Jacques consiguió hablar.

—Creemos que fue secuestrada ayer por la noche.

Con la rapidez de un felino, Kamal se abalanzó sobre Abenabó y Káder, los sujetó de las solapas y comenzó a insultarlos. Méchin y

Dubois lograron someterlo y subirlo al coche. Mauricio tomó el lugar del conductor, arrancó haciendo chirriar las gomas y dejó a los guardaespaldas en medio de la pista en estado de conmoción.

CAPÍTULO XVII

Un nauseabundo olor a aceite rancio y a goma quemada le inundaban la nariz y le recrudecían el mareo. Sentía las manos entumecidas y las muñecas doloridas. Tenía las piernas recogidas y pegadas al estómago, ateridas y yertas. Trató de moverlas, y un dolor agudo la surcó desde la punta del pie hasta la ingle. La abrumadora oscuridad de la habitación le impedía ver dónde se hallaba. En la cama evidentemente no; tal vez se había caído al suelo. La pluma, las gotas de tinta, el *déshabillé* manchado. Los difuminados recuerdos centelleaban en medio de la confusión. Trató de levantarse, pero no consiguió separar las manos ni las piernas y, al tratar de articularlas, sólo consiguió una nueva oleada de dolor. Se mecía acompasadamente; por momentos se detenía para retomar un segundo después con un movimiento brusco.

Francesca, atada de pies y manos, con los ojos vendados, se hallaba en el piso de la parte trasera de un *jeep* viejo y sucio, camino al lugar donde sus captores habían decidido mantenerla prisionera. Sólo advertía la sequedad en la garganta, el martirio en tobillos y muñecas y el calor agobiante. Gotas de sudor le recorrían el pecho y se le perdían en el vientre, pero ella no las notaba y, sumida en una telaraña de imágenes, seguía creyendo que aún estaba en la embajada. «Tengo mucha sed», pensó, e intentó alcanzar un vaso con agua que Sara le dejaba cada noche en la mesa de luz. Le vino a la mente Antonina y la discusión telefónica de esa tarde.

—*Mamma*... —pronunció en voz alta, y tembló a causa del dolor de garganta que le significó el esfuerzo.

—Está despertando —dijo una voz en árabe.

—Aplícale la dosis —ordenó otra más intimidante.

—Ya está muy drogada. No podría matar ni a una mosca.

—Haz lo que te digo.

El hombre sentado al lado del conductor tomó una jeringa de una cajita metálica, le quitó el capuchón plateado e inyectó en el antebrazo a

Francesca, que, al cabo de unos minutos, volvió a sumergirse en un mundo ininteligible de sueños extraños.

Camino a la embajada, entre Jacques y Mauricio expusieron a Kamal los confusos hechos que llevaban a pensar que Francesca había sido secuestrada.

—Esta mañana —expresó Dubois—, Sara, el ama de llaves, notó su ausencia y fue a su dormitorio, donde encontró la cama tendida y la luz del tocador encendida. Le resultó extraño y comenzó a buscarla por la casa, de donde nadie la había visto salir. Kasem, uno de los chóferes, aseguró que él se había levantado muy temprano y que Francesca no había aparecido por la cocina o la zona de servicio.

—¿Y el tal Malik? —interrumpió Kamal—. ¿Qué ha pasado con él?

—Ahí, creemos, está el meollo del asunto —manifestó Méchin— pues Malik tampoco aparece y nadie lo ha visto salir de la embajada. De hecho, el automóvil que tiene asignado está en el garage como de costumbre.

—Además —retomó Dubois—, lo que contó Sara es más que sospechoso. Ayer Francesca, tras una discusión telefónica con su madre, se pasó la tarde llorando. Después, al saber de tu regreso, se alteró sobremanera y no conseguía dormir. Ella le ofreció una manzanilla para tranquilizarla y, al llegar a la cocina, se encontró con Malik, a quien asegura haber notado inusualmente nervioso. Mientras Sara preparaba el té —prosiguió Mauricio—, Malik le aseguró que la llamaban y ella, durante algunos minutos, se ausentó de la cocina para atender una llamada que no existía. Al regresar, Malik ya no estaba. No notó nada extraño. Terminó de preparar el té y lo llevó a la recámara de Francesca. Ésa fue la última vez que la vio. Tu tío Abdullah mandó analizar los restos de la camomila, pues suponemos que Malik vertió algún somnífero para sacar a Francesca de la embajada.

—Creemos que la sacó por la parte trasera —apuntó Dubois—. El guardia confesó que durmió gran parte de la noche, cosa inusual en él, pues es uno de los mejores que tenemos. Estamos casi seguros de que él también fue narcotizado, pues bebió un café que Malik le llevó hasta la garita con la excusa de un poco de conversación y compañía.

—Pues bien, no hay dudas: Malik la entregó —dictaminó Kamal—. Mauricio, de inmediato, llévame a la oficina de mi tío Abdullah.

—Ahora nos dirigimos a la embajada —intervino Méchin—, ahí nos esperan tu asistente, Ahmed Yamani, y tu tío Abdullah, que ya ha tomado cartas en el asunto y está realizando algunas investigaciones.

En la embajada encontraron a Abdullah Al-Saud, jefe de los servicios secretos de Arabia, impartiendo órdenes a dos especialistas que atiborraban de cables y aparatos el despacho de Mauricio Dubois. Ahmed Yamani interrogaba por enésima vez a Sara, quien, pese a la *abaaya*, dejaba entrever su desconsuelo y miedo.

—Fue él, señor —aseguró la argelina—, fue Malik. Es un hombre raro y nunca vio con buenos ojos a Francesca. Fue él, él la secuestró.

—Está bien, Sara, vaya.

La argelina intentó decir algo, pero se arrepintió y guardó silencio. Kamal, aún de pie en la entrada, la siguió con la vista hasta que la mujer se perdió en un recodo del pasillo. Volvió la mirada al interior del despacho y observó a su tío, enfrascado en las directivas que impartía para conectar la grabadora al teléfono; a Yamani, que miraba con fijeza el piso y se acariciaba el mentón; a Méchin, que conversaba con Dubois, pálido y descompuesto. Se preguntó por dónde comenzar. ¿O sólo restaba afrontar una agónica espera en tanto los secuestradores se ponían en contacto?

—Despide a tus hombres, tío —ordenó Kamal en francés, y Abdullah indicó a los técnicos que dejaran la oficina.

Kamal cerró la puerta tras los especialistas y avanzó hacia el centro del salón. El resto lo miraba con fijeza y, aunque esperaban una palabra suya, cuando por fin habló, la voz de trueno que inundó la habitación les conmocionó los ánimos crispados.

—¿Se informó a Saud de esto? —inquirió Kamal.

—Todavía no —respondió Abdullah—. Tu hermano no se encuentra en Riad; partió ayer a Grecia donde pasará unos días en su palacio de la isla del mar Egeo.

—Bien —dijo Kamal, en tono bajo y duro—. ¿Y el ministro Tariki?

—Hace dos días partió a Ginebra, por asuntos de la OPEP.

—Mejor así —aseguró—. Que no se informe de esto a nadie hasta que yo lo autorice. Y tú, Mauricio, ¿diste parte a las autoridades argentinas?

—No, aún no.

—Perfecto. Y no lo harás por el momento.

—No puedo, Kamal —se opuso Dubois—. Debo hacerlo, debo dar aviso —agregó, con gesto pusilánime—. El secuestro de un miembro de la embajada es un hecho de extrema gravedad. El canciller no debe permanecer ajeno a esto. ¿Qué sucedería si Francesca...? ¡Esto es gravísimo! —prorrumpió, y todos pensaron que perdería el control.

Kamal se acercó a su amigo con presteza y le puso una mano sobre el hombro.

—La encontraré, Mauricio, te lo prometo. Nadie me arrebatará a Francesca, te lo aseguro. Ni a ella, ni al hijo mío que lleva en el vientre.

—¿El hijo que lleva en el vientre? —acertó a repetir Méchin.

—Francesca está embarazada. Y como que Alá es mi Dios, los recuperaré. Pero necesito tiempo, Mauricio; te pido setenta y dos horas. No des aún aviso a la Cancillería de tu país. Te juro que la encontraré. Si hacemos pública su desaparición, quizá la maten. Debemos manejarnos con cautela y, por sobre todo, con extrema reserva.

Se produjo un silencio mientras aguardaban la respuesta de Dubois, que sólo asintió con la cabeza para, de inmediato, echarse en el sofá y cubrirse el rostro con las manos. Ahmed Yamani le acercó una taza de café y se sentó a su lado. Méchin, en cambio, se alejó en dirección a la ventana, donde se quedó meditabundo con la vista fija en el parque de la embajada, seguro de que la decisión de Mauricio era errónea. Kamal, que no reparó en el derrumbe de su amigo ni en la palmaria disconformidad de Méchin, se encaminó al escritorio y tomó una fotografía de Malik.

—Tío —dijo—, quiero conocer los antecedentes de este hombre.

—Antes de que llegaras, hice una llamada a un contacto en la CIA, pues quiero confirmar algunas sospechas. Prometió llamarme en breve. Por ahora te puedo adelantar que, según nuestros archivos, Malik bin Kalem Mubarak no es justamente un ángel: de ideas extremistas hasta la demencia, durante la década pasada mantuvo contacto con la secta terrorista Yihad. He dado orden de captura contra él. También he dispuesto el cierre de los aeropuertos y del puerto de Jeddah. En las carreteras y en las fronteras, mis agentes están controlando cuanto vehículo transita.

—¿Crees que ya la hayan sacado del país? —habló Méchin.

—No lo sé. La verdad es que han tenido tiempo suficiente para hacerlo, si, como creemos, fue secuestrada entre las once y la una de la mañana. Además, es sabido que por el norte, en la frontera con Irak y Jordania, hay grandes extensiones de desierto que nadie controla. Por allí podrían huir de Arabia sin ser vistos ni dejar rastro.

—Eso es imposible —intervino Ahmed Yamani—. Ni los beduinos se aventuran en esa región. Es casi tan inhóspita como el desierto Rub Al Khali, prácticamente inaccesible para el hombre. Morirían en el intento.

—Es cierto —acordó Abdullah—, pero hay quienes lo han logrado.

* * *

El *jeep* alcanzó el norte del reino saudí alrededor del mediodía, cuando el sol calcinante y el viento voraz, en complicidad con la arena, tornaban casi imposible la vida. El-Haddar y Abdel, los fieles guardaespaldas del rey Saud, se embozaron cuidadosamente y descendieron del vehículo.

—Dijeron que vendrían a buscarnos a las doce —se quejó Abdel, a quien, desde un principio, el encargo no le había gustado en absoluto.

—Aún no son las doce —argumentó El-Haddar—. Vamos, volvamos al auto, casi no puedo respirar con esta ventisca.

—¿Y si no vienen a buscarnos? —se inquietó Abdel—. Moriremos como ratas asadas, no tenemos suficiente combustible para alcanzar ninguna población.

—¡Cállate, pájaro de mal agüero! —se enfureció El-Haddar—. Tienen que venir a buscarnos: nosotros tenemos la mercancía que les interesa.

—Te equivocas —aseguró Abdel—: la muchacha ya no les interesa. Lo único que querían era que desapareciera para poder reclamar el rescate. Si de todas formas van a matarla, ¿qué mejor que librarse de ella sin tener que tomarse la molestia de tocarle un pelo?

El-Haddar aceptó lo acertado de la teoría de su compañero, pero se cuidó de manifestárselo y refunfuñó como solía hacer cuando ya no deseaba escucharlo. Abdel, más cauto y reflexivo, en ocasiones se tornaba una molestia, siempre con escrúpulos y miramientos; no obstante, El-Haddar lo respetaba como hombre y lo quería como amigo. Se conocían desde la adolescencia, cuando juntos habían prestado servicios en el ejército del rey Abdul Aziz. Tiempo después, el arrojo y la lealtad los posicionaron en un lugar de privilegio, y se convirtieron en los hombres de confianza del amo y señor de Arabia Saudí. Antes de morir, Abdul Aziz los había mandado llamar a Taif, donde les hizo jurar que serían tan fieles a su hijo Saud como lo habían sido con él.

—Saud no tiene las condiciones de un buen rey —les había confesado, ya postrado en su lecho de muerte—. Ustedes, junto a mí, han aprendido el modo en que debe actuar un rey. Serán para mi hijo los visires más importantes en tanto lo guiarán de acuerdo a mis cánones y costumbres. Le serán fieles y colaborarán con él en todo aquello que sirva para preservarlo en el trono y salvar la grandeza y gloria de Arabia. ¡Alá todopoderoso sea loado! —exclamó, antes de despedirlos.

Ellos mantenían la promesa hecha casi diez años atrás, pese a que nunca había resultado empresa fácil. Saud era un hombre caprichoso e irritable, con más vicios que virtudes, preocupado por su calidad y estilo de vida, alejado de las necesidades del pueblo. Las consecuencias de su gestión se hallaban a la vista: desde hacía tiempo, problemas de toda índole acuciaban al reino, en especial los de origen económico, raíz de los demás. Al igual que la familia, Abdel y El-Haddar sabían que era a Kamal a quien Abdul Aziz habría cedido el trono. Sin embargo, la juventud del predilecto y el respeto a la *Shariyá,* la ley que asegura el trono al primogénito, habían empujado a Abdul Aziz a declarar a Saud su sucesor.

Abdel y El-Haddar habían llegado a querer y a respetar a Kamal Al-Saud tanto como a su padre. Desde pequeño, el príncipe había demostrado una naturaleza benévola y un espíritu de hierro y, aunque alejado del reino muchos años a causa de su educación en Europa, nunca olvidó sus raíces ni a su pueblo. Era un hombre al que se respetaba y admiraba con facilidad, reconocido por todos como el verdadero heredero de los atributos y cualidades del padre, poseedor de su tenacidad e inteligencia, del mismo gesto serio y reservado, de la sonrisa retaceada, del tono bajo de voz y de ese aire de orgullo carente de vanidad. La familia en pleno lo veneraba; su hermano Saud, en cambio, experimentaba por él un resentimiento tan acendrado que se justificaba simplemente con la envidia y los celos. De todos modos, Kamal se había equivocado al comprometerse con una occidental; peor aún, se había metido en un gran lío al hacerle un hijo. ¿Estaría realmente embarazada? Lucía tan delgada que resultaba difícil de creer. ¿Malik no se equivocaría en ese punto? Aunque se había mostrado convincente al informárselos. De todos modos, debían salvar al príncipe Kamal del influjo diabólico de esa mujer y al mismo tiempo preservar el buen nombre de los Al-Saud.

Abdel, no obstante, dirigió su mirada una vez más a Francesca y la encontró muy distinta a la imagen de mujer libidinosa y viciosa que les habían pintado. Por el contrario, se admiró de su belleza angelical y apacible y, en especial, de la blancura y tersura de su piel, a la cual no pudo resistirse, y le tocó la mejilla.

—Está ardiendo en fiebre —dijo, asustado.

—¿Y qué importa? —replicó El-Haddar, sin apartar la vista del horizonte—. ¡Escucha! —exclamó a continuación y, a poco, divisaron una avioneta—. Son ellos.

La avioneta aterrizó minutos más tarde. Descendieron dos hombres y, con pocas palabras y gestos imperturbables, dispusieron el traspaso de Francesca. Uno de ellos la tomó en brazos y la colocó en la cabina; el otro entregó un bidón de combustible a El-Haddar que lo echó en el tanque con la ayuda de un embudo. La avioneta puso en marcha sus hélices al tiempo que El-Haddar arrancaba el *jeep* y emprendía el regreso.

Durante los primeros kilómetros, Abdel se mantuvo taciturno y callado pensando en la muchacha argentina. Recordó su figura laxa que pendía en la espalda de ese oso y se compadeció. «¡Qué hermosa es!», pensó. «Como una hurí», se dijo embelesado, y comprendió el sortilegio que había encantado al príncipe Kamal. No lograba quitarse de la mente sus facciones tan blancas y su cabello tan renegrido y espeso. «¿Qué hago aquí?», se preguntó con amargura al verse en ese *jeep*, en medio del desierto. En una fracción de segundo, una tormenta de ideas lo confundió: la promesa hecha al gran Abdul Aziz, la fidelidad que le debía al rey Saud, el porvenir de su amada Arabia, la admiración y respeto que sentía por el príncipe Kamal y el rostro angelical de la muchacha que, según decían, sería su perdición.

Kamal apretó la mandíbula para sofocar el temblor que le recorrió el cuerpo. Lo aturdía pensar que Francesca se encontraba en manos de insensibles delincuentes, no soportaba la idea de que la tocaran, menos aún de que la dañaran. «Francesca mía», farfulló entre dientes. Sus gritos imaginarios le arrancaron lágrimas de rabia e impotencia; se sintió mareado, la respiración se le fatigó y buscó apoyo en la pared.

—Vamos —lo alentó Jacques Méchin, y le palmeó el hombro—. Verás que la recuperaremos sana y salva, a ella y a tu hijo.

Kamal, abismado en la mirada paternal de Méchin, se dijo que habría preferido encontrar en los ojos grises del francés el reproche que merecía, porque quién, si no él, debía cargar con la culpa de esa desgracia. Repasó las caras de los hombres que lo circundaban: la de su tío Abdullah, que se empeñaba en llamadas telefónicas sin mayores resultados; la de su amigo de la infancia, Mauricio Dubois, que continuaba desmadejado en el sofá; la de su fiel asistente, Ahmed Yamani, que interrogaba a Kasem; por último, volvió a la de su tutor, su maestro, el amigo de su padre, Jacques Méchin, y recordó, en una fracción de segundo, los argumentos que todos y cada y uno de ellos habían esgrimido para que terminara su relación con Francesca De Gecco.

Se escuchó el timbre del teléfono y Kamal se abalanzó. Era el doctor Al-Zaki, médico de la familia, al cual se le habían confiado los restos de manzanilla y de café para que identificara en el laboratorio de su clínica la presencia de alguna droga somnífera.

—Comuníqueme a mí los resultados del análisis —ordenó Kamal, y el doctor Al-Zaki habló sin hesitar.

—Hemos hallado el mismo potente somnífero tanto en la manzanilla como en el café. Se trata de una droga no utilizada en Arabia, aunque resulta posible encontrarla en Europa, donde su administración es estrictamente controlada a causa de su potente capacidad narcótica y sus consecuencias colaterales.

—¿Podría suministrarse a una mujer embarazada?

—Definitivamente no.

Kamal colgó el teléfono y permaneció con la vista perdida durante algunos segundos.

—Al-Zaki encontró el mismo somnífero tanto en el té de Francesca como en el café que bebió el guardia —informó—. Un somnífero que es imposible obtener en Arabia.

Para Abdullah, la existencia de aquel narcótico era la confirmación que esperaba: Francesca había sido secuestrada, pues si bien desde un principio se inclinaba por esa posibilidad, en ningún momento había abandonado la idea de una posible fuga voluntaria. La muchacha, arrepentida de la relación con Kamal, podría haber preferido huir a enfrentarlo.

Kasem llamó a la puerta y entregó un télex a Abdullah, que le dio un rápido vistazo antes de hablar.

—Es la información que esperaba de mi contacto en la CIA, y confirma algunos de los datos que ya manejábamos: «Kateb bin Salmún, alias Malik bin Kalem Mubarak, nacido en Yanbú Al Bahr en marzo de 1919, hijo de alfareros, fanáticos practicantes de las dogmas *wahabitas*, participó activamente en la secta terrorista bajo el mando del extremista Abu Bark, cuyo verdadero nombre aún no se ha podido identificar. Después de la desintegración de este grupo islámico extremista, no se ha vuelto a saber de la mayoría de sus componentes».

—¡Un hombre con esos antecedentes trabajando en mi embajada! —se alarmó Dubois.

—¿Cómo entró a formar parte de la nómina de personal? —quiso saber Yamani.

—Pues llegó con una carta de recomendación del secretario privado del rey Saud —expresó.

Dubois buscó la mirada de Al-Saud y lo encontró ensimismado en el télex, aparentemente ajeno a cuanto se decía. El resto, en cambio, se mostró sorprendido por la revelación. Se preguntó si acaso sospechaban del propio rey Saud. Ciertamente la armonía y la afabilidad no habían caracterizado la relación entre él y Kamal, pero suponer que Saud ensuciaría su reputación, poniendo en riesgo todo cuanto poseía, para hacer daño a la amante de su hermano le resultaba imposible.

—¿Quién es ese tal Abu Bark? ¿Quién se hace llamar con el nombre del suegro del Profeta? —preguntó Yamani, demasiado joven para conocerlo.

Abdullah tomó la palabra y expuso los datos más relevantes del temido grupo extremista Yihad, comandado por Abu Bark, que aseguraba descender del propio Mahoma.

—Que Abu Bark es el hombre más buscado por la CIA, el MI5 británico, el SDECE francés y el Mosad no es ninguna novedad —dijo—. Según sabemos —añadió—, es un fanático, sumamente inteligente y audaz. A fines de la década de 1950 se pensaba que Abu Bark había muerto, pero meses atrás, el MI5 lo ubicó en un suburbio de El Cairo, donde habitaba con un grupo de hombres en un viejo casón. Cuando allanaron el casón, no encontraron a nadie, excepto una fortuna en armamento. Se supone que fueron advertidos en el último momento del asalto emprendido entre las fuerzas policiales egipcias y la Inteligencia Británica; en caso contrario, habrían podido abandonar el escondite llevándose consigo aquella cantidad de armas y municiones por valor de varios millones de dólares.

—Está completamente loco —aportó Jacques Méchin—. Asegura que habla con el ángel Gabriel, quien le dice lo que tiene que hacer para preservar al Islam en el mundo. Su objetivo es acabar con Occidente, en especial con los judíos.

—¿Y ustedes piensan que ese tipo es quien retiene a Francesca? —preguntó Dubois.

—Alá, en su infinita bondad, no lo permita, Mauricio —deseó Abdullah—. El sujeto es un demente. Ya le han adjudicado varios atentados y, en caso de secuestros, las víctimas nunca regresaron con vida, aun habiendo pagado el rescate.

Tres horas más tarde del despegue, después de sobrevolar una distancia que sólo reveló dunas y peñascos, la avioneta aterrizó en un paraje desolado. El acompañante del piloto, un hombre fornido, completamente calvo, de mirada aviesa y entrecejo siempre fruncido, tomó a Francesca, la acomodó sobre sus hombros y abandonó la cabina. Lo siguió otro hombre de aspecto menos amenazante si no se lo miraba fijamente a los ojos, pues, al hacerlo, se descubría que allí se concentraba toda la maldad de la que era capaz.

El piloto puso en marcha la avioneta y despegó un momento después. Los dos terroristas, con Francesca a cuestas, emprendieron la marcha en medio de ese mar de arena. Tras una elevada duna plagada de maleza y superada con dificultad, encontraron una extensión que rompía la uniformidad del desierto gracias a unas imponentes cadenas de riscos de notable belleza, cuyos estratos de piedra caliza variaban del amarillo pálido al rojo intenso. Caminaron en dirección a las estribaciones siguiendo el curso de un *uadi*. Debieron escalar algunos metros entre peñascos de piedra abrupta que lastimaba los pies, protegidos sólo por sandalias de cuero. El que cargaba a Francesca, a pesar de su tamaño y el peso adicional, trepaba con la agilidad de una cabra y pronto alcanzó una hendidura mimetizada en la roca; el otro lo siguió prestamente. Se trataba de un sitio oscuro y húmedo a causa del *uadi*, que se abría paso entre las rocas y cruzaba al otro lado. Después de algunos metros recorridos casi a ciegas, las paredes escarpadas comenzaban a separarse en lo alto, el aire se tornaba respirable, el piso se volvía mórbido gracias a la arena y una tenue luminosidad indicaba la existencia de una salida. Finalmente, superada una pronunciada curva y a través de una grieta angosta en la roca, se recibía el primer vistazo de algo maravilloso e increíble: la fachada de un templo magnífico esculpida en la ladera de la montaña, increíblemente bien preservada más allá del tiempo y de la erosión. Resultaban sorprendentes las columnas de fuste liso, los capiteles de hojas de palmeras, los frontispicios embellecidos con bajorrelieves y esculturas. Se trataba de la legendaria Petra, misteriosa ciudad de piedra oculta entre unos riscos al sudoeste de Jordania, una gema de roca caliza construida en medio de la soledad aplastante de las arenas del desierto, cuyos magníficos templos y palacios colmados de tesoros no podían compararse a los de ningún otro reino. La antigua civilización árabe de los nabateos, a la cual se referían en la antigüedad como «la predilecta de Alá», había diseñado y esculpido con maestría incomparable fachadas ricamente ornamentadas con columnas, frontispicios y esculturas siglos antes del nacimiento del profeta Mahoma.

Por fin, emergieron del túnel y el resto de la ciudad se presentó ante los ojos desorbitados del hombre menudo; el otro caminaba con la vista fija en el suelo, concentrado en el esfuerzo pues la faena comenzaba a pesarle.

—Tengo entendido —dijo— que este lugar es tan viejo como el tiempo. ¿Qué es eso? —preguntó, al tiempo que señalaba la construcción más imponente.

—Lo llaman *Khazneh* —respondió el corpulento—. Es el antiguo templo de los nabateos, donde, se supone, protegían sus tesoros. Más allá, hacia la izquierda, está el anfiteatro.

—¿Y esos nichos en las paredes? —siguió indagando, ante la visión de cientos de huecos que tachonaban las laderas circundantes.

—Son tumbas. Petra es, sobre todo, un gran cementerio —dijo, y avanzó hacia el *Khazneh*—. ¡Vamos! —ordenó, desde la entrada del templo.

El interior del *Khazneh*, tan desprovisto de ornamentación como abarrotada se hallaba la fachada, impresionaba igualmente debido a la extrema minuciosidad con la cual había sido horadado el corazón de la montaña para abrir una inmensa sala cuadrada de más de cincuenta metros de altura, la cual habría sido fácilmente escalable debido a las salientes. Cerca de una de las aristas interiores, el gigante metió la mano en un hueco y accionó un mecanismo. Una piedra angosta, de escasa altura, se corrió hacia la derecha y reveló un pasadizo por donde se evadieron.

Teas empotradas en los orificios de las paredes conferían una tonalidad alazana al corredor, un aspecto fantasmagórico también en el juego de luces y sombras. El camino se bifurcaba continuamente y el gigante tomaba por una u otra senda sin dudar. El suelo, hasta ese momento blando gracias a la arena, se tornó pedregoso y les anticipó que se avecinaba un cambio. Metros después, el pasadizo terminó en una escalera angosta y vertiginosa, tallada en la misma roca. Cada hombre arrancó una antorcha de la pared y guió los pasos sobre los escalones desparejos. El más corpulento bajó rápidamente los últimos peldaños y abrió una puerta de madera por donde filtró la luz de la estancia contigua. Inclinaron la cabeza para no chocar con el marco superior de medio punto y entraron en un recinto abovedado que distribuía cuatro pasadizos tan oscuros e insondables como el que acababan de atravesar.

—Por aquí —indicó el gigante, y se evadieron por una entrada donde no tardaron en cruzarse con otros hombres que ostentaban sus metralletas y cuchillos sin comedimientos. Allí abajo encontraron tanta vida y movimiento como soledad y silencio en el exterior.

A ese punto, cualquiera habría perdido el sentido de la orientación. Aquel laberinto, que se abría paso a través de la roca hasta adentrarse en el corazón de la montaña, resultaba un escondite infranqueable para el hombre más buscado por los gobiernos occidentales.

—Pasa —indicó el gigante, y señaló una de las puertas apostadas al costado del corredor—. El jefe te está esperando. Yo llevaré a la mujer a una celda.

La recámara tenía las paredes cubiertas con lienzos de coloridos admirables y el suelo, con alfombras de lana de cabra cachemira. Apoltronado en medio de cojines, con el tubo del narguile entre los labios, se hallaba Abu Bark, un hombre de aspecto inofensivo, cuyo rostro, cubierto por una lánguida y descuidada barba negra, acentuaba su aire de inocencia gracias a un par de lentes que le empequeñecían aún más los ojos.

—Señor —dijo el recién llegado, y se inclinó con respeto.

Hacía meses que no se veían. Después de la redada en El Cairo, habían decidido separarse para dificultar el rastreo.

—Llegas tarde, Bandar. ¿Dónde está Yaman?

—Fue a dejar a la mujer a una celda.

Abu Bark sonrió satisfecho y volvió a succionar el narguile. El más famoso Abu Bark de la historia islámica era el suegro y amigo íntimo de Mahoma, que a la muerte del Profeta en el año 632 se convirtió en el primer califa árabe al recibir la misión de continuar su obra. Por eso, aquel extraño hombre recostado entre finos almohadones, cuyo verdadero nombre nadie conocía a ciencia cierta, había adoptado por seudónimo Abu Bark, convencido de ser parte de la dinastía de Mahoma y responsable de un legado especial: preservar al Islam del mismo modo que lo había hecho aquel primer caudillo mahometano. Aseguraba que a la edad de veinte años Mahoma y el arcángel Gabriel se le habían presentado para encomendarle que resguardara al Islam del demonio que lo acechaba: Occidente. «¿Y quién es Occidente, mi Señor?», había preguntado el joven Abu Bark. «Los sionistas», había sido la respuesta del Profeta.

En 1948 había iniciado su Yihad, su Guerra Santa, en la que Israel, el joven estado creado por el *establishment* de Occidente, representaba el objetivo último en su sed de destrucción. Para ello, las armas se convertían en un tesoro preciado. Desde la bomba de Hiroshima, la tecnología avanzaba a pasos agigantados y podían conseguirse verdaderos prodigios de la armamentística. Pero eran necesarias toneladas de dinero y, si bien él contaba con el apoyo económico de algunas multinacionales del petróleo, interesadas en mantener distraídos y sojuzgados a los pueblos árabes con desgastantes luchas intestinas mientras ellos saqueaban el petróleo a dos dólares el barril, la celada que le habían tendido en El Cairo y por la cual había perdido un arsenal valorado en 20 millones de dólares, lo había dejado casi en la bancarrota. La posibilidad de pedir un suculento rescate por la amante de uno de los hombres más ricos del mundo era algo que Abu Bark no dejaría escapar. Además, siendo una occidental, él mismo se daría el gusto de estrangularla.

—Este lugar es perfecto —comentó Bandar—. Mucho mejor que el de El Cairo. —Abu Bark no hizo comentario alguno y Bandar prosiguió—: La mujer está muy drogada. Temo que muera de sobredosis antes de hacer la primera llamada a la embajada argentina.

—Manden despertarla un poco antes de la llamada. Tenemos métodos eficaces para ello. ¿Se confirmó la información del embarazo?

—Sí, Malik la confirmó. Fadhir estuvo con él en Riad.

—Está bien, mañana estableceremos el primer contacto con el príncipe Al-Saud.

—¿El príncipe Al-Saud? ¿Cuál de ellos?

—Kamal Al-Saud —replicó Abu Bark.

—¿Qué tiene que ver el príncipe Kamal en todo esto? ¿No deberíamos pedir rescate a la embajada?

—Bandar —dijo Abu Bark, con acento benevolente—, quien pague el rescate me tiene sin cuidado. El dinero puede salir de la fortuna incalculable del príncipe Al-Saud o del Estado argentino; a mí me sirven cualquiera de los dos. Lo único que debe quedar claro es que será el príncipe Kamal Al-Saud quien lo entregue en el lugar y en el momento en que nosotros indiquemos.

—La orden es matar al príncipe Kamal —dedujo Bandar, y Abu Bark asintió—. ¿Por qué?

—El rey Saud necesita hacerlo a un lado sin levantar sospechas.

—Entiendo. Un secuestro con pedido de rescate pudo haber sido planeado por delincuentes comunes, y no existirá razón para que se sospechen motivos políticos —añadió Bandar, y su jefe asintió.

—Durante el pago del rescate —retomó Abu Bark— algo no sale como lo previsto y la muerte del príncipe es la lamentable consecuencia. El rey Saud lo hace para conservar el trono. Yo, en cambio, lo hago por dinero y para liberar al mundo islámico de un traidor. Sí, un traidor —reiteró, y abandonó el gesto apacible—: El príncipe Kamal está en conversaciones con Estados Unidos para llevar adelante su proyecto de gobierno. Y, ¿quiénes son los Estados Unidos sino la cuna misma del sionismo? Debes saber, Bandar: la ciudad más densamente poblada de judíos en el mundo es Nueva York. No permitiré que esos bastardos penetren en la casa Al-Saud. Y lograré terminar con esa afición estúpida que el pueblo siente por ese traidor, pues para la Historia el príncipe Kamal se habrá inmolado inútilmente por su amante cristiana, sin pensar en

Arabia ni en sus deberes para con el Islam. ¡Es la voluntad de Alá! Ahora vete, Bandar, y déjame solo.

Francesca despertó con dificultad, los párpados le pesaban y un sopor incontrolable le gobernaba el cuerpo, en especial la cabeza, que parecía hundirse en el colchón. Le entraron náuseas y comenzó a hacer arcadas. Tanteó en busca de la lámpara, pero, aunque se estiraba, no lograba alcanzar el interruptor. La cama solía ser mullida y fragrante; ahora, en cambio, le dolía la espalda y un olor hediondo la sofocaba. «Por suerte es una pesadilla», pensó, confortada con la idea de que vería a Kamal al día siguiente. «Es una pesadilla», repitió, aunque la sed que le volvía pastosa la boca resultaba tan real como irreal aquel mal sueño.

—Sara —susurró, pero el esfuerzo le arrancó lágrimas de dolor, tan seca y lastimada tenía la garganta—. Agua —insistió, con un hilo de voz.

«Esto no es una pesadilla», se dijo, y el pánico le golpeó el pecho. Se incorporó lentamente, cada movimiento acentuaba las náuseas y el dolor de cabeza. Se sentó en el borde de aquello que definitivamente no era su cama sino una especie de catre maloliente y duro. En la pared opuesta distinguió una abertura por donde filtraba luz. El deseo de respirar una bocanada de aire fresco la ayudó a ponerse de pie y guió sus pasos inseguros. Debía llegar hasta allí, debía pedir ayuda, necesitaba beber un vaso de agua.

La abertura, un ventanuco parte de una puerta de madera, le reveló, a través de sus barrotes de hierro, un sitio sórdido y lóbrego, cavernoso e increíble, un lugar quimérico, escenario ideal para cuentos de dragones, fantasmas y duendes. «Me estoy volviendo loca», aseguró, aferrada a las rejas del ventanuco para no caer.

—¡Auxilio! —gritó, y su voz se repitió como eco en los túneles del laberinto.

Apareció un árabe, alto y robusto, de labios gruesos y ojos saltones. Llevaba un alfanje en el cinto y una ametralladora corta en bandolera sobre el pecho. Acercó la cara al ventanuco y le habló de mal modo.

—Agua, por favor —pidió ella, pero sólo obtuvo gritos y amenazas en aquella lengua cacofónica y dura—. ¿Dónde estoy? ¡Por favor, dígame dónde estoy!

El árabe asestó un puntapié a la puerta y Francesca cayó al suelo, donde perdió el conocimiento segundos después.

* * *

Kamal se desesperaba ante el transcurso irremediable de las horas. Perdería la cordura si no hacía algo. No soportaba la idea de sentarse en el cómodo sofá cuando Francesca podía estar sufriendo todo tipo de maltratos y carencias. No comía ni bebía, seguro de que ella tampoco lo hacía. No fumaba, como castigo. Sí, castigo, porque él era el culpable de aquella desgracia, él que la había expuesto a los odios, celos e intereses de su familia, a la atávica incomprensión e intolerancia entre cristianos e islámicos, a prejuicios religiosos y raciales. Él, que no había escuchado a ninguno de sus amigos cuando le advirtieron el peligro que la acechaba. Él, que la había deseado con egoísmo, y que en su ansiedad por poseerla, quizá se convertiría en el principal culpable de su muerte. ¡Su pequeña y dulce Francesca no moriría! No ella, tan ajena a los intereses económicos, a los prejuicios, al odio. ¿Qué sabía ella del odio si era apenas una niña? No la había protegido suficientemente; debió haberla llevado consigo, jamás debió dejarla en Arabia. Pensó en su hijo, el hijo de él y de Francesca, el fruto de un amor inmenso. «Alá, que en tu inconmensurable omnipotencia todo lo puedes, no permitas que muera, no ella, la madre de mi primogénito. Tómame a mí a cambio. ¡Oh, gran Alá! Yo soy el verdadero culpable. Castígame a mí, no a ellos», rezó silenciosamente.

—¡Ya es de noche! —explotó, y asestó un golpe sobre el escritorio—. ¡Han pasado casi veinticuatro horas y todavía nada!

—Cálmate —le pidió Abdullah—. Hacemos todo lo posible. Están rastrillando el país de norte a sur, de este a oeste.

Alguien llamó a la puerta, un hombre de la Secretaría de Inteligencia que traía la noticia de la captura de Malik bin Kalem Mubarak.

—¿Y la muchacha? —saltó Kamal.

—De ella nada, su majestad. Kalem Mubarak se hallaba solo. Lo interceptaron en las afueras de Al Bir, en dirección al norte.

—Eso es casi en la frontera con Jordania —acotó Méchin.

—Así es —confirmó el agente especial—. Creemos que trataba de dejar el país.

—¿Dónde lo tienen?

—En dos horas aterrizará el avión que lo trae a Riad.

—Bien —dijo Abdullah—. Avise al comandante a cargo del traslado que quiero a Kalem Mubarak en el calabozo del viejo palacio en cuanto lleguen a Riad.

El agente especial abandonó el despacho de Dubois. Había una atmósfera extraña en el ambiente, mezcla de excitación por el hallazgo de Malik y desánimo por el hecho de que Francesca no se encontrara con él. Las dudas arreciaban el interior de cada uno de ellos y precipitaban respuestas que se negaban a aceptar.

—Debo ir al palacio —anunció Abdullah—. Quiero estar presente en el interrogatorio.

—Ese hombre no dirá nada si no lo torturas —avisó Kamal—. Llevarás contigo a Abenabó y a Káder, ellos sabrán cómo hacerlo hablar.

—Creo que hablará sin necesidad de emplear esos métodos.

—¡Tortúralo! —ordenó Kamal—. No hay tiempo que perder. Mi mujer y mi hijo están en manos de algún desquiciado y no trataré al que la entregó con las maneras de un diplomático. ¡Tortúralo hasta que le quede vida, hasta que confiese dónde la tienen!

Kamal recogía agua en un jarrón y la bañaba lentamente. Francesca, sedienta, intentaba atrapar el agua que le escurría por la cara. La garganta cesaba de arder y la frescura del agua descendía por su cuerpo desnudo. Había comenzado a llover y la lluvia repiqueteaba sobre la superficie de la laguna donde se hallaban sumergidos. Kamal volvía a llenar el jarrón y le arrojaba el agua sobre la cabeza. Una y otra vez, con una frecuencia que no le daba tiempo a respirar, con una violencia que la sofocaba, con una furia que la aterrorizaba.

—¡Basta!

Su propio grito la despertó en el instante que recibía el impacto de un chorro de agua sobre el rostro. Cuando el agua dejó de escurrir, distinguió al mismo hombre que le había gritado a través de los barrotes. Intentó moverse, pero un dolor lacerante que le surcó los brazos, la paralizó. Tenía las manos atadas, y al tratar de zafarse, se lastimó las muñecas. Levantó la vista: la soga que le sujetaba las manos, asida a un aparejo colgado del techo, la obligaba a mantener los brazos hacia arriba, mientras las puntas de sus pies desnudos apenas rozaban el suelo. Las axilas le ardían, a punto de descoyuntarse; las piernas y los dedos de los pies comenzaban a hormiguear. Tomó conciencia del contacto húmedo del camisón, que se le adhería al cuerpo.

Había un grupo de hombres apostado en semicírculo en torno a ella. La miraban con frialdad, y el odio que destellaba en sus ojos le provocó un pánico atroz. Aquello no era una pesadilla.

—¿Dónde estoy? —se animó a preguntar, y enseguida recordó a su bebé. La sangre le latió en la garganta y el corazón se le desbocó en el pecho. Comenzó a llorar.

Un hombre rompió el semicírculo y avanzó hacia ella. Las lágrimas le nublaban la vista y le costaba distinguir sus facciones. Se restregó los ojos sobre la manga del camisón y columbró un rostro apacible, de gesto amable. La barba desaliñada, un par de lentes redondos de cristal y una túnica blanca le conferían la apariencia de un ser hospitalario y generoso.

—Por favor, le suplico, déjeme ir. ¿Qué hago aquí? Debe... Debe de haber un error.

—Ningún error, señorita Francesca De Gecco —habló Abu Bark en francés.

—¿Cómo sabe mi nombre? ¿Quién es usted? ¿Por qué estoy aquí? —Las respuestas no llegaban y Francesca perdía la calma—. ¡Contésteme!

El hombre le asestó un golpe en la cara, y el estupor que le causó aquella reacción postergó el latido punzante que sintió después en la mandíbula. El sabor metálico de la sangre, que se le escapaba por la comisura, le provocó una arcada.

—No está en condiciones de exigir respuestas, señorita De Gecco. —La tomó por la barbilla y le acentuó el dolor—. El príncipe Kamal tiene muy buen gusto para elegir a sus mujeres. —Trató de besarla en los labios, y Francesca apartó el rostro y escupió saliva sanguinolenta a los pies de Abu Bark.

—Además de hermosa, valiente —aceptó el terrorista, y le acarició la mejilla.

—Por favor, déjeme ir, se lo suplico.

—¿Dejarla ir? —repitió Abu Bark, con una sonrisa que pronto desapareció; las cejas se le convirtieron en una sola línea y la mirada inocente se tornó escalofriante—. Ha engatusado a un príncipe de la Casa Al-Saud, lo ha embrujado con su comportamiento de puta, lo ha obligado a enemistarse con los suyos, con su propia religión y todavía me dice que la deje ir. ¡Por Alá, si lleva en su vientre un engendro demoniaco!

Le golpeó el estómago, y Francesca, impulsada por el instinto, recogió las piernas y gritó con desesperación cuando recuperó el aire.

—¡No, mi hijo no! —rogó, y el llanto entrecortado prosiguió confundido en la recitación casi autómata del Padrenuestro.

—Ese engendro que lleva en su vientre —prosiguió Abu Bark— le costará unos millones extras al principito. —Se mantuvo absorto unos segundos en los ojos atormentados de ella—. Puta barata —prorrumpió—, pagará cada uno de los pecados a los que condujo a nuestro príncipe. Que alguien la desate y la lleve a mi habitación. Pediremos el rescate ahora mismo.

Dos hombres descolgaron a Francesca y, medio desvanecida, la arrastraron por los pasadizos hasta el cuarto de Abu Bark.

Kamal consultó la hora: las seis y media de la mañana. Había pasado la noche en vela en el sofá del despacho de Mauricio a la espera de la llamada pidiendo el rescate. Los especialistas que intentarían localizarlo y que grabarían la conversación, dormitaban en las sillas. Mauricio había ido a la cocina en busca de café. Jacques Méchin se hallaba desde la tarde anterior en el viejo palacio con Abdullah Al-Saud intentando sacar la verdad a Malik, sin mayores resultados. Ahmed Yamani acababa de irse: en pocas horas dejaría Riad rumbo a Ginebra, donde intentaría neutralizar el embargo petrolero propuesto por el ministro Tariki y el presidente de Venezuela, en cumplimiento del pacto sellado entre Kamal y el secretario de Estado del presidente Kennedy.

Kamal había olvidado esa importante asamblea de la OPEP. No le interesaba la OPEP ni el petróleo ni el secretario de Kennedy. ¡Qué le importaba Arabia misma cuando su Francesca se hallaba entre la vida y la muerte! Un escalofrío le recorrió la columna al barajar la posibilidad de no volver a verla. Enloquecería sin ella, su vida carecería de sentido. Aquella jovencita de veintiún años, la antítesis de cuanto había conocido y de cuanto él era, se le había metido en la sangre una noche cálida de verano y le había arrebatado la paz del espíritu. Se puso de pie violentamente y se llevó las manos a la cabeza.

Los especialistas despertaron con el sobresalto y volvieron a controlar el cableado telefónico y los aparatos. Al-Saud recorrió la habitación cabizbajo, con las manos a la espalda, mientras las cuentas de su *masbaha* se desgranaban frenéticamente entre sus dedos. Había subestimado la avaricia de Saud. «Y la sagacidad de Tariki», agregó, pues si, como suponía, todo aquello era obra de su hermano, el cerebro debía de ser su ministro del Petróleo, que tenía mucho que perder en caso de que Saud abdicara.

Mauricio entró en la habitación seguido de Sara, que traía una bandeja con café y medialunas. Los especialistas aceptaron gustosos la infusión espesa y aromática y engulleron de dos bocados las masas. Dubois se acercó a Kamal y le extendió una taza.

—No, gracias —dijo, y se encaminó hacia la ventana.

—Vamos, toma el café —insistió Mauricio—. No lograrás nada actuando como un faquir. Hace un día que no comes, no bebes, no duermes. Necesitas estar despabilado y fuerte. No sabemos a qué nos enfrentamos.

Kamal tomó la taza y saboreó el primer trago, que pareció devolverle la sangre al cuerpo. Sonó el teléfono. Los especialistas encendieron la grabadora y la localizadora de llamadas, e indicaron a Mauricio y a Kamal que levantaran los tubos de los teléfonos al mismo tiempo.

—Hola —respondió Dubois—. ¿Quién habla?

—Quién habla es lo de menos —respondió una voz evidentemente distorsionada—. Éste es un mensaje para el príncipe Kamal Al-Saud.

—Aquí Al-Saud. —Habló con una frialdad que no sentía.

—Tengo algo que usted está buscando, alteza.

—Quiero escucharla.

—No creo que esté en posición de exigir, alteza. Volver a ver con vida a su mujer y al hijo que lleva en el vientre le costará veinte millones de dólares, suma que usted mismo entregará cuando y donde le sea indicado. Deberá venir solo. Una persona a más de cincuenta kilómetros a la redonda y la muchacha muere.

—No moveré un dedo sin tener la certeza de que aún está con vida.

Abu Bark hizo una seña y un hombre acercó a Francesca al aparato de telecomunicación.

—Kamal... —musitó Francesca, exánime.

—¡Francesca!

—Kamal, no vengas, te matarán...

Abu Bark le asestó un golpe y ella lanzó un chillido de animal herido antes de perder la conciencia.

—¡Bastardo, hijo de puta! ¡No la toque! ¡Lo destrozaré con mis propias manos! ¡No le haga daño! ¡Bastardo!

El silencio monótono de la línea indicó que la comunicación se había interrumpido. Los especialistas detuvieron la grabación y apagaron la rastreadora. Mauricio quitó de manos de Kamal el auricular y lo colgó.

—La estaba golpeando —expresó Al-Saud fuera de sí—. La estaba golpeando, ¡la golpeaba!

—¿Qué pasó con la llamada? —se dirigió Dubois a los especialistas—. ¿Pudieron rastrearla?

—Pese a que la llamada duró lo suficiente para ser localizada, no lo logramos. Evidentemente no usaron un teléfono común. Deben de haber utilizado algún aparato especial, una tecnología de avanzada que impide localizar el origen de la llamada.

—¡Maldición! —explotó Kamal, y golpeó el escritorio—. Analicen la grabación, traten de obtener algo que nos dé una pista. —Acto seguido, abandonó el despacho rápidamente.

Francesca se rebulló en el piso de la celda y abrió los ojos. Una punzada, que le recorrió la mandíbula como una descarga eléctrica, la enfrentó nuevamente a aquella verdad que su raciocinio se negaba a aceptar: la habían secuestrado para pedir un rescate a Kamal. Hizo un esfuerzo por recordar: su dormitorio en la embajada, la carta que escribía a su madre, la manzanilla, las letras que se desdibujaban, la pluma que resbaló de sus manos, el descontrol de su propio cuerpo, imágenes que no le decían nada. Minutos, días u horas después, había despertado en esa especie de cueva.

Intentó incorporarse para alcanzar el catre, pero el cuerpo entumecido se lo impidió. No sentía las piernas y un doloroso hormigueo le debilitaba los brazos. Se contrajo a causa de un espasmo en la parte baja del vientre y, aunque lo masajeó, no consiguió ablandarlo.

—Hijito mío —farfulló, y las lágrimas le anegaron los ojos.

La sed continuaba atormentándola, y bebió sus propias lágrimas, que no lograron calmar la brasa ardiente que le lastimaba la garganta. La boca le sabía a sangre, un gusto metálico que le daba náuseas. Moriría, y junto a ella, su hijo. Las fuerzas la abandonaban, podía sentir el frío que la envolvía. La oscuridad la circundaba pese a la lámpara que ardía a unos metros; una oscuridad interior que le helaba el alma y le quitaba las ganas de luchar. Un destello de optimismo, sin embargo, se mantenía encendido en su interior, y Francesca trataba de aferrarse a él con desesperación. Porque jamás se rendiría; con el último aliento defendería su vida y la de su hijo. Por Kamal.

CAPÍTULO
XVIII

Abdel bin Samir le dijo a su compañero El-Haddar que no contara con él esa mañana: visitaría a su madre en las afueras de Riad. El-Haddar tomó el anuncio con indiferencia, conociendo la devoción que Abdel profesaba por la vieja señora. Siempre iba a visitarla cuando tenía que resolver un problema, cuando no hallaba paz. Y, justamente, desde la entrega de la muchacha cristiana el día anterior, lo notaba extraño, taciturno, incluso triste.

—Sí —aceptó El-Haddar—, ve con tu madre a ver si eso te anima.

Abdel fue a su dormitorio, corroboró que la 45 estuviese cargada, la completó con el silenciador y se la colocó, junto a su yatagán, en el cinto. Como no usaría su automóvil —resultaba probable que los hombres de Abu Bark le siguieran los pasos por algunos días hasta corroborar su fidelidad— esperó al proveedor de los materiales para la construcción de la nueva piscina. Aguardó a que los bajaran de la camioneta y, mientras los estibaban en la galería, trepó en la parte trasera y se cubrió con un hule. Minutos después, escuchó la voz de El-Haddar que despedía al conductor. La camioneta se puso en marcha de inmediato. Abdel levantó el hule para corroborar la dirección que tomaban: iban hacia la parte vieja de la ciudad. A pocas cuadras del zoco, en un alto de la camioneta, se deslizó bajo el hule, dejó caer con sigilo la tapa del vehículo y se arrojó al empedrado. Caminó por las callejas menos concurridas e ingresó al mercado por la zona de los negocios de alfombras; buscaba uno en particular, aquel que servía de guarida al informante de Abu Bark, un tal Fadhir, con quien ellos, los días previos al secuestro, habían entrado en contacto para definir los detalles. Fadhir no les había dicho que ése era su escondite, pero, tras la primera entrevista, que se había desarrollado en un café vecino a la Plaza Carnicera, El-Haddar había tenido el acierto de seguirlo.

Al entrar en la pequeña tienda, dos hombres le salieron al encuentro y, con gestos serviles, lo invitaron a elegir entre las alfombras. Abdel descorrió la túnica para descubrir su pistola y les indicó que guardaran silencio. Instintivamente, los dos hombres retrocedieron. Uno intentó sacar un arma del cajón del escritorio, pero Abdel empuñó su 45 con agilidad y le pegó un tiro en la frente. El otro, un muchacho joven y delgado, se arrojó junto a su compañero y dirigió una mirada suplicante a Abdel. Éste guardó el arma, tomó una correa de cortina que encontró sobre el mostrador y lo ató de pies y manos, incluso lo amordazó. Trabó la puerta y corrió el visillo. Volvió junto al hombre maniatado y, en cuclillas, le susurró la pregunta:

—¿Dónde se oculta Fadhir?

El muchacho, con un movimiento de cabeza, le indicó que se encontraba arriba. Abdel se dirigió al fondo de la tienda, pasó unos cortinados y cruzó un pequeño depósito hasta alcanzar la escalera caracol que conducía al ático, una escalera tan pequeña que apenas si cabía su cuerpo macizo. El ático era también un depósito; se hallaba repleto de alfombras enrolladas y apiladas. En el suelo, tendido sobre varios *kilims* de lana, Fadhir dormía profundamente con un revólver en la mano derecha. Abdel tomó su cuchillo y lo enterró en el hombro del terrorista, clavándolo a la montaña de *kilims*. El hombre despertó con un bramido y miró con ojos desorbitados a Abdel, quien, muy cerca de su rostro, le dijo:

—Ahora tú y yo vamos a hablar.

Kamal detuvo el Jaguar frente al palacio de su padre. Un guardia le abrió el portón y le dio paso. Saltó del automóvil y se precipitó en el interior, cruzó el patio principal en dirección al sótano, antiguamente el lugar de los calabozos, que por esos días servía como archivo y para guardar trastos viejos.

Escuchó los gritos de Malik, que se propagaron por el corredor del sótano como un eco lastimero: Abenabó y Káder estaban haciendo su trabajo. Apuró el paso en dirección al último calabozo y entró sin preámbulos. Malik, los brazos en cruz sujetos a las argollas de la pared, escupía sangre y dientes. Káder se sobaba los nudillos. Abdullah susurraba a Jacques Méchin, mientras Abenabó llenaba un vaso con agua y lo arrojaba a la cara del chófer para despabilarlo.

—Kamal —se sorprendió su tío, y le salió al encuentro—. ¿Alguna novedad?

—Los secuestradores se pusieron en contacto hace media hora.

—¿Rastrearon la llamada? —se impacientó Méchin.

—No. ¿Qué obtuvieron del interrogatorio? —apremió Kamal.

—Este tipo es de piedra —se quejó su tío—. Hace horas que lo tenemos aquí y hemos conseguido bien poco. Confesó tener contactos con la Yihad y que huía a Jordania cuando lo encontraron mis hombres, pero de eso ya estábamos casi seguros.

—Quizá la tengan en Jordania —conjeturó Jacques.

Kamal se acercó a Malik que, pese a tener los ojos deformados por los golpes, los abrió dificultosamente y sonrió.

—Príncipe Kamal —dijo con ironía—, ¿aún no encuentra a su adorada Francesca?

Al-Saud le sostuvo la mirada, una mirada gélida que lo obligó a bajar la vista. Kamal se alejó en dirección a la mesa donde se hallaban las armas de sus guardaespaldas, tomó una Mágnum 9 milímetros y disparó a la mano izquierda de Malik.

Siguieron los alaridos del chófer y el desconcierto del resto. Malik, en completo estado de shock, se miraba el muñón sangrante y gritaba, balbuceaba incoherencias y lloraba. Al-Saud, sin embargo, permanecía hierático con el arma apuntando a la otra mano.

—Tienes la posibilidad de conservar la derecha si me dices quiénes tienen a Francesca y dónde la ocultan.

Malik continuaba lloriqueando y no lograba concentrarse. Abenabó lo sujetó por el mentón y le bañó el rostro para hacerlo reaccionar.

—¡Dónde y quiénes la tienen! —se encolerizó Kamal.

—¡No lo sé!

El chasquido del gatillo alteró a Malik, que palidecía a ojos vistas a causa de la profusa pérdida de sangre.

—¡Morirá si no lo ve un médico! —se alteró Jacques—. Y muerto no nos sirve.

—Tampoco me sirve ahora que está vivo —replicó Kamal.

Se acercó y apoyó el arma sobre la frente del chófer.

—¡Juro que no lo sé! Sólo puedo decir que está en manos de Abu Bark y de su gente. Ellos la tienen para pedir rescate.

—¡Dónde! —insistió Kamal.

—¡No lo sé! ¡No lo sé! —se espantó—. ¡Lo juro por Alá!

—¡Por qué huías a Jordania!

—Porque en Al Aqabah, Abu Bark había instalado su cuartel general, pero no estoy seguro de que aún se encuentre allí. —Cada palabra le significaba un esfuerzo sobrehumano, la lengua se le pegaba al paladar y comenzaba a ver con dificultad—. Juro —balbuceó—, juro que no sé más. Quise ir con ellos, pero no aceptaron llevarme.

—Al Aqabah —repitió Jacques—, eso es al sur de Jordania. ¿En qué lugar exactamente de Al Aqabah?

—En el barrio de Melazía, en un viejo depósito del zoco. Juro que no sé más.

Kamal se alejó en dirección a la puerta y, antes de salir, se volvió, levantó el arma y disparó a la cabeza de Malik, que quedó colgado de las argollas con un agujero en la frente.

Abdel bin Samir ya había tomado una decisión: confesaría al príncipe Kamal lo que sabía acerca de la mujer cristiana. Hacía un rato que aguardaba dentro de un automóvil rentado frente a la puerta de su departamento en el barrio Malaz. La amenaza de muerte que pesaba sobre el príncipe lo redimía del juramento de fidelidad hacia Saud Al-Saud. El rey Abdul Aziz había amado a Kamal y no habría dudado en elegirlo en circunstancias semejantes.

Desde un principio, aquel asunto de la mujer cristiana había olido mal. En su opinión y experiencia, existían otros métodos menos radicales para desembarazarse de una mujer molesta: sobornarla, amenazarla, incluso darle un buen susto contaban entre los más efectivos. Entregarla a un terrorista parecía ridículo y extemporáneo, retorcido e inverosímil. Abdel siempre había sospechado que, en realidad, el príncipe Kamal sería la verdadera víctima. Después del diálogo con Fadhir, sus sospechas se habían confirmado.

No apartaba la vista del edificio de Kamal del barrio Malaz. Comenzaba a perder las esperanzas cuando divisó el conocido Jaguar verde del príncipe. Se retrepó en el asiento y aguardó a que lo estacionara. Lo vio descender del vehículo y caminar con premura hacia la entrada de su edificio. Abdel, completamente embozado, abandonó su automóvil rentado, miró en torno y lo siguió. No había nadie en la calle. Antes de que Kamal cerrara la puerta de ingreso, Abdel lo llamó con voz medida y se descubrió apenas el rostro.

—Abdel —se extrañó Kamal—. ¿Qué haces aquí? ¿Por qué no estás con mi hermano en Grecia?

—Me encomendó una misión aquí, debí quedarme —dijo, y le clavó la mirada con intención—. ¿Podemos hablar, alteza?

—Ahora no —expresó Kamal, tratando de disfrazar la ansiedad por deshacerse del viejo guardaespaldas que de seguro le pediría un favor; dinero, probablemente; lo había hecho en el pasado.

—Tengo algo que decirle que va a interesarle, alteza. Es sobre la muchacha cristiana.

Kamal se quedó mirándolo. Su confusión duró sólo unos segundos. Hizo una seña con la cabeza y Abdel lo siguió al interior del edificio. Caminaron hacia la parte trasera donde se abría un jardín de pequeñas dimensiones.

—Habla —pronunció Kamal.

—La señorita De Gecco se encuentra oculta en el templo *Khazneh* de la ciudad de Petra, a cincuenta kilómetros al norte de Al Aqabah, en Jordania. La retiene el terrorista Abu Bark.

—¿Cómo lo sabes?

—El-Haddar y yo la entregamos a unos terroristas de Abu Bark en el límite con Jordania —pronunció, y le sostuvo la mirada con la seguridad de quien está haciendo lo correcto—. Lo siento, alteza, pero creí que era lo mejor para usted y para Arabia. No fue sino hasta después que me di cuenta del verdadero plan.

—¿Qué plan?

—Matarlo a usted.

—¿Mi hermano está detrás de todo esto, verdad?

Abdel se limitó a asentir.

—¿Cómo sé que no me mientes? ¿Cómo sé que esto no es parte del plan para eliminarme?

—No tiene forma de saberlo —admitió el guardaespaldas—. Tendrá que confiar en mí y recordar el cariño y devoción que yo sentí por su padre. Usted era su predilecto y eso es lo que cuenta en este momento. Ahora que ya le dije lo que sé, puede disponer de mí: encarcelarme o enviarme a la Plaza Carnicera para que me ejecuten, usted decide.

—Aguárdame aquí —se limitó a ordenar Kamal, y se encaminó hacia su departamento.

Instintivamente sabía que el guardaespaldas no huiría.

—Entonces, esto es una trampa —expresó Abdullah.

Se hallaban en su despacho mientras aguardaban que Abenabó y Káder se deshicieran del cuerpo de Malik. Su sobrino Kamal acababa de detallarles la conversación con el secuestrador, las pocas palabras cruzadas con Francesca y la extraordinaria confesión de Abdel bin Samir.

—¡Es una trampa! —insistió, algo desencajado al cobrar medida de la situación.

—Bien poco les interesa la muchacha —prosiguió Méchin, hablando para sí, como quien trata de comprender lo sucedido—. Entonces, es a ti a quien quieren en realidad. Están enterados de tu oposición a la OPEP y de que mantienes contactos con el gobierno de Kennedy, por eso te quieren fuera.

—¡Te matarán! —gritó Abdullah, exasperado porque su sobrino parecía no dimensionar el significado de esas palabras—. Cuando lleves el rescate terminarán contigo. No permitiré que seas tú el que lo lleve.

—Pareces no comprender, tío —expresó Kamal, con parsimonia—. No tengo intenciones de esperar a que vuelvan a comunicarse ni a llevar ningún rescate. Ya lo he decidido: parto ahora mismo hacia Jordania. Iremos en mi *jet*. Llevaré algunos de tus hombres y armas.

—¿Que harás qué? —se pasmó Jacques, y Abdullah lo miró con ojos desorbitados, incapaz de replicar—. No tienes idea de lo que dices —se quejó Méchin—. Careces de un plan, esto es un arrebato que podría costarte caro. No sabemos ni siquiera si esa información es verdadera. Por otra parte, ¿qué sucederá si los secuestradores se ponen nuevamente en contacto y tú no te encuentras allí? Podría ser terrible para la vida de Francesca.

—Espero llegar a Francesca antes de que Abu Bark vuelva a ponerse en contacto conmigo.

—No harás nada de eso —se empecinó Abdullah—. No permitiré que el próximo rey de Arabia sacrifique su vida.

—Nada que digas me hará cambiar de opinión.

Méchin no intentó contradecirle, bien conocía lo tozudo que podía ser en ocasiones. Abdullah, en cambio, no se resignaba.

—¡No lo permitiré!

—No sé cómo pretendes impedirme que haga lo que estoy decidido a hacer —se plantó Kamal, y a punto de refutar, Abdullah se calló a pedido de Méchin.

—¿Por qué no dejas que sean los hombres de tu tío quienes se encarguen de sacar a Francesca de allí? Ellos son profesionales preparados.

—Yo también —replicó Kamal—. ¿O te olvidas de que, al regresar a Arabia, pasé cinco años en la Escuela Militar de Riad?

Nada lo disuadiría. Tanto Abdullah como Méchin habían aceptado que resultaba vano polemizar.

—Quiero hablar con Abdel —manifestó el secretario de Inteligencia—. ¿Dónde lo tienes?

—Lo mandé encerrar en un calabozo, como medida preventiva, más por su protección que por miedo a que escape. Desde que traicionó a un terrorista como Abu Bark, su vida no vale dos centavos.

—Bien —dijo Abdullah—. Haré que lo traigan y, sobre la base de su información, diseñaremos un plan.

Abdel no levantó la vista mientras lo interrogaban. Al final, se animó a dirigirse a Kamal:

—Usted no debería presentarse en público, alteza. Los hombres de Abu Bark lo siguen a todas partes. Probablemente nos hayan visto conversar en la puerta de su casa.

Kamal permaneció en silencio, con la mirada perdida. Un momento después, expresó:

—Jacques, llama a mi cuñada Zora y a mi hermana Fátima. Diles que se presenten en el viejo palacio usando los tacos más altos que tengan y que traigan dos *abaayas* extras.

Abu Bark se encontraba en su recámara meditando la conveniencia de contactar esa misma tarde con el príncipe Kamal. Uno de sus colaboradores consultaba telefónicamente el saldo de su cuenta en Zurich, mientras otro, también telefónicamente, concretaba una cita con un famoso mercader de armas belga. Abu Bark se movió bruscamente cuando Bandar entró en la recámara sin llamar; parecía preocupado.

—¿Qué ocurre? —preguntó, y se quitó los lentes de mal modo.

—Katem acaba de ponerse en contacto. Hace unas horas, alguien abordó al príncipe Kamal en la puerta de su casa.

Abu Bark se puso de pie y miró fijamente a su subalterno. Podía tratarse de un hecho sin importancia como de uno de extrema gravedad. Los traidores nunca faltaban cuando había tanto dinero en juego.

—¿Pudieron determinar de quién se trataba?

—Iba completamente embozado —explicó el hombre.

—¿Qué más sabes?

—Entraron en el edificio y conversaron por algunos minutos. Después salieron, se subieron al automóvil del príncipe Kamal y se dirigieron al viejo palacio del rey Abdul Aziz. Hasta el momento, no los vieron salir.

—Quizá lo hicieron por la parte trasera —sugirió Abu Bark.

—Todas las entradas se hallan custodiadas. Hubo poco movimiento de entradas y salidas: un par de mujeres, que, según averiguaron, se trataba de la cuñada y la hermana del príncipe, y unos proveedores de artículos de librería. Nadie más. Los proveedores dejaron las cajas y salieron con las manos vacías. Las mujeres también abandonaron el palacio una hora más tarde.

Abu Bark despidió al subalterno y volvió a recostarse entre los cojines. Cerró los ojos y meditó. A lo largo de su vida había aprendido muchas lecciones, pero dos habían sido de gran utilidad: la primera, no existían las coincidencias; la segunda, siempre debía confiar en su instinto. No le gustaba el encuentro del príncipe Al-Saud con un hombre que no quería mostrar su rostro. Se puso de pie y llamó por radio a su segundo en el mando, Kalim Melim Vandor. Kalim era palestino y odiaba a los judíos más que el propio Abu Bark. De contextura alta y maciza, el aspecto malévolo se lo confería un parche en el ojo izquierdo, perdido en la Franja de Gaza tiempo atrás a causa de la esquirla de una granada.

—Kalim —expresó, con firmeza—, debemos abandonar Petra dentro de las próximas horas. —El terrorista lo contempló con una mueca de confusión, y Abu Bark se impacientó—: Existe la posibilidad de que el príncipe Al-Saud ya conozca nuestra ubicación.

—¿Qué haremos con la muchacha argentina? ¿La llevaremos con nosotros?

—Nos desharemos de ella —decidió Abu Bark—. Ya no la necesitamos. Primero organiza a los hombres que enseguida nos encargaremos de ella.

Kamal y Méchin terminaron de quitarse las *abaayas* de Fátima y Zora y se acomodaron en las butacas del *jet* Lear. Minutos después, el avión despegó. Volaban rumbo a Jordania junto a la élite de agentes de la Secretaría de Inteligencia. Méchin miró de reojo a Kamal y pensó: «Lo mantiene en pie la adrenalina. No entiendo cómo resiste, hace más de un día que no come ni bebe ni duerme». Kamal, sin embargo, lucía despabilado, pletórico de energía.

Antes de que Kamal, Méchin y sus hombres dejaran Riad, Abdullah había telefoneado a su par en el Reino Hachemita de Jordania, cuñado del rey Hussein II, con el cual mantenía un trato casi amistoso. Enterado de la posible existencia de facciones terroristas antisemitas en sus dominios, el rey Hussein ordenó prestar colaboración al reino saudí para exterminarlos. No amaba a los judíos, pero la situación de por sí delicada con Israel se complicaría inútilmente si salía a la luz que el famoso Abu Bark se ocultaba en su país.

El *jet* aterrizó en una pista privada al sur de Jordania. A Kamal y a su grupo lo aguardaban diez hombres del ejército del rey Hussein. Mientras se sucedían las presentaciones, los agentes saudíes descargaban las armas de la bodega del Lear: fusiles máuser, metralletas británicas Sterling y rifles Fal. El jefe jordano les señaló la entrada a una tienda de campaña, donde encaró sin rodeos al agente saudí a cargo de la misión y al príncipe Al-Saud.

—¿Qué nivel de probabilidad existe de encontrar a Abu Bark en Petra? Me refiero, ¿hasta qué punto es fiable la fuente que reveló este dato?

—No podemos saberlo —aceptó Kamal, sin inmutarse ante el gesto del militar—. Pero existen otras circunstancias y datos que nos hacen pensar que la información acerca de Petra es cierta. Es con lo único con lo que contamos. Debemos correr el riesgo.

—En el depósito del barrio de Melazía en Al Aqabah no se encontró a nadie, aunque me aseguran que al menos una veintena de personas habitó ese lugar días atrás. Hallaron restos de comida, colchones, ropa, publicaciones recientes. Nada que pueda ayudarnos.

—De todos modos —dijo el agente saudí—, podríamos inferir que en Petra nos enfrentaremos a una veintena de hombres.

—Es un supuesto muy arriesgado —interpuso el jordano—. Lo cierto es que no sabemos con cuántos hombres nos enfrentaremos.

—O si nos enfrentaremos con hombre alguno —añadió Méchin, pesimista desde un principio y con poca confianza en la extemporánea confesión de Abdel.

—Según me informaron ésta es una operación de rescate —manifestó el militar jordano, y Kamal asintió.

—Se trata de un miembro de la embajada argentina —explicó el agente saudí, mientras le pasaba algunas fotografías de Francesca—, una mujer de veintiún años secuestrada hace dos días por gente de Abu Bark. Queda poco tiempo antes de que se dé aviso a las autoridades de su país y se desencadene el escándalo. La operación no puede fallar, debemos recuperarla con vida.

El militar jordano no quiso seguir indagando más allá de las dudas que le suscitaba la misión. Ante todo lo inquietaba que un miembro de la dinastía saudí estuviera haciéndose cargo. ¿Por qué tantas molestias por una argentina? Calló, acostumbrado a obedecer, y la orden de su superior había sido: «Hagan desaparecer a Abu Bark y a su gente».

Que hubiera una mujer en medio no cambiaba el objetivo. Se acercó a una mesa y extendió el mapa de Petra.

—Petra es un descubrimiento arqueológico que permanece oculto para la gran mayoría. Es una ciudad-fuerte, protegida por las montañas, simulada en medio de la roca. Como pueden ver, se emplaza en un valle entre los riscos, lo que le permite permanecer a resguardo. La entrada de más fácil acceso es la conocida como el camino del *Siq* —informó a continuación, y señaló un punto al sudoeste del mapa—, un laberinto cavado en la roca viva que lleva directamente al corazón de la ciudad frente al templo más importante conocido como *Khazneh,* situado aquí. En estas circunstancias, es imposible acceder por el *Siq,* quedaríamos expuesto al ataque de los terroristas en caso de que se hallasen apostados de guardia en el techo del *Khazneh.* Nos verían sin dificultad, y sería una trampa mortal pues no tendríamos cómo protegernos.

—¿Cuál es la mejor vía de acceso entonces? —se impacientó Kamal.

El jordano salió de la carpa y reapareció segundos más tarde acompañado de un beduino.

—La tribu de Amir ha vivido por siglos en esta parte del reino y es de las pocas que conoce Petra. Asegura que puede guiarnos al interior de la ciudad por otro camino más arriesgado, por cierto, pues debemos escalar los riscos.

—Mejor —intervino el agente saudí—. Si como usted indicó, Petra se encuentra en un valle, desde esa ubicación tendremos una visión estratégica del lugar.

—Accederemos por el Este —prosiguió el militar—, por la zona de *El-Deir*, un templo parecido al *Khazneh.* Desde allí avanzaremos bordeando la ciudad desde las alturas. Si es cierto que Abu Bark se encuentra en Petra, debe de tener gente custodiándola. En esa posición, nuestro objetivo será capturar a algún guardia que nos conduzca a él. Petra es famosa por sus escondites y laberintos bajo tierra; sin alguien que nos indique el camino, no encontraremos jamás a Abu Bark y a la muchacha. No nos quedan muchas horas de sol. Debemos comenzar a movernos. Usted, alteza, puede aguardarnos aquí en el campamento junto a su amigo.

—Coronel, no tengo intención de permanecer aquí sino de formar parte de la misión. Y no perdamos tiempo discutiendo sobre este punto, es inútil —concluyó, y se calzó el cuchillo y su Mágnum en el cinto.

El jordano se cuadró y abandonó la tienda a paso rápido.

—Yo también iré contigo —anunció Méchin.

—No —dijo Kamal.

—Has sido mi responsabilidad desde que eras un niño. No pretendo abandonarte en uno de los momentos más peligrosos de tu vida. Además, soy un hombre ágil y joven todavía, ¿o te olvidas que alguna vez fui de los mejores soldados de tu padre?

Montaron a caballo hasta las inmediaciones de Petra; no usarían los *jeeps* para evitar el ruido de los motores. Se trataba de un grupo de veinte hombres fuertemente armados, que conducían a sus caballos en silencio, escudriñando el entorno con desconfianza. Kamal se sentía mejor, al menos estaba haciendo algo. Las eternas horas en el despacho de Mauricio lo habían debilitado. En ese momento, mientras el caballo aceleraba el galope y se ponía al frente del grupo, él vibraba de emoción. «La recuperaré con vida o esto será lo último que haga», se juró. Siguieron cabalgando hasta alcanzar el oasis Al-Matarra, que tomaba su nombre del *uadi* que lo recorría.

—Aquí dejaremos la caballada —explicó el militar jordano— y continuaremos a pie hasta los riscos. Debemos llegar en media hora.

En ese punto de la misión, Amir, el beduino conocedor de la zona, se convirtió en pieza clave, y los guió con una certeza que evidenciaba su baquía. Al pie de las estribaciones aseguraron armas y cuchillos, y emprendieron la subida, en un principio, sin mayores esfuerzos gracias a la suave inclinación del macizo y a las sinuosidades que convertían al sendero en una escalera natural. A medida que avanzaban, sin embargo, la ladera se tornaba abrupta y peligrosa. En un punto cercano a la cima, que el beduino llamó «La tumba del león», un nicho prolijamente esculpido en la piedra de donde salían y entraban lagartijas de variados tamaños y colores, marcó la referencia que el guía buscaba: se hallaban a un paso de *El-Deir*. A partir de allí, la escalada se tornó casi vertical.

Alcanzaron un portillo que parecía una herida abierta en el risco y, a una seña del beduino, lo penetraron. Era un túnel de poca longitud luego del cual avistaron la fachada colosal, casi inverosímil del templo *El-Deir*. Antes de descender y cruzar el terreno abierto que los separaba del templo, el coronel jordano envió a dos de sus hombres a inspeccionar los alrededores, mientras ellos permanecían guarecidos en la parte final del túnel. Los agentes dieron la venia, y el resto del grupo salió del escondite y se aproximó a *El-Deir*. Kamal estimó que la fachada debía de medir alrededor de cincuenta metros de altura; lo sobrecogieron la imponencia de las columnas y la belleza de los frontispicios de estilo griego.

—Hasta aquí llego yo —manifestó el beduino al militar jordano—. Deben entrar por ese boquete —dijo, y señaló una hendidura a la izquierda de la fachada del templo— que los llevará a la parte central de Petra.

El boquete encerraba una escalera esculpida en el corazón de la montaña que los condujo nuevamente a la cima desde donde dominaron, esta vez, la parte central de la ciudad. El corazón de Kamal latía fuertemente, seguro de que Francesca se encontraba en algún punto de ese pueblo fantasma.

Se repitió la acción de momentos antes: el coronel envió a los mismos hombres a reconocer la zona con la advertencia de que si no se habían topado con los terroristas en las cercanías de *El-Deir*, era probable que ocurriera en esta parte. «Si es que los terroristas se encuentran aquí», se desanimó Méchin, que sólo escuchaba al viento y veía reptiles multicolores. A poco, regresaron los agentes jordanos.

—En un macizo de riscos, aproximadamente a quinientos metros al Este, avistamos a un hombre. Llevaba una metralleta y un cuchillo Bowie en el borceguí.

Se organizó la avanzada. El grupo se dividió en cuatro para asaltar al terrorista, que reaccionó cuando los agentes estaban encima de él.

—¿Dónde está el resto de la guardia? —lo increpó el coronel jordano, mientras otro le retorcía los brazos en la espalda.

—Estoy solo —aseguró, entre gemidos.

—Mientes —expresó el coronel, y le quitó el cuchillo del borceguí—. Te voy a destripar con tu propio cuchillo si no me dices dónde están tus compañeros de guardia. —Y ante la reticencia del hombre, el jordano le abrió un surco en la mejilla—. ¿Quieres que siga o prefieres decirme dónde están?

Cedió. Minutos después llamaba a su compañero desde un promontorio en el macizo. El guardia salió de su escondite, una gruta en la roca en la otra orilla del *uadi*, y se sorprendió al columbrar la herida sangrante en la mejilla del otro. Le preguntó qué le había sucedido haciendo gestos con las manos. Por fin, le indicó que se acercaría a socorrerlo. No logró llegar: metros antes, un agente saudí lo sorprendió por detrás y lo degolló.

—¿Dónde está el resto de la guardia? —insistió el coronel.

—Ya no quedan más —respondió con acento nervioso y la vista en el cuerpo exánime de su compañero—. No quedan más, lo juro.

—Guíanos hasta tu jefe. Y quítate de la cabeza la idea de dar aviso: antes de que alguien pueda siquiera reaccionar, te arranco la yugular. —Y le apoyó la punta del cuchillo en el cuello.

* * *

Francesca no había muerto. Lo supo al sentir la arena del piso en la mejilla. El olor a humedad de la celda se había intensificado y, junto con él, las náuseas. Posó la mano sobre la parte baja de su vientre, dura como piedra. La atacó una puntada profunda que le pareció eterna y que la obligó a ovillarse y a gemir. Se largó a llorar, consciente de que algo andaba mal con su bebé. Recordó la paliza de aquel siniestro hombre, lo que le había dicho, la llamada telefónica a Kamal, la voz desesperada de él. Las imágenes se sucedían con claridad ahora que el efecto de la droga había pasado.

Debía escapar de allí, no permitiría que dañaran a su hijo o a Kamal. Logró levantarse del suelo y estudiar el entorno. Aquello parecía una caverna, un hueco toscamente abierto en la roca viva y, aunque se encontraba segura de su cordura, le costaba creer que aquello estuviera sucediéndole.

De todas maneras, en ese momento de nada servía conocer los detalles ni las razones de aquella pesadilla. Sólo debía buscar el modo de huir. Escuchó voces y se asomó por el ventanuco de la puerta: dos hombres se aproximaban a paso rápido; uno era el que la había golpeado; el otro, alto y macizo, con un parche en el ojo izquierdo, la estremeció de pánico. Hablaban en árabe y, por el tono empleado, imaginó que discutían. «¡Que no entren aquí!», deseó en vano, porque se pararon frente a su puerta y la contemplaron entre las barras de la ventanilla. Francesca retrocedió.

—Está despierta —comentó Abu Bark—. Nos desharemos de ella ahora mismo; no es necesario que la llevemos al nuevo escondite.

Abrieron la puerta y la hallaron en un rincón, cerca del catre. Los sorprendió su actitud, similar a la de una fiera acechada. Sus ojos negros, fijos en ellos, parecían lanzar llamaradas de odio y furia. «No me entregaré sin luchar», amenazaban. Kalim la admiró por eso; no lloraba ni suplicaba. Desenvainó su cuchillo y se aproximó tratando de someterla con la mirada aviesa, como si deseara hipnotizarla. Francesca se replegó hasta que dio con la pared y buscó interponer el camastro entre ella y el hombre del parche.

—Ven aquí, niña —dijo Kalim.

Francesca se movió hacia el costado en dirección a la puerta abierta: si lograba alcanzar ese extremo de la celda no le resultaría difícil dejar por tierra al otro tipo y escapar. La sangre le fluía vertiginosamente en las venas y le insuflaba un vigor inusitado, había olvidado dolores y puntadas, y se encontraba dispuesta a enfrentar a un ejército para salvar a su bebé. Nadie osaría dañarla, ni a ella ni al hijo de Kamal. Kalim movió el cuchillo próximo a su rostro y la asustó. Jugaba con ella, la amilanaba para quitarle fuerzas y dominio de sí.

Se escuchó un griterío; luego, algunos disparos. Abu Bark se asomó al corredor y, antes de abandonar la celda corriendo, ordenó:

—Rápido, deshazte de ella.

Kalim volvió la vista a su presa y alzó una ceja con picardía.

—Parece que el destino me ha concedido los minutos que necesitaba para estar a solas contigo. —Y se pasó la lengua por los labios.

Aunque Francesca no le entendió una palabra, adivinó las intenciones del árabe sin dificultad.

Kamal había controlado su agitación sin interferir en el trabajo de los expertos. Pero después de haber atravesado oscuros laberintos guiados por el guardia, se desentendió del grupo comando, que intentaba reducir a los terroristas a la entrada de la caverna, y avanzó en busca de Francesca, convencido de que eso debía enfrentarlo solo.

También allí los pasadizos zigzagueaban, lúgubres y tenebrosos, apenas iluminados por antorchas empotradas en la piedra. Avanzó con incertidumbre, preguntándose si había elegido el camino correcto. Debió ocultarse en las sinuosidades de la pared y dejar pasar a otros terroristas, que alertados del fuego cruzado que se desarrollaba en el extremo opuesto de la caverna, corrían con las armas en las manos. Poco le importaban los terroristas, él sólo deseaba estrechar a su pequeña Francesca. Se negó a pensar en la posibilidad de que ya hubiera muerto y siguió adelante. Paradójicamente, fue la promesa que se hizo en vuelo hacia Jordania lo que lo tranquilizó y le permitió avanzar: o rescataba a Francesca con vida o no volvería a ver la luz del sol.

El cuchillo le molestaba ahora que se disponía a violarla. Kalim lo devolvió al cinto y avanzó con los brazos abiertos. Francesca se movió hacia uno y otro lado; por más que trataba de mantener la mente fría, la desesperación se apoderaba de ella con rapidez, consciente de que no escaparía del oso que tenía enfrente. Intentó evadirse hacia la puerta, pero el camisón se le enredó en las pantorrillas y cayó al piso. El árabe se le echó encima, la obligó a girarse y comenzó a manosearla y a besarla. Sintió el peso de un yunque sobre el pecho y, con el último aliento, gritó el nombre de Kamal.

Al príncipe se le agitó el corazón al escuchar a Francesca, y la llamó él también. Que siguiera gritando, le pidió, que lo guiara hasta ella, pero Kalim le tapó la boca y la levantó bruscamente, sujetándola por el cuello. El terrorista aguardó expectante, sopesando si contaba con tiempo para huir. La voz de ese hombre se escuchaba demasiado cerca. Un instante después, la figura imponente del príncipe Kamal se proyectó en la puerta.

—¡Suéltala! —ordenó, y lo apuntó con la pistola—. ¡Suéltala!

—¡Jamás! —pronunció Kalim.

—¡He dicho que la sueltes! ¡Hazlo o no podrán reconocer tu cadáver!

—¡Esta puta del demonio pagará caro sus atrevimientos! —vociferó el terrorista, y hundió levemente el puñal en el cuello de Francesca, provocándole un corte.

Kamal perdió la compostura al escuchar el alarido de Francesca y al ver el hilo de sangre que le escurría por el escote.

—Está bien, está bien —se apresuró a decir—. Pídeme lo que quieras, cualquier cosa, te la daré, pero no le hagas daño. Déjala —suplicó.

—Suelta el arma —ordenó.

Kamal arrojó la pistola a los pies de Francesca, que, a una indicación de su captor, la recogió del suelo y se la entregó. Kalim le apoyó el arma en la sien y le circundó torpemente el cuello con el brazo. La arrastró en dirección a la puerta y, al pasar cerca de Al-Saud, le asestó un culatazo en la frente. Kamal cayó de rodillas cubriéndose la cara. Francesca pegó un alarido e intentó quitarse los zunchos que le impedían arrojarse al lado de su amante herido. Fue un corto forcejeo: Kalim dejó caer la pistola y logró reducirla. Se la cargó sobre el hombro y abandonó la celda en dirección opuesta al lugar de donde provenía el fragor de las armas.

Kamal se incorporó lentamente y necesitó apoyarse en la pared; la habitación le daba vueltas, le zumbaban los oídos y un latido doloroso le martillaba la cabeza. Clavó la vista en un punto fijo y logró detener las vueltas vertiginosas, tomó una profunda bocanada de aire y controló el deseo de vomitar. «Está viva», pensó, y eso lo impulsó a lograr el equilibrio. Recogió la pistola y abandonó el lugar. Tambaleó un trecho y luego corrió guiado por la voz de Francesca, que le llegaba desde lejos y que poco después dejó de escucharse. A punto de caer en la desesperación y después de una pronunciada curva, avistó una luz al final del túnel.

Francesca estaba descalza y los guijarros la lastimaban. La luz del sol le atormentaba los ojos luego de tantas horas de agobiante oscuridad. La martirizaba la puntada en el vientre, el brazo del terrorista le apretaba el cuello y le impedía respirar normalmente; quería gritar, que Kamal la escuchase y viniera en su ayuda. ¿Y si el golpe en la frente lo había matado? Trató de zafarse, pero sólo consiguió enfurecer al árabe, que le gritó al tiempo que le mostraba el precipicio a sus pies: caminaban por una cornisa ancha sólo metro y medio, y el abismo debajo de ellos parecía no tener fin. El vértigo le provocó un escalofrío y la obligó a aferrarse a su captor. Siguieron avanzando. Ahora Francesca lo hacía con docilidad.

—¡Suéltala! —se escuchó por detrás.

Kalim volteó con cuidado: Kamal se hallaba a pocos pasos con el cañón de la pistola en dirección a su cabeza. Tomó su cuchillo y lo apoyó sobre la mejilla de Francesca.

—Un paso más y la degüello —amenazó.

—¡Déjala libre y te daré lo que me pidas! —propuso Al-Saud, y devolvió el arma al cinto.

Avanzó con precaución y Kalim comenzó a moverse hacia atrás.

—Estoy dispuesto a hacerte una oferta muy generosa. Sabes que puedo darte mucho dinero. Entrégame a la muchacha y te convertiré en un hombre rico.

—¿Cree que soy un traidor al igual que usted?

—Déjala, no tienes salida. En segundos los soldados jordanos estarán por doquier y no tendrás escapatoria. Te ofrezco mi ayuda si liberas a la muchacha. Te daré lo que me pidas, el dinero que quieras. Podrás dejar Arabia e instalarte donde desees.

—Saud y usted, los dos son unos traidores. Traidores a su raza y al Corán. ¡Pagará por tanto descaro! ¡Y ella es el precio que debe pagar!

—¡Quédate donde estás! —imploró Kamal—. No sigas caminando.

Kalim pisó un guijarro y resbaló. Al-Saud se lanzó sobre ellos y sostuvo a Francesca de las manos, que osciló en el precipicio. Kalim terminó sujeto a un saliente de roca y se tomó unos instantes para recuperar el aliento. Trepó con dificultad y consiguió ponerse a salvo en la estrecha cornisa. Pegó la espalda a la pared sinuosa y miró con espanto el abismo que se abría debajo de él. Dio media vuelta, probando el terreno antes de apoyar el pie con seguridad, hasta sentir la aspereza de la roca sobre la mejilla. Se escupió las manos y comenzó la escalada.

Presa del pánico, Francesca gritaba y sacudía las piernas en un intento desesperado por apoyarlas en algo firme, y sólo conseguía dificultar aún más la comprometida posición de Kamal. Las axilas le quemaban y presentía que las manos se le separarían del cuerpo por las muñecas. La situación se tornó inmanejable cuando Kamal avistó a Kalim que trepaba ágilmente, acortando la distancia que lo separaba de Francesca a una velocidad que no le daría tiempo a ponerla a resguardo.

—¡Francesca, escúchame! —pidió—. ¡Concéntrate en lo que voy a decirte! No voy a dejarte caer, ¿entiendes? No voy a soltarte, pero debes liberarme el brazo derecho.

—¡No puedo, Kamal, no puedo soltarte! ¡Caeré!

—¡Escúchame, Francesca, no pierdas la calma! Debes aferrarte con ambas manos a mi brazo izquierdo y permanecer tan quieta y pegada a la roca como puedas. No te dejaré caer, ten confianza en mí.

Francesca intentó calmarse. «No me dejará caer», pensó y, en un cambio veloz, se tomó con ambas manos del brazo izquierdo. Kamal sintió fuego en los músculos y un dolor lacerante que le llegó hasta el cuello, pero no se permitió lamentarse: con la derecha libre, empuñó la pistola y disparó repetidas veces en dirección a Kalim, que se soltó de las rocas y cayó al abismo. Se le mitigó la quemazón del brazo izquierdo cuando volvió a equilibrar la carga con el derecho, pero debieron pasar algunos segundos antes de que hallase fuerzas para subirla.

—Apoya los pies en los salientes de roca y ayúdame a subirte —indicó.

Las plantas de los pies le sangraban, pero Francesca no se daba cuenta. Trepó con resolución mientras Kamal la tiraba hacia arriba. Una vez en seguro, cayó inconsciente sobre el pecho de su amante.

Aún tendido en la cornisa, con la vista fija en el cielo del atardecer, Kamal sentía los latidos frenéticos de su corazón; el resto del cuerpo le había desaparecido. «Tengo que levantarme», se dijo, y tanteó la cabeza de Francesca. La llamó repetidas veces, pero la joven no respondió. «Tengo que levantarme», insistió, y trató de incorporarse. Acomodó a Francesca en su regazo y comprobó que aún respiraba.

Kamal no tenía control sobre sus piernas; el hombro izquierdo le ardía y un mareo le dificultaba el equilibrio. Sentado contra el risco, buscó calmarse: cerró los ojos y respiró profundamente. El sonido seco y abrupto de un disparo lo llevó a actuar con rapidez e, instintivamente, cubrió a Francesca con su cuerpo. Levantó la cabeza en el momento en que un hombre caía a un paso de distancia con un puñal en la mano. Se dio vuelta, desorientado, y se encontró con Jacques Méchin, que aún sostenía la pistola humeante.

—Era Abu Bark —aseguró el francés.

CAPÍTULO XIX

La cabalgata desde Petra al campamento del ejército jordano resultó una pesadilla. Francesca ardía en fiebre y perdía la conciencia con frecuencia. Kamal deseaba evitar los movimientos bruscos, pero se veía obligado a galopar porque el tiempo apremiaba. Finalmente, el *jet* Lear voló a Riad con Kamal, Francesca y Jacques como únicos pasajeros. Los agentes saudíes permanecieron en Jordania y prestaron colaboración en el traslado de los terroristas supervivientes a Ammán, la capital del reino.

Al-Saud ocupó dos butacas y acomodó a Francesca en su regazo. Ella seguía inconsciente y respiraba con dificultad. La palidez de su rostro lo asustaba. Así como era, tan vulnerable e indefensa, había quedado expuesta al odio y a la intolerancia. Él la había expuesto. La rabia y la impotencia lo dominaban, y habría acabado con la vida de su hermano Saud de manera lenta y dolorosa de tenerlo enfrente.

La habían golpeado y torturado, era fácil entreverlo por los moretones en la cara, las muñecas marcadas por las sogas y la sangre reseca entre las grietas de los labios. No podía dejar de mirarla a pesar de que temía descubrir otro signo de la violencia ejercida sobre ella. Sobre ella, su pequeña y dulce princesa. La palidez de sus mejillas se acentuaba, los círculos violáceos en torno a los ojos se volvían negros, la consunción de las facciones parecía la de un ser sin vida. Hacía un esfuerzo sobrehumano al respirar; ese silbido terminaría por enloquecerlo. Le tomó la mano y se la llevó a los labios.

—Vamos, Kamal, toma un poco de café, te sentará bien —ofreció Jacques, y le alcanzó una taza.

—No me pasará por la garganta.

—No te desanimes ahora. Verás cómo pronto se recuperará.

—Estoy alarmado, amigo mío, cada vez respira peor. Es que está tan pálida, parece muerta —dijo, y la voz le tembló.

Francesca se inquietó sobre el regazo de Kamal, lanzó cortos gemidos y abrió los ojos.

—Mi amor —susurró Kamal, y la besó en la frente.

Francesca sonrió y las grietas de sus labios resquebrajados se abrieron; trató de pronunciar su nombre y soltó un sonido ronco incomprensible.

—Shhhhh, no hables, no debes fatigarte —insistió Kamal.

—Agua —pidió ella.

—¡Agua, rápido! —apremió.

Kamal le acercó el borde del vaso a los labios, y el agua, en parte, se le escurrió por las comisuras. El primer sorbo despertó en ella lo amargo de la bilis, y le provocó una arcada. Vomitó sobre sí y comenzó a sollozar. Kamal la limpió amorosamente y volvió a darle de beber. Esta vez el agua sabía a agua y no a hiel. Bebió otros tragos, que le acentuaron la languidez de tres días sin alimentos. Los revoltijos en el estómago volvieron y el bajo vientre se le tensó de nuevo.

Resultaba difícil controlarse viéndola sufrir. Kamal no sabía qué hacer, ni qué decirle, ni qué darle para calmarle el dolor. Aquella situación lo desquiciaba. Tenía la pavorosa sensación de que Francesca perdía contacto con el mundo, que se le escapaba de las manos. Le hablaba, intentaba mantenerla despierta, trataba de reanimarla. Pero la muchacha cerró los ojos y cayó inconsciente de nuevo.

Desde la cabina del *jet* se ordenó por radio que una ambulancia los aguardara en la pista del aeropuerto de Riad. Al doctor Al-Zaki a su vez se le indicó que dispusiese su clínica para recibir a Francesca. A Kamal sólo le quedó rogar que la hora y media de vuelo no resultase fatal. Cuando aterrizaron en Riad, Francesca aún respiraba. Kamal la tomó en brazos, laxa y desmadejada, y descendió las escalerillas del avión. Abenabó y Káder los aguardaban con el Rolls Royce en marcha para escoltarlos hasta la clínica. Jacques cambió unas palabras con el piloto y se apresuró en dirección al automóvil, siguiendo alarmado el reguero carmesí que dejaba Kamal sobre la pista. El príncipe estaba herido y no lo había mencionado.

—¡Estás herido! —dijo el francés, y lo retuvo por el brazo.

Observó con espanto la mancha de sangre que se expandía sobre los pantalones color caqui de Al-Saud, y se la señaló. Pero Kamal supo de inmediato que no se trataba de él. A la altura de la entrepierna, el camisón de Francesca estaba empapado en sangre.

—¡Es Francesca! —se desesperó.

* * *

A Kamal no le importaba nada de sí, y sólo a la fuerza habían conseguido ponerle el brazo en cabestrillo y darle un calmante. Para él, Francesca era lo único que contaba. Iba y venía por el corredor de la clínica de Al-Zaki fumando un cigarrillo tras otro. Jacques Méchin había desistido de serenarlo. Mauricio Dubois, arribado media hora atrás, no tenía ánimo para hablar. La vida de Francesca corría peligro. «Está perdiendo mucha sangre», había comentado una enfermera al abandonar la sala de operaciones.

Se presentaron Abdullah Al-Saud y Fadila, al tanto de cuanto había acontecido. Kamal abrazó a su madre y de inmediato se apartó con su tío a una sala privada.

—Quiero la más estricta seguridad en esta clínica —ordenó Kamal, y Abdullah asintió.

—Mandaré organizar una vigilancia para la muchacha —aseguró— y la aislaremos en esta parte de la clínica.

—Quiero tus mejores hombres, día y noche.

Abdullah indicó un sofá y tomaron asiento. Conversaron sobre los pasos a seguir y Kamal consiguió recobrar en parte la calma

—Todo lo que Abdel nos confesó era cierto, tío —expresó Kamal—. Mi hermano Saud y Tariki se mezclaron con un gusano como Abu Bark para eliminarme.

Aquellas palabras agobiaron a Abdullah. Ahora que podía sentarse a pensar, terminó de aprehender la magnitud del problema que deberían enfrentar. Se preguntó de qué modo se salvaría una situación tan delicada, de qué modo se salvaría el honor de Arabia y de la familia cuando el rey había actuado como un mafioso.

Jacques se asomó a la puerta y les avisó que el doctor Al-Zaki acababa de dejar la sala de operaciones.

—La paciente se encontraba encinta de algunas semanas —informó Al-Zaki—. Siento informarles que el embarazo se ha interrumpido. Cuando llegó aquí no había nada por hacer. Muestra signos de golpes en el bajo vientre. Lo más probable es que esto haya sido la causa del aborto. La pérdida del feto le ha significado una profusa hemorragia, que en su estado de deshidratación, resulta preocupante. Con todo, hemos tenido que practicarle un legrado para evitar una posible septicemia.

—¿Septicemia? —preguntó Mauricio.

—Se trata de una infección general grave producida por la penetración de gérmenes patógenos en la sangre. Si la infección entra en el torrente sanguíneo, es incontrolable y no existe nada que podamos hacer. Le estamos suministrando antibióticos fortísimos. En el término de veinticuatro horas debe desaparecer la fiebre para saber que hemos superado este riesgo.

Kamal observaba atónito al doctor Al-Zaki y no daba crédito a cuanto escuchaba: ¿podía ser cierto que, después de todo, su adorada Francesca aún corriera peligro? Cerró los ojos y respiró profundamente para sofocar el acceso de rabia y llanto que lo asaltaba. Y cuando, en medio de esa tormenta de sentimientos, tomó conciencia de que su hijo, el hijo suyo y de la mujer que amaba por sobre cualquier cosa en el mundo, nunca nacería, golpeó la pared con el puño, enloquecido con la idea de que la habían torturado, ¡a ella, a quien nadie tenía derecho siquiera de rozar con un dedo!

Entre Jaques y Abdullah lograron reducirlo y lo obligaron a sentarse. Fadila se arrodilló a sus pies y lloró amargamente. Jacques lo sujetó por los hombros y le dijo palabras de consuelo. Kamal, sin embargo, continuaba poseído por el dolor.

—Cómo voy a decírselo —farfulló momentos después—. Estaba tan contenta con el niño.

Tenía miedo, una experiencia nueva y agobiante que lo abismaba en el desconcierto. Se preguntó con qué fuerzas arrostraría a Francesca y cómo soportaría su reacción; le temía a su llanto, temía verla sufrir, le temía a los reproches, a que lo odiara y lo culpara. Temía perderla. Fadila le tomó el rostro con ambas manos y lo besó en la frente.

—Es mi culpa —susurró Kamal.

—Nada de esto es culpa tuya, hijo mío.

—Sí, mi culpa. Ustedes me advirtieron que le haría daño si la ataba a mi suerte y yo no quise escucharlos.

—Es que la amas demasiado —justificó su madre.

—Tanto que daría mi vida para ahorrarle este dolor.

Kamal despertó y, con dificultad, cayó en la cuenta de que se hallaba en la clínica y que se había quedado dormido sobre el diván de la sala de espera. En el pasillo, silencioso y apenas iluminado, vio que los guardias de Abdullah continuaban atentos cerca de la habitación de Francesca. Lo saludaron con una inclinación de cabeza y lo dejaron pasar. Entró sigilosamente. La enfermera dormitaba en una silla. Completó el trecho que lo separaba de Francesca cuidándose de no hacer ruido, deseando un momento de paz, sin testigos ni intromisiones.

Permaneció largos minutos contemplándola de pie junto a la cabecera. Por fin, se arrodilló a su lado y le aferró la mano.

—¿Cómo permití que te hicieran esto, amor mío? —susurró—. Perdóname. Jamás debí dejarte sola. Perdóname, perdóname.

El sollozo le ahogó las palabras y sus lágrimas mojaron la mano de Francesca. Le costó levantar la vista nuevamente, acobardado de enfrentar los indicios del tormento. Tenía un corte no muy profundo en la mandíbula y otro en el cuello, el que le había hecho Kalim. Los labios secos y agrietados denunciaban la deshidratación de la que había hablado Al-Zaki. Se imponía como castigo ese análisis profundo y detallado, y a medida que descubría una nueva marca o un nuevo cardenal, la culpa se le confundía con el resentimiento y la ira.

Francesca lanzó gemidos de dolor. Kamal esperó en vano a que abriera los ojos. Los lamentos cesaron y Francesca volvió a quedarse tan quieta como al principio. Respiraba acompasada y regularmente. Sin embargo, al apoyarle los labios sobre la frente, Kamal se inquietó pues aún tenía fiebre. Pensó en el bebé y las imágenes de cuanto pudo ser lo atormentaron.

—¡Alá, ten compasión y aleja de mí este trago tan amargo!

Se puso de pie y abandonó la recámara, asustando a los guardias que lo vieron salir de la clínica como despavorido. Montó en su Jaguar y se alejó a toda velocidad. Las lágrimas no le permitían ver claramente, la angustia no lo dejaba pensar. Estaba destrozado. Frenó el automóvil a las puertas de la mezquita más antigua de Riad, y el chirrido de las gomas retumbó en la soledad de la calle. Mantuvo los brazos extendidos sobre el volante, con la mirada fija en la vieja construcción. Un instante después se encaminó hacia el interior del templo. Eran pasadas las cuatro y media, pronto comenzaría la primera oración. Se quitó los zapatos a la entrada y avanzó hacia el centro.

—¡Perdón, Alá, grandísimo y todopoderoso dios de Arabia, perdón! —exclamó con pasión—. Ya he pagado mi culpa, mi conciencia que me tortura y mi hijo muerto. Perdóname por haber puesto mis ojos en la mujer que no debía. Sé que estoy pagando mi error. Pero apiádate de ella, que no es culpable de nada. Apiádate Tú, Alá, infinitamente misericordioso, sálvala, te lo ruego.

Cayó de rodillas sobre la alfombra con los brazos extendidos al cielo, y rompió a llorar amargamente. Allí quedó tendido, hasta que media hora más tarde la voz monocorde del almuédano lo devolvió a la realidad. «Dios es grande; no hay más Dios que Alá y Mahoma es su

Profeta. Venid a orar». El templo se llenó de hombres que se quitaban las sandalias, practicaban las abluciones y se acomodaban en hileras sobre la alfombra, en dirección a La Meca. Al unísono, repitieron sus oraciones de rodillas, con el pecho pegado en el suelo, mientras el almocrí leía las sunnas del Corán. Media hora después, dejaron el templo en el mismo silencio y sumisión en que habían entrado. Kamal siguió a la masa, se calzó y subió al automóvil. Decidió ir a su casa antes de regresar a la clínica: hacía días que no tomaba un baño ni comía algo decente, comenzaba a oler mal y se sentía mareado y débil. Al llegar a su departamento, mandó preparar la bañera. No obstante el primer contacto con el agua caliente, que le estremeció los músculos y le erizó la piel, segundos después consiguió relajarse. Se vistió con ropas limpias y fragantes, y aceptó una taza de café negro bien cargado como a él le gustaba, y, aunque había variedad de dulces y confituras, no probó bocado.

En la clínica se encontró con que Francesca había despertado, con la frente fresca y el pulso regular, aunque muy mareada y un poco perdida. Se asomó en la habitación cuando el doctor Al-Zaki y dos enfermeras la revisaban. El médico ponía su atención en el reflejo de las pupilas a la luz, una enfermera le tomaba la presión y otra cambiaba el tubo de suero. Fadila permanecía callada junto a Mauricio y a Jacques.

—Tengo sed —susurró Francesca.

—No podemos darle agua, señorita —aclaró Al-Zaki—. Está recibiendo suero intravenoso. Enfermera, empape una gasa en agua fresca y humedézcale los labios.

—Lo haré yo —manifestó Kamal, y tomó la gasa de mano de la enfermera—. Hola, mi amor. ¿Cómo te sientes?

—Un poco mareada —musitó apenas.

Kamal le mojó los labios con la gasa y se los besó. Ella cerró los ojos e inspiró el perfume almizcleño que tanto amaba. Por fin, la pesadilla había terminado.

—¿Y el bebé? —preguntó repentinamente, y buscó al médico con la mirada.

Por la actitud de Kamal, que se puso rígido y se alejó un poco, supo que algo andaba mal.

—¿Y mi bebé? —insistió, vacilante.

El doctor se acercó a la cabecera y le explicó, sin demasiados preámbulos, que había abortado a causa de los golpes recibidos y de su mal estado general. Francesca giró la cara, se hizo un ovillo y comenzó a llorar.

Fadila se aferró al brazo de Jacques, que no pudo reprimir las lágrimas. Mauricio abandonó la habitación a toda prisa.

Kamal la envolvió con sus brazos y hundió el rostro en su cabellera. Le susurraba palabras de consuelo, que ella no escuchaba. Repetía como ida que habían matado a su bebé, que, cuando la golpeaban, ella no había podido defenderlo, que lo habían asesinado. A una indicación musitada de Al-Zaki, la enfermera inyectó en el tubo de suero una fuerte dosis de Valium. Francesca comenzó a balbucear en castellano, hablaba de su madre y de Fredo, y cada incoherencia significaba un duro golpe al corazón de Al-Saud, que le tomaba la mano, se la besaba y le acariciaba la frente.

Se quedó dormida minutos más tarde, un sueño agitado en donde repetía el nombre de Kamal con la misma angustia que en las cavernas de Petra y, pese a que Kamal le decía «Aquí estoy, mi amor, aquí estoy», ella seguía llamándolo.

Una semana más tarde, el doctor Al-Zaki le dio el alta, aunque prescribió reposo absoluto, una alimentación cuidada y mucha tranquilidad. Durante su estancia en la clínica, Francesca había conseguido recuperar el ánimo. Nunca la dejaban sola y la distraían con charla banal. El encuentro con Sara, que se turnaba con Kasem para pasar las tardes en la clínica, le había resultado conmovedor.

Nadie mencionaba el secuestro, pero ella quería saber y preguntaba. Pese a que le aseguraban que no había quedado libre ni uno de sus raptores, la intranquilizaba que Abenabó y Káder siguiesen acechándola. Kamal refunfuñaba cuando se lo comentaba y se tornaba más hosco de lo habitual. Ostentaba una actitud desconcertante, que la atemorizaba. Había un brillo extraño en su mirar, un destello que no le conocía. ¿Tristeza, quizá? Sí, tristeza, dolor; después de todo, él también había perdido a su hijo. Una tarde, de las pocas que se encontraban solos, Francesca le preguntó por qué estaba tan callado y taciturno.

—Me está matando la culpa —confesó.

Jacques Méchin llamó a la puerta y anunció que Al-Zaki acababa de firmar el alta. Francesca dejó la clínica escoltada por dos automóviles con gigantes armados hasta los dientes. Abdullah había prometido a su sobrino la mejor custodia para la muchacha, con la condición de que, una vez repuesta por completo, abandonara el reino inmediatamente. Saud y su ministro Tariki continuarían tan sueltos e impunes como hasta el momento, y Kamal se juró que no descansaría hasta verlos en el exilio, despreciados y calumniados, mientras él recibía los honores de soberano. Una vez fuera de la órbita política, cualquier desgracia podría ocurrirles. Por el momento, esta promesa lo mantenía en pie.

A excepción de Sara y Kasem, los empleados de la embajada permanecieron ajenos a la verdadera índole de la desaparición de Francesca, convencidos de que había sufrido un ataque agudo de peritonitis. Más allá de los ánimos caídos —la situación política en la Argentina era incierta y nada halagüeña— la recibieron con un pequeño festejo.

Después de todo lo vivido, Francesca se reintegraba a la rutina y a la cotidianeidad de la embajada. Quería apabullarse de expedientes, reuniones, informes y cuanto pudiera alejarla del dolor que le provocaba saber que su vientre estaba vacío. No le permitían hacer mucho, debía reposar la mayor parte del día y, sola en cama, le parecía una tortura. Kamal la visitaba a diario y le llenaba la habitación de camelias blancas, pero ella lo encontraba lejano y frío. Rara vez estaban solos, y en esos escasos momentos, él insistía en que se trataba de cansancio.

—¿Por qué me dijiste en la clínica que la culpa te estaba matando? ¿Acaso te culpas por lo del secuestro?

Kamal repetía que no y cambiaba de tema, y Francesca no se animaba a insistir. Una tarde, Kamal llegó acompañado de su madre y de su hermana Fátima. Francesca sabía que Fadila había estado presente la mañana que volvió en sí, pero no lo recordaba. Ahora se enfrentaban después de tanto tiempo, conscientes de que las diferencias religiosas y raciales que las habían distanciado en Jeddah aún existían. Fadila se quitó la *abaaya* y la contempló largo y tendido; luego, presentó un ramo de olivo al besarla en la frente y regalarle un broche de oro y rubíes que había pertenecido a su abuela, la madre de su madre. Fátima, jovial y aniñada como de costumbre, la colmó de halagos y le aseguró que, si bien la encontraba un poco delgada, continuaba siendo la mujer más hermosa que había conocido. Aseguró que las demás muchachas le enviaban sus saludos y le entregó un pañuelo bordado por la pequeña Yashira. Tomaron el té y conversaron como viejas amigas. Fátima, haciendo caso omiso a las recomendaciones de su madre, la acribilló a preguntas acerca de las costumbres occidentales y se maravilló ante la idea de caminar por la calle sin túnica, sin escolta y con las pantorrillas al aire, de conducir un automóvil y de sentarse en un café sin más compañía que la de un libro. Que las mujeres trabajaran y ganaran un sueldo la condujo al paroxismo de la emoción. Después de tanto tiempo, Francesca veía sonreír a Kamal nuevamente.

El silencio de la noche la abrumaba, y volvía a experimentar la soledad y el pánico de la celda de Petra. Se dormía angustiada y despertaba súbitamente, con la respiración agitada y el cuerpo empapado en sudor. Ojalá Kamal durmiese a su lado, anhelaba acurrucarse en sus brazos y apoyar la cabeza sobre su torso fuerte, necesitaba la seguridad de su cuerpo, la paz y la alegría que sólo experimentaba junto a él. Se sentía sola, incluso cuando Kamal estaba a su lado. No había vuelto a mencionarle el casamiento, y ella no acertaba con el momento oportuno para preguntarle. En ocasiones, al cruzar su mirada con la de él, la apartaba incómoda. Y se enojaba consigo por incomodarse, pero se trataba de aquel destello extraño en sus ojos, que aún no había desaparecido y que se intensificaba a medida que transcurrían los días.

Los cuidados de Sara y el descanso resultaron suficientes para que Francesca recobrara el buen semblante y no se mareara al caminar. Una tarde soleada de fines de abril, el doctor Al-Zaki, que la visitaba a menudo en la embajada, la encontró en perfecto estado y se limitó a recomendarle una espera de dos años para quedar encinta. Francesca se sonrojó y buscó a Kamal con la mirada; él fumaba con la vista perdida en el paisaje exterior.

Al-Zaki se despidió y Sara lo acompañó a la puerta. Francesca se acercó a Kamal y le dijo que deseaba caminar por el parque. Una brisa fresca le acarició las mejillas y pensó que el dolor pronto se desvanecería. Kamal la tomaba de la mano y eso era lo único que contaba.

—Me alegro de que Al-Zaki te haya encontrado tan bien —habló Al-Saud y le indicó la banca a unos pasos—. Sentémonos, necesito decirte algo.

El color céreo del rostro de Francesca, que intensificaba el negro de sus ojos y del pelo, le pareció irresistible. Estaba adorable, y lo arrebató el deseo de besarla. «No debo», se dijo, y apartó la vista.

—Ahora que estás repuesta por completo quiero que dejes Arabia. Éste no es un lugar seguro para ti. Es mi deseo que lo hagas a más tardar en dos días. —Y como Francesca lo miraba y no decía nada, agregó—: Debes olvidarte de mí y de todo lo vivido por mi culpa. Algún día, quizá, me recuerdes con cariño y llegues a perdonar el mal que te he hecho.

—¿Qué dices, Kamal? Me asustas. ¿Te has vuelto loco?

—Sí, definitivamente loco. Así fue la noche en que te conocí y que tu belleza y fragilidad embrujaron mi entendimiento. Ese día, la locura se apoderó de mí, gobernó mis actos, y sólo he cometido errores desde entonces. Recuerdo la tarde en la finca de Jeddah cuando Sadún me dijo que Mauricio y tú habían llegado. Era consciente de que contigo en mis dominios cruzaría una línea peligrosa de la cual no podría volver atrás. Y mientras te contemplaba dormir, mis sentimientos se entremezclaban con mis razonamientos, y una batalla feroz se desataba en mi interior. Abriste los ojos, murmuraste algo y seguiste durmiendo, y eso bastó para acallar las voces de la razón y caer rendido una vez más a causa de tu sortilegio, tanto dominio tienes sobre mí.

—Recuerdo vagamente, creí que se trataba de un sueño.

—Eres una mujer fuerte y estoy seguro de que olvidarás la pesadilla del secuestro y todo lo demás. Quiero que rehagas tu vida y que consigas sobreponerte —le dijo con el ímpetu de una orden.

Francesca lo contemplaba aturdida y, aunque entendía que Kamal estaba despidiéndola, se negaba a aceptarlo.

—Nos iremos juntos, ¿verdad?

—No. Te irás sola y nunca volveremos a vernos.

—¿Y nuestro casamiento? ¿Y nuestros planes?

—Eres joven, tienes todo el futuro por delante, no me necesitas para ser feliz. Por el contrario, conmigo serías desdichada, y eso sí que no podría soportarlo. Ya te he causado demasiado daño, debes alejarte de mí.

—¡Jamás! —reaccionó Francesca, y se puso de pie—. No quiero vivir si no es contigo. No me has causado daño, sólo me has hecho feliz. Hablas así porque te culpas por el secuestro y por lo del bebé. Eres injusto y duro contigo.

—¡Nunca seré demasiado duro conmigo! Nuestro hijo murió a causa de mi egoísmo, de mi testarudez y de mi ceguera, y por poco tú mueres también, sin contar la tortura que sufriste a manos de tus raptores. ¿Crees que me resulta fácil vivir con esta culpa que me está carcomiendo? Debo alejarte, debes partir. Nunca volveremos a vernos —repitió, y amagó con irse.

Francesca lo retuvo con un abrazo y lo miró con desesperación. Kamal la apretó con fervor y le besó la coronilla varias veces, con la voluntad hecha trizas y un dolor atroz en el alma.

—Vamos, Francesca —dijo, y la separó de sí—, verás que es lo mejor. Con el tiempo me agradecerás haberte alejado de mí y recordarás lo nuestro como una aventura loca, sin sentido.

—¿Cómo puedes hablar de lo nuestro como una aventura loca, sin sentido? Yo te amo más allá del entendimiento, eres lo único que cuenta para mí.

—Sólo Alá puede comprender la naturaleza de tu amor cuando has sufrido tanto a causa mía. ¿Cómo puedes decir que me amas cuando, impíamente, te arranqué de tu mundo y te expuse a las inclemencias del mío? Eres frágil y vulnerable, y no supe protegerte. ¡No, Francesca, no quiero vivir pensando que arriesgo tu vida cada segundo que te retengo!

—¡Y yo te digo que prefiero morir antes de separarme de ti! Voy a morir de cualquier modo, voy a morir de amor por ti.

—Nadie muere de amor —pronunció Al-Saud, con escepticismo.

—¿Cómo puedes decirme eso? ¡Eres cruel, cruel!

Francesca se cubrió el rostro y lloró amargamente. Kamal intentó partir, pero no encontró fuerzas para dejarla en ese estado. Volvió a apretujarla contra su pecho, consciente de que su decisión pendía de un hilo. Un solo beso habría bastado para hacerle cambiar de idea. Se apartó nuevamente y le extendió un pañuelo.

—¿Es que ya no me amas? —preguntó Francesca, y él guardó silencio—. Aunque negaras mil veces tu amor por mí, no te creería, Kamal Al-Saud. Tus ojos te delatan. Lo que hoy me dicen es lo contrario de aquello que expresan tus palabras.

—No cambiaré de parecer. Partirás en dos días.

—Eres desalmado e inflexible y, quizá, después de todo, sí exista algo que ames por sobre cualquier otra cosa: Arabia. Tu pueblo es la causa por la que me dejas. Sabes que tu familia jamás aceptará a un rey casado con una occidental, ¡una infiel!, que es lo único que soy para ellos, y tú estás dispuesto a sacrificarme si con eso salvas tu reino.

—¡Calla, no sabes lo que dices! Eres injusta, tus palabras me duelen en extremo. Te alejo de mí, sí, aunque sólo yo sé lo que me cuesta. No quiero hacerte más daño y deseo reparar de algún modo el que ya te he causado. No entiendo qué diabólico sortilegio se apoderó de mí la noche que decidí arrancarte de tu mundo y forzarte a entrar en el mío. ¿Cómo piensas que podrás vivir al lado de un árabe, con costumbres completamente distintas a las tuyas, sin la libertad a la que estás habituada, recluida, alejada del mundo? Yo no soy más que eso, Francesca, un árabe. Ahora hablas así, pero llegará el día en que me odies, y no podré soportarlo, acabará conmigo.

Kamal la dejó sola abismada en un vacío en el cual sólo retumbaba el crujido de sus pasos sobre el ripio. Se alejaba, se estaba yendo, lo perdía, no lograba retenerlo, y lo conocía demasiado para saber que aquella actitud era definitiva. Todo había terminado entre ellos, nada lo haría cambiar de parecer. ¿No se daba cuenta de que la mataba con aquella resolución? Se dejó caer en la banca. Estuvo allí sentada con la vista perdida en las copas de las palmeras hasta que la noche se apoderó del parque y un guardia le indicó la conveniencia de entrar. Arrastró los pies hasta su habitación, cerró la puerta tras de sí y se quedó mirando en torno sin saber qué hacer. La gargantilla de perlas que Kamal le había regalado aquella tarde tan feliz y tan lejana, asomaba en el cofre. La sostuvo entre los dedos y la contempló largamente. Tantos recuerdos hermosos la abrumaron y arremetió enfurecida contra la gargantilla, que terminó destrozada en el suelo. Las perlas rebotaron en el parqué y se desperdigaron por el dormitorio.

—¡Las perlas traen lágrimas! —gritó.

Sara la encontró sentada en el suelo, la espalda contra la pared. Esquivó las perlas y la ayudó a levantarse. Francesca se dejó desvestir y poner el camisón, y aquella mansedumbre de Sara y la gentileza de sus manos le recordaron a Zobeida y a los días vividos en el oasis del jeque Al-Kassib. Se acostó en la cama y Sara la arropó. Pensó en su madre. Deseaba estar con ella, la necesitaba tanto. Sería bueno regresar a la Argentina. No, se dijo, mejor sería cerrar los ojos y no volver a despertar.

Jacques Méchin sabía que lo encontraría en la finca de Jeddah. Kamal siempre buscaba refugio allí cuando necesitaba pensar. En tanto atravesaba el desierto en dirección al mar Rojo, repasaba los términos de la última conversación que había sostenido con Kamal.

—Voy a dejarla, Jacques.

—¿Por qué? ¿Es que ya no la amas?

—Bien sabes que sí.

—¿Entonces?

—Tenías razón. Su vida siempre correrá riesgos a mi lado; jamás será feliz, y yo no viviré en paz. No volveré a arriesgarla aunque separarme de ella sea como arrancarme un brazo. Además, en lo que me depara el futuro no hay sitio para Francesca.

—Te confieso que ya no sé si lo más sabio es que alejes a la muchacha de tu lado, como te aconsejé una vez. Estás cegado por la sed de venganza, la sospecha de que Saud maquinó un complot en contra de Francesca te ha trastornado, y pretendes ocupar el lugar del amor que sientes por ella con el odio que profesas por tu hermano.

—Bien sabes que no es una sospecha: Saud y Tariki me quieren fuera, soy el único capaz de suplantarlos. Ellos jugaron su partida e intentaron liquidarme. Ahora me toca jugar a mí y, tenlo por cierto, no fallaré. Será un trabajo limpio y eficaz.

—Y después de destruir a Saud, ¿qué te quedará?

—¿Después? No sé qué quedará, no me importa. Sólo sé que no viviré en paz hasta destruirlo. Y lo haré lentamente, en una agonía atormentada, lo destrozaré palmo a palmo, como él intentó hacerlo conmigo y con lo que más amo.

Pasado el mediodía, Jacques detuvo el automóvil frente a la finca de Jeddah. Sadún lo recibió sinceramente contento de verlo.

—¡Señor Méchin, sea bienvenido! El amo Kamal estará feliz de verlo. ¿Sabe? Me preocupa el amo Kamal. Lo noto muy desmejorado. Parco y callado, como siempre, pero su alma no está serena. Prácticamente no come. La luz de su recámara permanece encendida hasta muy tarde en las noches, y, una vez que la apaga, lo escucho dar vueltas en la habitación hasta casi el alba. A veces me asomo por mi ventana y lo veo fumando en el jardín, con la mirada perdida en el cielo. Fuma muchísimo, cuando siempre fue moderado. No lo creerá, pero rehusó la visita de su madre y de las muchachas. ¡Y usted sabe cómo le gusta recibirlas! Durante el día monta a Pegasus, ese semental loco que tiene, y se pierde por horas. A veces me preocupo, llega de noche, muy agitado. ¿Qué le está pasando a mi amo, señor Méchin? Nosotros pensamos que volveríamos a verlo después del casamiento con la muchacha argentina, pero ni señales de ella, y yo no me animo a preguntar.

—La muchacha argentina regresó a su país, Sadún. Ahora, llévame con Kamal, me urge verlo.

Lo encontró en su estudio, con el Corán en una mano y su *masbaha* en la otra. Al verlo en la puerta, Kamal le salió al encuentro y lo estrechó en un abrazo.

—¿Qué haces aquí? Sé que no te gusta Jeddah.

—Hace dos semanas que dejaste Riad y no he sabido nada de ti. Deseaba verte. Te echaba de menos

La respuesta sincera y tierna de aquel impertérrito francés sonó extraña a los oídos de Al-Saud y sonrió con picardía.

—Te has vuelto sentimental —dijo, y pidió al mayordomo—: Trae algo de beber y comer.

Hablaron de trivialidades y, pese al esfuerzo de Kamal por mostrar su mejor veta sarcástica y humorística, Méchin lo conocía demasiado para ignorar que sufría un profundo tormento. Lo encontró demacrado y más delgado; hacía días que no se afeitaba y necesitaba un corte de pelo.

—En realidad, he venido hasta aquí porque quiero saber cómo estás.

Kamal abandonó la mueca de estudiada y ficticia serenidad y clavó su mirada en la de Méchin, quien, a pesar de los años y la confianza, temió la ira de Al-Saud. Kamal lo contempló de hito en hito, el gesto inmutable; no se había enojado ni incomodado, pero no le respondió. Se puso de pie y, tras alejarse un trecho, preguntó:

—¿La viste antes de que partiera?

—¿Por qué quieres torturarte? ¿De qué te servirá saber de ella? Sólo conseguirás hacerte más daño.

—¿La viste? —insistió, con acento tranquilo pero firme.

—Sí, la vi.

—¿Cómo la encontraste?

—Estaba deshecha.

Kamal, de espaldas a Méchin, apretó el vaso y cerró los ojos. Si le hubiese propinado un puñetazo en la boca del estómago no le habría provocado tanto dolor como con aquella palabra.

—Te ama profundamente.

—¿Y por qué me lo dices así, con ese tono de reproche? —se alteró Kamal—. ¿No fuiste tú quien me aconsejó dejarla?

—Tal vez me equivoqué —aceptó Jacques, con la mirada desviada al suelo.

—Todos parecen haberse equivocado. Tú, mi madre, mi tío Abdullah, el pueblo árabe entero, el Corán. Pero fui yo quien más se equivocó, yo, que la aparté de mi lado, yo, que permití que invadieran mi vida. Ella confió en mí, se entregó a mí, sufrió por mí y yo la aparté de mi lado como si se tratase de algo indeseable. La hice sentir miserable, cuando en realidad no existe nada más importante que ella para mí.

Méchin se acercó y le extendió un sobre. Kamal, incómodo por su exabrupto, lo miró con sorpresa.

—¿Qué es esto?

—Una carta. Francesca me pidió que te la entregara la última vez que la vi. Fue hace una semana, antes de que partiera de regreso a la Argentina.

Bien sabía él que Francesca se había ido hacía una semana dejando Arabia y su mundo para siempre, dejando también un vacío en su interior al cual no sabía cómo enfrentarse. Francesca se había marchado, no volvería a verla. Sin ella la vida misma carecía de sentido; ni su venganza contra Saud ni su futuro como soberano le resultaban suficientes.

Un silencio se formó a su alrededor y no escuchó cuando Jacques Méchin murmuró: «Lo siento mucho», y abandonó el estudio. Más tarde, en la soledad de su habitación, se atrevió a abrir el sobre.

Riad, 10 de mayo de 1962

Mi adorado Kamal:

Intento comenzar esta carta pero nada me viene a la mente excepto que te amo profundamente. No logro resignarme a esto que está sucediéndonos, no comprendo cómo nuestras vidas, que imaginé atadas para siempre, ven abiertos dos caminos tan distintos. Simplemente, no puedo creerlo.

¿Por qué me abandonaste, Kamal? No entiendo tu decisión. Sé que aún me amas. Cuando despierto por las mañanas, intento pensar que esto es un mal sueño. Tú entrarás por la puerta, me sonreirás como sólo tú sabes hacerlo, tus ojos chispearán de felicidad y luego me tomarás entre tus brazos para llevarme lejos.

Te extraño tanto. ¿Por qué insistes en mantener esta tortura? Añoro tus manos sobre mi piel, tu boca en la mía, las noches de luna llena en el desierto y nuestros cuerpos juntos sobre la arena. ¿Por qué me hiciste conocer el paraíso si ahora insistes en sumergirme en el peor de los infiernos?

Quiero ser sincera contigo, absolutamente libre, no deseo atar dentro de mí cosas que siento y que algún día me arrepentiré por no habértelas dicho. Me pregunto si estaré lográndolo. Fui feliz a tu lado, y me atormenta pensar que no podré volver a serlo. ¿Por qué debo pensar que te he perdido para siempre? No puedo resignarme, Kamal. Vuelve a mí. Sabes que te estoy esperando, sabes que te esperaré la vida entera.

Antes de terminar esta carta, quiero decirte que, si me alejas de ti por proteger mi propia vida, si lo haces por temor a que algo malo me suceda a causa de los tuyos, prefiero morir en sus manos en una agonía lenta, a saber que nunca te tendré a mi lado, porque hasta que eso suceda, viviré dichosa contigo y no destrozada como lo estoy. Déjame elegir a mí mi propio destino.

Te amo.

Tuya para siempre,

Francesca

P.D. Quiero que conserves a Rex y que, cuando lo veas, recuerdes la tarde en el oasis.

Kamal se echó de espaldas en la cama con la carta sobre el pecho desnudo. El corazón le latía desbocado. Cálidas lágrimas le rodaban por las sienes.

—Francesca... —musitó—. Amor mío.

CAPÍTULO XX

Francesca aceptó la propuesta de Marina y, antes de regresar a Córdoba, pasó unos días en Ginebra. Le haría bien la compañía de Marina, siempre conseguía levantarle el ánimo.

En efecto, le hizo bien, incluso cuando se desahogó con ella y le contó su amarga experiencia. Lloró entre sus brazos como no había podido hacerlo después de que Al-Saud la dejó. De todos modos, su alma continuó hecha pedazos. La aterraba pensar que en el futuro Kamal Al-Saud constituiría sólo un recuerdo, un nombre, una imagen que con el tiempo se desvanecería. No se resignaba. Le daba miedo volver a la rutina, le daba miedo sufrir. Se preguntaba cómo sobrellevaría la cotidianeidad y el aburrimiento cuando la vida junto a él le había parecido una eterna aventura. Cómo no verlo en cada hombre. Cómo no sentir sus besos en los de otros. Buscaría el aroma de su perfume y el sonido de su voz entre la multitud, viviría pendiente del timbre del teléfono y de la llegada del cartero. Pensaría en él día y noche, moriría de amor. «Nadie muere de amor», le había asegurado Kamal, pero ella bien sabía que ese dolor ensordecedor terminaría por matarla.

—Imagino que es muy triste esto que está pasándote —reconoció Marina—, pero al menos tú tienes la dicha de haber amado y de haber sido amada. Yo, en cambio, no sé qué es el amor.

Esas palabras sonaron en su cabeza durante días y, en cierto modo, lograron alejarla del estado de desesperación en el que había caído. Sólo quedaba la tristeza, que olvidaba de tanto en tanto con alguna ocurrencia de su amiga. Una tarde, mientras saboreaban un helado a orillas del lago Leman, Marina le preguntó si aún sentía algo por Aldo Martínez Olazábal y, aunque se tomó un tiempo para contestar, nunca existió viso de duda: no lo amaba.

—Después de haber conocido a Kamal Al-Saud, temo que no volveré a enamorarme de otro hombre.

—¿Y qué sucedería si, al regresar a Córdoba, Aldo quisiera volver a intentarlo contigo?

—Ni aunque Aldo enviudase volvería con él —respondió Francesca—. Y no lo digo por despecho o rabia; lo digo, simplemente, porque mi corazón pertenece a Kamal. Engañaría a cualquier otro hombre si decidiera comenzar una relación en este momento.

Tres semanas más tarde, Francesca aún se encontraba en Ginebra y con pocas ganas de regresar a Córdoba a pesar de los ruegos de su madre. Las vacaciones de Marina terminaban, y no tenía sentido permanecer allí.

Se despertaría temprano, tomaría una ducha, desayunaría y partiría junto a su tío hacia el periódico. Después de todo, retomar su vida en Córdoba no había resultado tan difícil como había esperado. El cariño de sus amigos, pero en especial el de su madre y el de su tío Fredo, habían operado maravillas en su alma herida. Sólo a Fredo le había confesado lo del secuestro y habían acordado que jamás se lo referirían a Antonina. Sofía se desilusionó al saber que el romance entre su amiga y el príncipe saudí había quedado en la nada, pero admitió que estaba feliz por tenerla otra vez cerca.

Francesca no regresó al palacio Martínez Olazábal, no lo habría hecho aunque Aldo y su esposa no hubieran vivido allí. Para ella, esa etapa de su vida había quedado atrás. Era tiempo de alentar la idea de la independencia, y había comenzado por buscar un departamento que alquilar.

—No estoy de acuerdo en que alquiles —opinó Fredo, mientras caminaban hacia el periódico como cada mañana—. Es dinero echado al cesto de la basura. Sabés que mi casa es tu casa y que podés quedarte allí todo el tiempo que desees. Además, el día que muera, ese departamento será tuyo. A tu madre no le gustará en absoluto la idea de que te marches a vivir sola. La escandalizarás.

—No lograrás convencerme con esos argumentos —aseguró Francesca—. Hace tiempo que le perdí el miedo a mi madre. Estoy viviendo con vos hasta conseguir algo decente para mudarme. No quiero entrometerme en tu intimidad, tío. No me convencerás. En poco tiempo me mudaré.

—Si estás tan decidida —retomó Fredo—, entonces ¿por qué no buscás un departamento para comprar?

—Porque no tengo el dinero suficiente para hacerlo.

—Yo te lo daré.

—No puedo aceptar.

—¿Por qué no podés aceptar? —se fastidió Fredo—. Voy a darte ese dinero porque sos lo más importante para mí. Deseo que tengas lo mejor, Francesca. No me niegues ese placer.

—Está bien —dijo ella con simpleza, y entrelazó su brazo al de su tío.

Se esforzaba por mantener el ánimo en alto y mirar la vida con nuevos ojos; a menudo se decía que era de necios vivir para recordar y una energía pasajera le insuflaba ganas de pensar en el futuro; hasta que cualquier insignificancia la hacía volver al pasado y la abismaba en su dolor. La consolaba la idea de que el tiempo curaría la herida. Pero el tiempo transcurría lentamente y a ella un minuto le parecía una hora, y cada segundo lo dedicaba a él. En ocasiones, la pena daba paso a la rabia y al resentimiento, y lo habría abofeteado de tenerlo enfrente. Para ella, su abandono no tenía otra explicación: era el precio que pagaba por el trono de Arabia; no existía razón para engañarse, siempre lo había sabido: Kamal Al-Saud amaba, por encima de todo, a su pueblo. Invariablemente la rabia terminaba por ceder, entonces el recuerdo de sus besos ardientes y el frenesí de sus manos desvergonzadas le confundían los sentimientos y las sensaciones, y se rebullía en la cama sin conciliar el sueño.

Se sentía a gusto en el periódico y disfrutaba de su trabajo. La promesa de su tío seguía en pie y pronto publicaría su primer artículo. Fredo le había pedido que desarrollara una columna sobre la OPEP y hacía días que se dedicaba a investigar y a escribir a máquina. Cerca del mediodía, recordó que almorzaría con Sofía en Dixie, un lugar de moda donde servían además buena comida. Se puso el abrigo y corrió por el bulevar Chacabuco pues estaba llegando tarde.

—Disculpame —dijo, casi sin aliento—. Siento llegar tarde.

—No te preocupes. Hace poco que llegué —argumentó Sofía—. Pidamos pronto que estoy famélica.

Sofía indicó al mozo los platos y las bebidas con la jovialidad y el entusiasmo que la habían caracterizado antes de su trágico embarazo. Francesca la contemplaba con una sonrisa en los labios, feliz de verla tan recuperada. Sofía era su esperanza. En un acto impensado, le tomó la mano a través de la mesa y se la apretó. Sofía la miró con desconcierto y le devolvió una sonrisa.

—Te veo feliz —manifestó Francesca—. Y me hace feliz —agregó.

—Estoy feliz —aseguró Sofía—. He vuelto a verme con Nando. —Francesca se quedó mirándola—. ¡Ha vuelto por mí! —exclamó con acento medido; se le habían llenado los ojos de lágrimas y le temblaban los labios—. Me ha dicho que aún me ama, que no puede vivir sin mí. Que trató de hacerlo, pero que no lo consiguió. ¡Oh, Francesca, soy tan feliz!

Poco comieron. A Sofía se le había anudado el estómago a causa de la emoción; a Francesca, en cambio, se le había anudado a causa de la tristeza. Nando demostraba ser mucho más hombre que Kamal. Regresaba a una ciudad que tan vilmente lo había tratado en busca de la mujer que amaba, consciente de los escollos que tendría que sortear, pues no era poco enemistarse con los Martínez Olazábal. Por fin, Francesca expresó:

—Estoy feliz por vos, muy feliz —remarcó—. Sofi, contás con toda mi ayuda. Si no supe ayudarte aquella vez, en este momento haré todo lo que esté a mi alcance para que concreten su amor. Todo —dijo, y volvió a apretarle la mano.

—Por lo pronto diré que esta noche la pasaré contigo en lo de Fredo.

—Está bien —dijo Francesca, y no pudo evitar la envidia que la embargó. Ella también deseaba pasar la noche en los brazos de su amante.

—¿Puedo sentarme?

Sofía y Francesca levantaron la vista y se encontraron con Aldo. De pie, junto a la mesa, aguardaba una respuesta. Sus ojos no se apartaban de Francesca. Ella también le sostuvo la mirada y lo estudió detenidamente sin darse cuenta. Descubrió una resolución en su actitud que la sorprendió; lo encontró atractivo, bien vestido, el pelo prolijamente peinado; en su cercanía, la alcanzó el mismo perfume a lavanda que había usado en tiempos de Arroyo Seco. Ese Aldo en nada se parecía a la imagen alcoholizada y melancólica descrita por Sofía en sus cartas. Francesca se puso de pie resueltamente y sacó de su bolso algunos billetes que dejó sobre la mesa.

—Nos vemos esta noche en lo de mi tío Fredo —dijo, mientras se colocaba el abrigo.

—Francesca, por favor —suplicó Aldo—. No te vayas aún. Necesito hablar contigo.

—No tenemos nada que decirnos —expresó ella, con dominio.

—Francesca, por favor —terció Sofía.

—Al menos —sugirió Aldo— dejá que te acompañe hasta el periódico.

Volvieron a mirarse fijamente. Francesca no quería dar la impresión de albergar por él un mal sentimiento; hacía tiempo que lo había perdonado. Quizá no se trataba de perdón sino de olvido e indiferencia. Asintió y partieron juntos. Durante el primer tramo no hablaron. Francesca se sentía incómoda porque no tenía nada que decir. Aldo, en cambio, parecía complacido de tenerla cerca. Sus ojos la contemplaban de soslayo y reprimía las ganas de tomarle la mano. Finalmente, habló:

—Estás más hermosa que nunca.

—Gracias.

—¿Hace ya dos meses que regresaste, verdad?

—Sí, ya casi dos meses.

—¿Y por qué lo hiciste? —quiso saber Aldo, y Francesca lo miró por primera vez—. Me refiero a por qué regresaste. ¿No te gustaba tu trabajo en la embajada?

—Al contrario, me gustaba mucho.

—¿Entonces?

—Debí hacerlo. Dadas las circunstancias, fue lo más conveniente.

—¿Circunstancias? —repitió Aldo, pero Francesca se mantuvo callada—. ¿Qué clase de circunstancias? —insistió—. ¿Haberte enredado con un príncipe de la dinastía de Arabia, por ejemplo?

—No exactamente —replicó ella, y un acento duro le dominó la voz al expresar—: No por haberme *enredado* con un príncipe de la dinastía Al-Saud sino por haberme enamorado perdidamente de él.

Caminaron en silencio las últimas cuadras. Casi al llegar al edificio del periódico, Aldo se atrevió a manifestar:

—A mí no me importa.

—¿Qué no te importa?

—A mí no me importa que hayas amado a otro.

Se detuvieron a la entrada de *El Principal*. Francesca quería despedirse rápidamente y desembarazarse de Aldo, pero él seguía allí, frente a ella, mirándola con una ternura que no se animó a lastimar.

—Debo regresar a la oficina —dijo.

—Sí, sí, claro —aceptó él.

Francesca extendió la mano para despedirlo, pero Aldo la envolvió con sus brazos y le susurró cerca del oído:

—Aún sigo amándote. Nunca pude olvidarte. Aún sigo amándote locamente.

—Aldo, soltame.

—Perdón —dijo él, y se apartó.

Francesca quiso entrar en el edificio, pero él la retuvo por la muñeca.

—No te dejaré ir hasta que prometas que cenarás conmigo esta noche.

—No puedo. Tu hermana viene a dormir a casa de mi tío Fredo esta noche.

—Mañana por la noche entonces.

—Mañana por la noche estará bien —dijo, y entró.

Al día siguiente, apenas Francesca llegó a la oficina, sonó el teléfono. Nora, la secretaria de Fredo, tapó el auricular con una mano y susurró con una mueca de desconcierto:

—Es Aldo Martínez Olazábal.

Francesca dejó su escritorio y atendió el llamado.

—Hola.

—Hola —respondió él; se notaba en el timbre de su voz que estaba nervioso—. Disculpá que te moleste tan temprano en tu trabajo.

—Está bien, no te preocupes.

—Ayer nos despedimos tan rápidamente que no tuve tiempo de decirte que te pasaré a buscar por lo de tu tío a las ocho de la noche. Ya reservé para comer en Luciana, un restaurante de pastas que está en el Cerro de las Rosas. ¿Te parece bien?

—Sí, muy bien. A las ocho estaré lista. Nos vemos —y colgó.

Nora la miró con ojos inquisidores y Francesca se sacudió de hombros.

—No es lo que crees —advirtió.

—No sé qué creer —confesó la secretaria.

—Si no lo enfrento y le aclaro de una vez y por todas cómo es la situación, nunca me dejará en paz.

—En eso tenés razón —admitió Nora, y volvió a su trabajo.

En realidad, a Francesca la movía el resentimiento. Ella pensaba: «Si Al-Saud pudo deshacerse de mí tan fácilmente y olvidarme como si yo fuera un trasto, yo también podré hacerlo». Aldo Martínez Olazábal se presentaba como el medio más oportuno para conseguirlo. Le importaba un comino que fuera casado y que hubiera decidido pavonearse con ella en Luciana como si se tratara de su prometida. Ella quería probarse, tantearse, ¿hasta dónde llegaría? El rencor la volvía descarada y, sobre todo, desaprensiva. Había encontrado a Aldo mejor de lo esperado. Por cierto, muy distinto en su estilo al de Al-Saud, tan rotundamente hombre. Aldo conservaba un vestigio adolescente; sus facciones eran aún juveniles y sus ojos de mirada tierna le daban la pauta que, a diferencia de su relación con Kamal, ella sería la dominante y Aldo, el dominado.

Como había prometido, Aldo pasó a buscarla a las ocho. No lo invitó a subir y le indicó que bajaría en breve. A Fredo no le agradaba en absoluto aquella salida.

—Espero que tu madre no se entere de que has vuelto a las andanzas con el joven Martínez Olazábal.

—No te preocupes —dijo Francesca—, nada de lo que imaginás va a ocurrir. Sólo quiero aclarar debidamente las cosas con él.

—Hacé todo lo que tengas que hacer —expresó Fredo—, sólo evitá aquello que te perjudicará.

—Ah —suspiró Francesca, mientras se colocaba el abrigo—. ¿Cómo saber cuáles son las decisiones que nos benefician y cuáles las que nos perjudican?

—Todos sabemos bien diferenciar unas de otras.

—Tenés razón. La cuestión es hacerle caso a nuestro raciocinio cuando nuestro corazón nos dicta lo opuesto. Yo sabía que no debía involucrarme con Aldo y lo hice. También sabía que no debía involucrarme con Al-Saud y lo hice. En ambas ocasiones salí lastimada.

—Con más razón —insistió Fredo—. Ahora ya sabés que no siempre tenés que hacerle caso a tu corazón.

—Ah —volvió a suspirar—, es que es tan lindo, tío.

Fredo la besó en la frente, y Francesca lo abrazó. Aldo la aguardaba apoyado en su automóvil. Al verla, le dedicó una sonrisa pura, como de niño feliz, y Francesca experimentó la misma ternura y compasión que él solía despertarle en el pasado. Ella también le sonrió y le permitió que la besara en la mejilla. Aldo le entregó un ramillete de violetas.

—Una vez me dijiste que eran tus preferidas.

Francesca asintió con la mirada en las pequeñas flores, y no se atrevió a mencionarle que eso había sido antes de conocer las camelias. Colocó el ramillete en el broche que llevaba en la solapa del abrigo. El aroma resultaba muy agradable. Aldo abrió la puerta del acompañante y Francesca subió.

—El lugar que elegí para cenar va a encantarte, ya verás.

—¿No te molesta que nos vean juntos? —preguntó Francesca, con naturalidad.

—En absoluto.

No volvieron a referirse al matrimonio de Aldo, ni directa ni indirectamente. La velada transcurrió de manera placentera, como si se tratara del reencuentro de dos amigos de la infancia. Francesca le hablaba de su vida en Ginebra, de los avatares de su jefe, de la simpatía de Marina y él, de su trabajo en las estancias de los Martínez Olazábal, de la sorpresa que había significado descubrir cuánto le agradaba la vida de campo y de qué modo había mejorado la relación con su padre.

—Somos lo que nunca fuimos —explicó—: amigos.

—Me alegro —manifestó Francesca, con sinceridad; levantó la copa y pronunció—: Por tu padre.

—Por mi padre.

Aldo dejó la copa sobre la mesa y miró a Francesca con aire sombrío.

—Tengo una mala noticia que darte —dijo—. Mi padre vendió a Rex.

—Ya lo sé.

—¿Ya lo sabés? ¿Te lo dijo Sofía?

—Sofía no lo ha mencionado aún; supongo que no se atreve. Lo supe por otra fuente.

—Pagaron una fortuna por él, creo que más de lo que valía. Pero dice don Cívico que el hombre se mostraba empecinado y ofreció una suma difícil de rechazar. Yo no me enteré sino hasta que la operación se había concretado. De caso contrario, la habría impedido.

—Al-Saud lo compró para mí —expresó Francesca, muy suelta, y Aldo la miró, abiertamente confundido.

—Entiendo que Al-Saud es el príncipe que conociste en Arabia.

—Sí, es él. Envió a uno de sus agentes para tratar con tu padre la compra de Rex simplemente porque a mí me gustaba.

—Debió de amarte mucho para haber hecho algo así —admitió, con el ánimo descompuesto.

—No lo suficiente —adujo Francesca, y enseguida añadió—: ¿Pedimos la cuenta?

Ya en la calle, Aldo la recostó sobre el coche y la besó. Se trató de un beso tranquilo y sosegado, carente de la pasión que los había asaltado durante las tardes en Arroyo Seco, pero que de ningún modo la llevó a pensar que ese hombre no sería capaz de hacerla gozar. Le gustó la manera en que la besó; descubrió a un nuevo Aldo, seguro y confiado. Pero no pudo evitar la comparación; surgió naturalmente mientras los labios de él acariciaban los suyos y sus manos se metían bajo su abrigo y le apretaban la cintura. En ese momento, Francesca añoró los besos de Kamal, que siempre habían conseguido sorprenderla; en ocasiones lo había hecho con agresividad, en otras con pasión, a veces con mansa ternura; como en todo, él había marcado el paso y ella lo había seguido ciegamente.

—Te deseo —susurró Aldo—, quiero estar contigo.

—No estoy preparada para eso —confesó Francesca, y se separó de él.

—¿Aún piensas en ese árabe?

—No —mintió.

—¿Es que te molesta que siga casado? Quiero que sepas que anoche le dije a Dolores que quería separarme.

—No lo hagas por mí —dijo Francesca—. Creo que no volvería con vos aunque siguieras soltero.

—Aún pensás en ese hombre —insistió él, y pateó la rueda del auto.

—No se trata de él, no se trata de vos. Se trata de mí. Necesito un tiempo para mí. Aún no estoy lista para volver a entregarme a otro hombre. Sufrí demasiado, Aldo. Tenés que comprender que aún no estoy lista. No me siento segura.

Aldo apoyó su frente sobre la de Francesca y le acarició la mejilla. Segundos después, Francesca se dio cuenta de que lloraba.

—Dame una esperanza —le suplicó—. Muero de amor por vos y, cuando pienso que serías mi esposa si no hubiese sido por mi cobardía, siento deseos de pegarme un tiro.

—¡No digas eso!

—Dame una esperanza —repitió.

—Dame tiempo —pidió ella a su vez.

—Te doy mi vida.

Resultó muy conveniente que, días más tarde de la cena en Luciana, Aldo partiera a la estancia en Pergamino. Francesca culpaba a las copas de *chianti* y al ambiente romántico y distendido por el comportamiento de esa noche; le había dado falsas esperanzas cuando siempre había sabido que entre ella y Aldo nada volvería a ser como en Arroyo Seco. De todos modos, admitía que se había tratado de una velada agradable en la que descubrió que el amor se había convertido en un profundo cariño. La posibilidad de una amistad entre ellos no tenía por qué ser una quimera. Sofía opinaba lo contrario.

—Le pidió a Dolores la separación, a pesar de echarse a mi madre en contra. Y lo ha hecho porque vos regresaste. Él no quiere ninguna amistad con vos, Francesca. Él te quiere como su mujer.

—Eso no puede ser.

—Entonces, te ruego que seas clara con él y no lo ilusiones. Se fue a Pergamino creyendo que, a su regreso, le darás el sí.

—¿Cómo van tus cosas con Nando?

—Viento en popa.

Al menos Sofía era feliz. Quizá no debía desanimarse por completo, tal vez la vida se trataba de eso, de ciclos, algunos felices, otros amargos. Ella vivía su peor momento; ya vendría un tiempo mejor. A veces la asaltaba la urgencia de abandonar Córdoba nuevamente. Su espíritu inquieto se sentía prisionero en un sitio que no tenía mucho para brindarle. Los meses en el extranjero y las experiencias vividas la habían vuelto exigente. No se conformaba con la quietud y la vida rutinaria de Córdoba; la encontraba acotada y aburrida, colonial y austera, conservadora y cruel. Empezó a meditar seriamente en mudarse a Buenos Aires. Lo comentó con su tío Fredo.

—Creí que estabas conforme con tu trabajo en el periódico —se decepcionó—. Ahora que ya has publicado tu primer artículo y has recibido una buena crítica, pensé que querías dedicarte a esto.

—Quiero dedicarme a esto —ratificó Francesca—, sólo que no aquí. Córdoba me ahoga, tío. No me siento a gusto.

—Es por Aldo, que ha comenzado a perseguirte de nuevo, ¿verdad?

—En absoluto. Es por mí.

—No sé cómo lo tomará tu madre.

—Vos la convencés de cualquier cosa —aseguró Francesca, risueña—. Nadie tiene una ascendencia sobre ella como la que vos tenés.

—¿Qué decís? —se incomodó Fredo—. ¿Yo, una ascendencia sobre tu madre?

—Sí. ¿Acaso no te has fijado que todo lo que *Alfredo* dice es palabra santa? ¿No te has fijado la cara de boba que pone cuando te ve y con la cara de boba con que te escucha hablar? Yo creo que está enamorada de vos.

—¡Francesca! —se escandalizó Visconti.

—Es lo que creo.

—¿De veras te parece que ella... bueno... que tu madre se ha fijado en mí?

—Sólo un ciego no lo vería.

CAPÍTULO
XXI

Francesca se embozó cuidadosamente antes de salir del periódico, afuera estaba helado. En la calle respiró el aire frío y comenzó su descenso por el bulevar. Se trataba de una jornada magnífica de invierno, con el cielo límpido y el sol muy tenue.

Kamal la vio desaparecer en la primera esquina y abandonó el automóvil aparcado a una cuadra de *El Principal*.

—Permanezcan aquí —ordenó a Abenabó y a Káder, que ocupaban los asientos delanteros.

Había llegado al aeropuerto de Córdoba alrededor del mediodía. Después de esos meses lejos de ella, volver a verla en carne y hueso, no como la imagen etérea y difusa que se le presentaba cada noche de insomnio, le tensó el cuerpo de ansiedad y estuvo a punto de correr para alcanzarla, pero se reprimió; primero haría lo que debía.

De camino hacia el edificio del periódico, meditó por enésima vez acerca del paso que estaba a punto de dar. Había luchado por quitársela de la cabeza, Alá era testigo, pero la tenía arraigada en el corazón y le resultó imposible lograrlo. Intentó convincentes razonamientos —la seguridad de ella, la salvación del reino, el escándalo de un matrimonio con una católica, el descontento de la familia— y siempre regresó al punto de partida: su vida carecía de sentido sin ella.

Después de esos días en la finca de Jeddah, ya de vuelta en Riad, intentó refugiarse en el trabajo. Dedicó largas horas junto a sus tíos y a su hermano Faisal en el diseño minucioso del plan que derrocaría a Saud y a su séquito. Aceptaba cuanta invitación le extendían e intentaba llegar a su departamento bien entrada la noche. No obstante, el silencio de la casa y los recuerdos de la tarde en que Francesca le anunció que estaba embarazada le quitaban el sueño y lo hacían pensar. Intentaba dormir, pero, al cerrar los ojos, veía los de ella. La imagen de Francesca lo perseguía sin tregua ni paz. Encendía el velador y tomaba del cajón de la mesa de luz su carta, que ya sabía de memoria. «¿Por qué me abandonaste, Kamal?».

Se merecía el padecimiento. Había demostrado debilidad permitiendo que su razón se anulase aquella noche, en la fiesta de Venezuela. Desde un principio había sabido que ella era objeto prohibido; no obstante, se dejó llevar por la pasión que se adueñaba de él con sólo mirarla. A causa de su egoísmo, la había expuesto inútilmente. Se llevaba las manos a la cabeza y reprimía un bramido de rabia al imaginarla en manos de los terroristas; se tapaba los oídos cuando le retumbaban en la cabeza sus alaridos al recibir los golpes y soportar las torturas. Por todo esto, él debía sufrir y no le bastaría la vida entera para expiar la culpa.

Al menos le quedaban los buenos recuerdos, y el amor también, pues no volvería a amar como amaba a Francesca De Gecco, una clase de sentimiento y entrega que se experimenta sólo una vez. Él lo había suprimido de su vida, ahora debía soportar con estoicismo lo demás. Pero un día pensó: ¿Soportar con estoicismo lo demás? ¿Por qué? ¿Para qué? ¿Por Arabia? ¿Por el respeto y la obediencia que debía a los suyos? Máximas que en el pasado habían representado la médula de su educación se volvían fatuas al confrontarlas con el amor que sentía. Los cimientos de su formación se desmoronaban en tanto una nueva convicción tomaba el lugar de las otras y lo obligaba a sonreír: nada paliaba la vida sin Francesca, y se sabía capaz de enfrentarse al mundo entero por ella. Ya no le remordía la conciencia, sólo lo dominaba el deseo incontrolable de volver a verla. Sabía que se hallaba de nuevo en el punto de partida, arrebatado por la misma inconsciencia de la noche en Ginebra, que había marcado a fuego sus destinos. No le importaba nada ni nadie, ni siquiera la seguridad de ella. Por eso estaba allí, en Córdoba, una ciudad en los confines de Sudamérica que jamás imaginó conocer. Por ella había cruzado el Atlántico, para arrebatarla nuevamente de su mundo y llevársela con él.

Un cartel en la recepción indicaba que la oficina del señor Visconti se encontraba en el segundo piso. Subió las escaleras y llegó a una antesala, donde una mujer de unos treinta años le salió al encuentro. Nora supo de inmediato que aquel hombre era extranjero. No lo delataban sus ropas, de finísima confección, sino sus facciones tan poco comunes. El contraste de sus ojos verdes con la piel cobriza la dejó momentáneamente callada.

—Buenos días —la saludó Kamal en perfecto inglés.

—Buenos días —respondió Nora—. ¿Puedo ayudarle, señor?

—Estoy buscando al señor Visconti. ¿Está disponible en este momento?

—Por favor, siéntese aquí. Iré a ver si puede recibirlo. ¿A quién debo anunciar?

—Por favor, dígale que el señor Al-Saud desea verle.

—Al-Saud, ¿correcto?

—Exacto.

Nora entró en el despacho de Fredo y lo urgió a que cortase el teléfono.

—¡Está aquí el árabe!

—¿Quién?

—El árabe de Francesca.

—¿Al-Saud?

—El mismo.

—Que pase —dijo Fredo, y salió a recibirlo.

Kamal lo saludó en inglés y le extendió la mano. Fredo se dirigió a él en francés.

—Ruego me disculpe, señor Al-Saud, pero no hablo inglés.

—En ese caso —respondió Kamal—, hablaremos francés.

Fredo le señaló el sofá al costado de su escritorio. Él se sentó en una silla, frente a Kamal. Le pidió café a Nora y que no le pasara llamadas.

—Debo confesarle, señor Al-Saud —habló Fredo—, que usted es la última persona que pensaba encontrar aquí. La sorpresa ha sido inmensa.

—Entiendo, y le pido perdón por no haber pedido una cita previa. Pero acabo de llegar a Córdoba y me urgía verlo. Imaginará que he venido por Francesca.

—¿Ella ya lo ha visto?

—No. Antes necesitaba hablar con usted.

—¿Conmigo?

—Usted es para Francesca como un padre y yo me siento en la obligación de pedirle su mano y de asegurarle que, más allá de los eventos azarosos del pasado, la seguridad de Francesca está garantizada.

Fredo se acomodó en la silla y evitó mirarlo; ya había caído en la cuenta del poder que ostentaban esos ojos verdes. Entró Nora y sirvió el café. Antes de despedirla, Fredo se dirigió a ella para preguntarle si Francesca se encontraba en el edificio.

—No —indicó la secretaria—, fue al consulado italiano por una información. Volverá muy pronto —añadió rápidamente.

—Cuando llegue, no le digas que Al-Saud y yo estamos reunidos. Pero pedile que se quede en su escritorio, que necesito hablar con ella.

—Sí, señor —respondió Nora, y abandonó el despacho.

Fredo levantó la vista y se topó con la mirada inabordable del árabe. Pocas veces le había ocurrido que un hombre le inspirara la admiración y el temor que Al-Saud le provocaba en ese instante.

—Sé a qué eventos azarosos se refiere —dijo tras una pausa—. Pero permítame advertirle que la madre de Francesca no está al tanto de lo ocurrido. Y así deberá permanecer. —Kamal asintió—. También supe lo del niño —añadió, con el gesto suavizado.

—Eso fue muy duro —admitió Kamal— para ambos, pero en especial para mí porque la culpa me agobiaba. Me agobia aún.

—Usted habla de que la seguridad de Francesca estará garantizada. No quisiera contradecirlo, señor, pero en el polvorín que se ha convertido su país y encontrándose usted en el ojo de la tormenta, estimo que Francesca sigue tan expuesta como en el pasado.

—No viviremos en Riad sino en París —manifestó Kamal, y Fredo levantó las cejas, sorprendido.

—Se comenta que su hermano, el actual rey, abdicará y que será usted quien ocupará su lugar.

—Mi hermano, el rey Saud, abdicará, como usted bien indica, pero no seré yo sino mi hermano Faisal quien tomará su lugar. Renuncié a ser rey antes de serlo —dijo, y sonrió.

—¿No contaba con el apoyo de su familia para serlo?

—Por el contrario. Toda mi familia, incluido Faisal, quieren que yo sea el rey.

—¿Entonces? —se impacientó Fredo.

—No puedo tener el reino y a Francesca al mismo tiempo. Y sin ella no puedo vivir.

Semejante confesión, de un hombre de su talla, lo dejó boquiabierto. Experimentó una absoluta certeza respecto del temperamento y de las intenciones de ese árabe que tanto recelo le había inspirado en un primer momento. De todos modos, aún no deseaba mostrarse conforme.

—Soy testigo de que el amor que se profesan es sincero, pero también entiendo que la educación que recibe una mujer occidental es inadmisible para un hombre con su formación.

—Comprendo sus aprensiones —aseguró Kamal—. Yo soy un hombre bastante mayor que su sobrina, proveniente de una cultura y de una religión distinta a la de ustedes. Es lógico que dude de mí. Sepa que Francesca será una mujer libre en el sentido en que los occidentales entienden. No tendrá que profesar mi religión, aunque será la de nuestros hijos. Podrá vestir y comer lo que guste; ir adonde guste, frecuentar a quien guste. Yo confío en ella y eso me basta.

—Usted la quiere, ella lo quiere, las diferencias parecen salvadas —enumeró Fredo—. Sepa que le concedo su mano convencido de que usted está a su altura. Sólo espero que... En fin, sólo espero que sepa hacerla feliz. Señor Al-Saud —pronunció Fredo en tono de advertencia—, Francesca es lo que más quiero en esta vida. Ella es la hija que nunca tuve y por ella estoy dispuesto a cualquier cosa.

—Yo también —aseguró Kamal, y estrechó su mano con la de Fredo.

—¿Se casarán aquí? ¿Por qué rito lo harán? Antonina es tan católica...

Lo asaltaron nuevas dudas y comenzó a sentir desazón. Pero la actitud distendida y segura de Al-Saud lo tranquilizó.

—Podríamos casarnos aquí, en Córdoba, por el rito católico antes de partir hacia París. De todos modos, Francesca sabe que también tendremos que hacerlo por el islámico. Ella me aseguró que no tenía problema.

—Me alegro de que sea usted un hombre tan abierto y complaciente. Debo advertirle que mi sobrina es una joven llena de vitalidad a la que resulta difícil dominar. Es su libertad lo que Francesca más precia.

—Lo sé —respondió Kamal—. Por eso jamás la llevaría a vivir a Riad.

La contundencia de la respuesta satisfizo a Fredo, que se permitió relajar los músculos por primera vez. Sorbió el café casi frío.

—Quisiera tratar con usted un asunto más, señor Visconti —pronunció Kamal.

—Dígame —respondió Fredo.

—En caso de que algo me ocurriera la totalidad de mis bienes quedaría en poder de Francesca. Y le aseguro que no le alcanzarían los años que le restan de vida para gastarlos. Pero —añadió, y se inclinó hacia delante con gesto severo—, como los acontecimientos del futuro son imponderables, máxime en las circunstancias en que yo me encuentro, he decido abrir una cuenta en el Banco de Suiza, en la sucursal de Zurich, en donde depositaré diez millones de dólares a su nombre y al de Francesca.

—¡Señor Al-Saud! —exclamó Fredo—. Me toma usted por sorpresa. ¿Qué vislumbra en su futuro para tomar una medida de esta naturaleza? Me asusta, se lo confieso.

—Quizá —concedió Al-Saud— se trata de una medida innecesaria, pero lo hago para mi tranquilidad. Nadie jamás, a excepción de usted, conocerá la existencia de esos fondos. En caso de necesidad extrema, usted le informará a Francesca acerca de esa cuenta. Ella y, en caso de haberlos, nuestros hijos vivirán cómodamente sólo de los intereses que devengue el capital.

—Entonces, debo entender —expresó Fredo luego de una pausa— que Francesca no debe enterarse de esta conversación salvo en caso de «necesidad extrema», como usted ha dicho. —Al-Saud asintió—. ¿Cuál sería esa necesidad extrema?

—Que yo esté muerto o desaparecido —pronunció Kamal con aplomo— y que mi familia destituya a Francesca de sus derechos.

—Su familia no presta su consentimiento a este matrimonio, ¿verdad?

—No.

—¿Podrían atentar contra la vida de mi sobrina?

—Ya le dije que la seguridad de Francesca está garantizada. Confíe en mí.

—Confío en usted, señor Al-Saud. No confío en el entorno que lo rodea, plagado de intereses por los cuales hay quienes estarían dispuestos a matar.

—Mi vida dará un giro radical después de mi casamiento con su sobrina. No participaré en cuestiones de política y quedaré al margen del gobierno de mi país. Esto debería alejarnos a mí y Francesca del peligro. Mis enemigos, por tanto, perderán interés en mí y en los míos. De todos modos, cuidaré de ella como si supiera que en cualquier momento vendrán a robármela.

—Ya he dado mi consentimiento para su matrimonio con mi sobrina —manifestó Fredo—, no porque la sepa libre de peligro, sino porque será imposible mantenerla lejos de usted cuando se entere de que ha venido por ella. De todos modos —expresó, con benevolencia—, creo que usted la ama sinceramente y tratará de hacerla feliz. —Kamal asintió de nuevo, y Fredo continuó, más relajado—: Debo confesarle, señor Al-Saud, que su muestra de confianza me halaga. Depositar diez millones de dólares, toda una fortuna, a nombre de una persona que apenas conoce, es increíble.

—Lo conozco bien, señor Visconti. Muy bien —repitió, y no necesitó aclarar que lo había hecho investigar—. Sin embargo, es el amor y el respeto que Francesca siente por usted lo que me lleva a confiar en su discernimiento y sensatez. Sé que la quiere como si fuera su hija, usted mismo lo ha expresado momentos atrás, y sé también que jamás haría algo que la dañase.

—Daría mi vida por ella si fuera necesario —pronunció Fredo, con aire de advertencia.

—En eso —dijo Al-Saud— coincidimos.

—Debo advertirle que soy un neófito en cuestiones financieras. Desconozco las leyes de los mercados y sus comportamientos.

—No debe preocuparse en absoluto —lo tranquilizó Kamal—. El dinero permanecerá en la cuenta del banco donde empleados de confianza lo harán trabajar en inversiones que impliquen bajo riesgo. Por ejemplo, no quiero invertir en acciones, que son tan volátiles. Más bien en depósitos a plazo determinado y títulos de países confiables. Nada más. Por el momento, sólo le pediré que llene algunos papeles y me facilite cierta documentación que mi abogado se encargará de solicitarle en breve. Espero que esto no sea un inconveniente para usted.

—En absoluto —respondió Fredo y, por primera vez, sonrió abiertamente.

—Ese óleo —dijo Al-Saud, y señaló el cuadro detrás del escritorio—, ¿es la famosa Villa Visconti, verdad?

—Así es —contestó Fredo, y lo escudriñó con extrañeza—. ¿Francesca le habló de ella?

—Sí, en varias ocasiones.

Francesca dejó unas carpetas sobre su escritorio y se quitó el abrigo. Enseguida notó que Nora la miraba de una manera peculiar.

—¿Qué pasa? —dijo, risueña—. ¿Tengo algo en la cara?

—Tu tío quiere verte. Le diré que llegaste. Señor —llamó Nora por el intercomunicador—, Francesca acaba de llegar. ¿La hago pasar ahora?

Kamal se puso de pie, pero no avanzó hacia la puerta; permaneció junto al sofá, ansioso y expectante como un niño. Francesca irrumpió en el despacho y su sonrisa y jovialidad parecieron iluminar el recinto. La respiración de Kamal se fatigó, y un latido feroz le hizo doler la garganta. Se preguntó si podría hablar.

—Tío —exclamó Francesca—, ¿adivina con quién...

Se calló al darse cuenta de que Fredo tenía compañía. Se volvió hacia el extraño y lo miró sin prudencia pues lo encontró muy parecido a Kamal. Increíblemente parecido.

—¿Kamal?

—Francesca —dijo él, y avanzó en dirección de ella.

—Los dejo solos —expresó Fredo, y se marchó.

En los últimos meses, Francesca había odiado a ese hombre con la misma intensidad que lo había amado en Arabia. Le reprochaba que su amor no hubiese sido suficientemente grande y fuerte para enfrentar a los Al-Saud cuando ella había estado dispuesta a renegar de su cultura y de su religión a causa de él. La había traicionado y marginado. Pero su presencia en ese lugar, tan inopinada e inverosímil, desvaneció cuanto sentimiento negro la había asolado durante los últimos tres meses.

Kamal la encontró adorable, con la nariz enrojecida a causa del frío y el cabello revuelto por el viento; llevaba el mismo traje sastre azul marino de la ocasión en que la asustó en el despacho de Mauricio, ése bien entallado que le marcaba la cadera, la cintura y los senos de un modo escandaloso que lo excitaba tanto.

—Te amo, mi amor —dijo él, y Francesca no pudo controlar un sollozo que le trepó por la garganta y se deslizó entre sus labios. Se cubrió el rostro y rompió a llorar.

Kamal estuvo sobre ella y la envolvió con sus brazos, pegándola a su pecho. Francesca se apretaba a él con desesperación.

—Kamal —gimoteó—, oh, Kamal.

—Alá me perdone por esto —exclamó Al-Saud—, pero no puedo vivir sin ti. No llores, amor mío, ya no volveremos a sufrir —musitó, mientras le bañaba el rostro con sus besos—. No llores; ya sabes que no soporto verte llorar.

Francesca se secó las lágrimas con el dorso de la mano. Kamal le pasó un pañuelo y ella se sonó la nariz.

—Debo de estar muy fea —se quejó, mientras se mesaba los mechones que le caían sobre la frente.

—Sabes que eso es imposible.

—¿Ya no vas a separarme de tu lado? —preguntó, casi con miedo.

—¡Jamás! ¡Jamás!

—¿Por qué me hiciste sufrir tanto, entonces?

—Perdóname —suplicó él—. No tienes idea cuánto me costó alejarte, pero lo hice por ti, porque temía que volvieran a lastimarte, y no lo habría soportado otra vez. Mi vida, mi bella, mi pequeña Francesca. Di que me perdonas, te lo suplico.

—¿Vas a llevarme contigo?

—Sí, sí, claro —aseguró él, sin dejar de besarla.

—¿Estaré contigo para siempre?

—Si tú me aceptas.

—Sí, te acepto. Te acepto.

—Vamos a mi hotel —propuso él, y abandonaron el despacho.

En la antesala no había nadie. Al-Saud tomó el sobretodo y los guantes del perchero, mientras Francesca se ponía el abrigo. Salieron abrazados a la calle. Le agradó encontrarse con los guardaespaldas, que le conferían más verosimilitud a la situación.

—Es tan extraño verte aquí —le confesó a Kamal.

—¿Qué has sentido al verme? —se interesó él.

—Hubo un instante en que mi corazón se detuvo. Enseguida pensé que te confundía, pero eres tan único y especial que me dije que sólo podía tratarse de ti. De mi Kamal, mi adorado Kamal. ¿Qué has sentido tú?

Él llevó los ojos al cielo e hizo un aspaviento con las manos. Francesca se echó a reír; era tan poco expresivo que aquel gesto sirvió como respuesta.

—Te confieso que en mi vida experimenté lo que hoy en el despacho de tu tío al verte entrar. Temí que me rechazaras.

—Bien seguro estás de mí —replicó ella—. No habrías viajado hasta aquí si no lo estuvieras.

Kamal inclinó la cabeza y la besó en los labios. Nunca había experimentado la dicha inefable de ese instante. Sentía que la pureza y la bonanza de la infancia se apoderaban de su corazón con sólo rozar los labios de esa mujer.

Se detuvieron frente al Crillón, sobre la calle Rivadavia, y Francesca pensó que Kamal debía de encontrar el hotel similar a una pensión; no obstante, lo veía tan feliz que concluyó que el dudoso lujo de la suite del último piso lo tenía sin cuidado.

Antes de cerrar la puerta, Al-Saud indicó a Abenabó y a Káder que se retirasen a descansar, que no los necesitaría hasta la noche. Francesca escuchó el chasquido del cerrojo y vibró con un sentimiento de anticipación. Le vinieron ganas de jugar con Kamal y, de espaldas a él, simuló interesarse en unos folletos que encontró sobre la mesa de noche. No tardó en sentir sus brazos en la cintura y sus labios en la nuca. Se apartó y lo miró con fingida inocencia. Él trató de asirla nuevamente, pero ella se escabulló.

—Hablemos —dijo, sometiendo a duras penas la sonrisa ante el desconcierto de Al-Saud—. Quiero que me cuentes cómo están todos por allá. —Se quitó el saco bajo el que sólo llevaba una sugerente combinación y lo arrojó sobre la cama con actitud provocativa—. ¿Cómo está Mauricio? ¿Y Sara? —preguntó, manteniéndose fuera de su alcance—. Dime cómo está mi adorado Rex. Vamos, cuéntame.

Kamal completó de dos zancadas el espacio que los separaba y la tomó entre sus brazos.

—Calla —dijo, con fiereza—, me fastidias con tanta pregunta. No te contaré nada, no hablaremos de nada ni de nadie. Te haré el amor, eso es todo.

La prepotencia de Kamal era innegable; a ella, sin embargo, le importaba bien poco; siempre había sido claro entre ellos quién se sometería a quién.

—No, no, alteza —replicó—. Yo quiero hablar. Ha pasado mucho tiempo y muero por saber.

Lo condujo hasta una butaca donde lo obligó a sentarse. Ella permaneció de pie. Se miraron con ojos divertidos, conscientes de la tensión sexual que, segundo a segundo, se tornaba ingobernable. Francesca se levantó la falda hasta la cadera y se acomodó a horcajadas sobre él. Enseguida sintió la erección de Kamal en la entrepierna.

—Vamos, cuéntame —insistió.

—¿Por qué me haces esto? —se quejó él—. ¿Por qué eres tan cruel conmigo?

—¿Cruel ha dicho? Usted fue cruel, alteza, la tarde que me despidió en Riad.

—¿Es que acaso no me has perdonado? —fingió entristecerse—. ¿Es esto una venganza?

—Sí, una venganza —admitió.

Kamal le bajó las tirillas de la combinación y le descubrió los pechos. Se inclinó y le acarició los pezones endurecidos con la lengua. Aferrada a sus hombros, Francesca echó la cabeza hacia atrás y jadeó.

—Te haré el amor —dijo, y ella se estremeció cuando su aliento cálido le golpeó la piel del escote—. Necesito estar dentro de ti. Tres meses de abstinencia han sido suficientes para mí.

—Para mí también —claudicó.

La obligó a ponerse de pie y le bajó la ropa interior con manos impacientes. Ella se ocupó de sus pantalones. Volvió a sentarla sobre él y la penetró con un movimiento rápido y fuerte. Cuando terminaron, aún agitados y temblorosos, Francesca musitó en su cuello:

—Siempre te sales con la tuya, Kamal Al-Saud.

—Siempre —manifestó él—. Tú eres la viva prueba de ello.

—Tengo sed —dijo Francesca, y se apartó en dirección a una mesa donde había una jarra con agua.

Aún llevaba la falda enroscada en la cintura, que apenas cubría sus glúteos pequeños y firmes; no se había quitado los zapatos de taco alto ni las medias con portaligas. Se sirvió un vaso de agua y lo bebió de espaldas a Kamal. Él, que seguía sus movimientos atentamente, pensó que pocas veces había presenciado un espectáculo tan erótico. Francesca se volvió y dijo:

—¿Quieres? —mientras le mostraba el vaso.

Kamal se puso de pie y caminó hacia ella. Le quitó el vaso y lo dejó sobre la mesa.

—Sólo te quiero a ti.

Terminaron en la cama, donde pasaron el resto del día. Cuando tuvieron hambre, Kamal ordenó una suculenta merienda. Como buen árabe, tenía debilidad por las tortas y los dulces, y Francesca encontraba muy divertido ese rasgo que lo humanizaba. Después de comer, permanecieron tumbados en silencio; Kamal la abrazaba posesivamente, mientras Francesca descansaba sobre su pecho.

—Decidí venir a buscarte casi de inmediato después de tu partida de Riad —pronunció él.

Francesca se mantuvo callada, pues no necesitaba explicaciones, aunque comprendía que Kamal quisiera darlas.

—Tu carta —prosiguió Al-Saud—. Ah, esa carta. La leí hasta saberla de memoria. Ese «¿Por qué me abandonaste, Kamal?» me perseguía sin respiro. —Le tomó el rostro por el mentón y la obligó a mirarlo—. Nunca te daré motivos para que vuelvas a preguntarme eso. —Francesca sonrió y lo besó delicadamente—. Júrame que tú tampoco me abandonarás, que jamás me dejarás, que nunca te arrepentirás de haber unido tu destino al de un hombre islámico mucho mayor. —Ella se incorporó a medias y lo miró con extrañeza—. Eres demasiado joven e inexperta para ponderar que soy más viejo que tú y que mi religión está en la antípoda de la tuya, pero te amo demasiado para no marcarte ahora estas desventajas que, en el futuro, pueden hacerte sufrir.

—¿Y tú, Kamal? ¿Tú estás dispuesto a unirte a una mujer como yo, tan poca cosa, sin dinero ni alcurnia, y peor aún, católica?

—Tú no eres poca cosa —dijo él, con acento severo—. Tú eres mi vida.

—Y tú la mía. Y cuando te arrugues como una nuez y te vuelvas viejo y achacoso, te seguiré amando como en este momento en que te considero el hombre más apuesto y atractivo. Es de lo único de lo que estoy segura. ¿Es que aún no te das cuenta de que me haces sentir orgullosa al elegirme como la compañera de tu vida?

—Francesca —musitó él, por primera vez desprovisto de palabras.

Cerca de las seis de la tarde, sonó el teléfono.

—¿Quién podrá ser? —se extrañó Francesca.

—Le dije a Visconti que me hospedo aquí —explicó Kamal, y levantó el auricular.

Era Fredo; los invitaba a cenar en su departamento; Antonina ya había aceptado. Francesca creyó conveniente partir: necesitaba bañarse y cambiarse. Kamal ordenó a los guardaespaldas que aprestaran el coche y la acompañó.

—Estoy nerviosa —confesó ella—. Mi madre no mira con buenos ojos nuestra relación.

—Alá está de nuestra parte —replicó Kamal.

—Mejor será que dejes a Alá por esta noche; al menos mientras cenas con ella.

Al encontrar a Kamal en lo de Fredo, Antonina se llevó una gran sorpresa. «Después de todo», se dijo, «se trata de un hombre bien parecido, alto, con espléndidos ojos verdes y maneras de caballero inglés». En nada se asemejaba al demonio que había imaginado. En un principio, Kamal la intimidó; no se trataba de su actitud aristocrática o de su mirada penetrante, a ella la incomodaba que él fuera tanto y ella, tan poco; como consecuencia, el sentimiento de inferioridad la llevó a actuar con más parquedad de la que habría deseado. No obstante, con el correr de la cena logró relajarse y disfrutar, pues su futuro yerno se mostraba muy complacido en su compañía y no cesaba de admirar su belleza y de felicitarla por su hija. El idioma, una barrera al principio, dejó de serlo cuando Al-Saud aseguró comprender el español a pesar de no hablarlo; como viajaba a menudo a Andalucía por cuestiones de caballos, había tomado algunas lecciones; por su parte, Fredo y Francesca traducían para Antonina cuando Kamal hablaba en francés.

Antonina se dedicó a estudiar al hombre que había cautivado el corazón de su hija. Sin duda, se trataba de un ser mundano, conocedor de la naturaleza humana; seguramente hábil y despiadado cuando de defender sus derechos se trataba. Sabría, pues, defender a Francesca, que parecía ser la luz de sus ojos. Le gustaba cómo la contemplaba, como el siervo que adora a su deidad; le recordaba al modo en que Vincenzo la había mirado a ella tantos años atrás; al modo en que Fredo la miraba en ese momento.

Se tocó el tema de la boda y Antonina se comprometió a hablar con el padre Salvatore, su confesor, para hacer los arreglos. La complació que Al-Saud se mostrara tan predispuesto a una boda por la Iglesia católica, pero se desilusionó cuando él, de modo diplomático aunque firme, le aseguró que no se convertiría al cristianismo.

—Entonces —expresó Antonina—, dudo mucho de que algún sacerdote quiera casarlos si usted mantiene su religión.

—En ese caso —terció Fredo, para alejar la sombra que comenzaba a opacar la sonrisa de Francesca— hablaré con el obispo, que es un gran amigo mío, y gestionaremos una dispensa.

—No es lo mismo —replicó Antonina, desganada.

Cerca de la medianoche, Al-Saud se despidió y marchó a su hotel. Fredo llevó a Antonina de regreso al palacio Martínez Olazábal, mientras Francesca se hacía cargo de lavar los platos.

—Jamás imaginé que mi hija, mi única hija —remarcó Antonina— fuera a convertirse en la mujer de un hereje.

—Antonina —dijo Fredo, con acento condescendiente—, el hombre ha renunciado a un reino por Francesca.

—Sí, lo sé. Nadie duda de que está enamorado de ella. Pero temo que, con los años, la pasión que siente por ella desaparezca y entonces llegue el día en que se arrepienta de haber rechazado ser el rey de Arabia. La pasión —prosiguió— tarde o temprano termina por morir.

—Eso no es cierto —replicó Fredo de manera tan precipitada, casi agresiva, que Antonina lo miró con sorpresa—. Durante veinte años he amado a una mujer y le aseguro a usted que la pasión que siento por ella es la misma que me inspiró el primer día en que la vi.

En la oscuridad del coche, Fredo no advirtió el arrebol en las mejillas de Antonina, pero se dio cuenta de que se había puesto nerviosa. Se arrepintió de haber expresado aquellas palabras y guardó silencio. Fue Antonina quien dijo:

—Esa mujer es afortunada al contar con el amor de un hombre como usted, Alfredo.

—Nunca le confesé que la amo —replicó él, casi de mal humor.

—¿Por qué?

—Porque ella ama a otro hombre.

Detuvo el automóvil frente al portón trasero de los Martínez Olazábal y mantuvo la mirada hacia delante. El silencio era insondable. Fredo quería romperlo, quería decirle todo lo que había atesorado a lo largo de los años, pero no acertaba con la locuacidad que siempre lo caracterizaba. Nuevamente, fue Antonina quien habló.

—Quizá debería confesarle su amor, tal vez el corazón de esa mujer se encuentre libre ahora y ella pueda amar otra vez.

—¿Usted cree?

—Claro que sí.

Alfredo volvió a mirarla y Antonina le sonrió. Se le anudó la garganta, emocionado ante la dulzura de ese rostro que tantas veces había añorado besar. Ella estiró el brazo y le corrió el jopo de la frente. Él cerró los ojos y respiró profundamente.

—Alfredo —susurró Antonina.

—Jamás —pronunció Fredo— creí que llegaría el día en que podría decirte que hace más de veinte años que te amo. Jamás creí que podría besarte.

Se inclinó sobre ella y la besó en los labios con la timidez de un joven inexperto.

Francesca acordó con su tío Fredo que seguiría yendo al periódico hasta terminar los asuntos pendientes para dedicarse después a completar los aspectos de su partida con Kamal, que le había concedido sólo diez días. Ante la sugerencia de Francesca de seguirlo semanas más tarde, Kamal se mostró inflexible.

—Debo regresar a París en diez días como máximo y no me iré sin ti. Y sobre este tema no hay nada más que decir. Cuentas con ese tiempo para arreglar tus cosas. No lleves ropa ni zapatos ni efectos personales. Te compraré allí cuanto necesites y más. Tantas cosas te compraré que no tendrás tiempo de usarlas.

Kamal acostumbraba a buscar a Francesca en el periódico al mediodía y llevarla a almorzar a su hotel, que contaba con el restaurante más reputado de la ciudad. Luego, ante las miradas condenatorias de los empleados, subían a la habitación para hacer el amor; ninguno, sin embargo, se atrevía a cuestionar las costumbres de ese extraño hombre que hablaba francés pero que tenía nombre de árabe; sus propinas eran las más suculentas que recibían.

Una tarde, mientras Francesca se vestía y Kamal permanecía aún en la cama, éste se refirió a Aldo Martínez Olazábal.

—¿Has vuelto a verlo?

—¿A quién? —preguntó Francesca, desprevenida.

—Al hijo del patrón de tu madre —expresó él, que no deseaba siquiera pronunciar su nombre.

—Sí —respondió, y siguió cambiándose.

Kamal dejó la cama y se encaminó hacia ella. La tomó por las muñecas y la contempló con severidad.

—¿Qué sucedió?

—Absolutamente nada.

—¿Trató de volver contigo, verdad?

—Sí, pero yo no pude aceptarlo.

De regreso del campo, Aldo se enteró por Sofía de que el árabe había venido a buscar a Francesca para llevársela a París. Las ilusiones que había alimentado durante esos días lejos de ella se hicieron añicos y quedó muy desanimado. No obstante, al día siguiente, cerca del mediodía, fue a buscarla al periódico. La encontró sola; Nora se hallaba en la oficina de Fredo.

—¿Es cierto que vas a casarte con él?

—Sí.

—¿Y nosotros?

—Hace mucho que vos y yo acabamos, Aldo.

—Pensé que existía una esperanza.

—Nunca la hubo. Aquel día... en fin... no quería lastimarte.

—Se comenta que es poderoso —expresó Aldo—, que tiene muchísimo dinero, que es mucho mayor que tú, que subes a su habitación, que te maneja como si vos fueras su... su...

Francesca hizo caso omiso del insulto y comprendió el dolor y el rencor de su antiguo amor. Aún lo quería; Aldo le inspiraba un cariño puro y genuino, y no consiguió enfadarse con él a pesar de su bajeza.

—Vos me conocés, Aldo —dijo, con dulzura—, sabés bien qué clase de persona soy. Sabés también que sólo me mueve el amor que siento por él. Si tiene mucho dinero o es poderoso me importa un pepino, como me importó un pepino cuando te amé a vos. Y sí, soy su mujer. Y no me avergüenzo de ello. Todo lo contrario.

—Perdoname —farfulló Aldo, sin mirarla a los ojos.

—Buenos días —tronó la voz de Al-Saud, y su mirada fulminó al muchacho.

—Kamal —dijo Francesca, y salió a su encuentro con bastante compostura—. Permíteme que te presente a un viejo amigo, Aldo Martínez Olazábal, hermano de Sofía.

Kamal avanzó en dirección de Aldo y le extendió la mano. El muchacho le respondió con gesto entre sorprendido e intimidado. La imagen de Al-Saud construida a lo largo del tiempo y alimentada con los celos no se asemejaba a la realidad. Al igual que Antonina, lo impresionaron su altura y elegancia, el modo simple con que se movía y hablaba, y la seguridad que transmitía. No resultaba absurdo que Francesca hubiera caído bajo su hechizo. Junto a ese hombre mayor y experimentado, se sintió un pelele. Consciente de su derrota, los felicitó por su boda y se marchó. Francesca miró con timidez a Kamal, que la acogió entre sus brazos y le besó la coronilla.

Esa noche, seguía apesadumbrada. Llamó a la puerta del dormitorio de Fredo. Lo encontró repantigado en su sillón predilecto, fumaba pipa y leía.

—¿Por qué esos ojos tristes?

Francesca se arrodilló junto al sillón y puso la cabeza sobre el regazo de su tío.

—¿Por qué tengo que ser tan feliz y Aldo tan infeliz? —preguntó—. Desearía que todos fueran felices como yo. Siento una gran culpa, tío: es por mi causa que Aldo fracasó en su matrimonio, es por mi causa que no encuentra paz.

—No digas eso. Estás siendo injusta con vos misma. ¿Acaso fuiste vos la que lo abandonó para casarse con otro? ¿Fue él quien debió escapar de Córdoba para olvidar? No sientas culpa, vos no tenés culpa de que Aldo se haya enamorado de vos y de que luego haya sido un cobarde y no haya defendido ese amor.

Se quedaron en silencio. Era cierto, no había sido ella la causante de la ruptura, ni la que había hablado de amor en primera instancia y, semanas más tarde, contraído matrimonio con otro; por fin, no había sido ella la que se había aferrado a una vida de lujos y opulencias, y desechado una de carencias y trabajo duro. Fredo tenía razón, ella no era culpable, pero sufría igualmente por Aldo.

—En realidad, tío, siento culpa porque, gracias a que la relación entre Aldo y yo fracasó, conocí el verdadero amor. Es como si hubiese sido necesario sacrificar a Aldo para que yo fuera feliz junto a Kamal.

—Ya te dije varias veces que en este mundo nada es casualidad. El Gran Arquitecto entrelaza las líneas de los destinos de modo que a veces no comprendemos su intención. Pero, tarde o temprano, lo terminamos sabiendo. Quizá algún día sepas por qué Aldo está sufriendo hoy. —Fredo cambió el tono solemne para instarla—: Sé libre, Francesca, viví el momento y no empañes esta felicidad pensando en alguien que es lo suficientemente adulto para encaminar su vida si lo desea, tal como hiciste vos.

Francesca lo besó en la frente y le deseó buenas noches.

* * *

Ningún sacerdote consentiría en casar a una católica con un musulmán; eso no admitía ningún tipo de discusión. Por lo tanto, se iniciaron los trámites para la dispensa que tanta desazón causó a Antonina. Para ella, su hija viviría en concubinato y nada la convencería de lo contrario. Francesca se lo pidió vehementemente y Kamal accedió a casarse por lo civil en Córdoba, a pesar de que habría preferido hacerlo en París. La noche antes de la ceremonia, mientras cenaban en el departamento de Fredo, Kamal le entregó a Francesca el solitario engastado en un anillo de platino que le había comprado meses atrás en Tiffanny's. En la cara interna, rezaba en francés: «Para Francesca, mi amor. K.». Él le puso el anillo en la mano izquierda y Francesca hundió el rostro en su pecho para ocultar las lágrimas de emoción.

Acabada la ceremonia civil en una oficina oscura y poco acogedora, con Sofía y Nando como testigos, tuvo lugar una recepción íntima en el salón del Crillón. Francesca llevaba un traje sastre Chanel de seda en tonalidad marfil, muy entallado, que Kamal le había traído de París, con dos camelias en gasa de seda prendidas en la solapa. Se había dejado el cabello suelto que, espeso y brillante, le caía sobre la espalda en largas ondulaciones negras. A distancia, Kamal admiraba sus facciones, las curvas de su cuerpo que el traje Chanel destacaba: la plenitud de sus senos, la estrechez de su cintura, la redondez de su cadera, cada parte que él conocía como nadie. Era consciente de que estaba mirándola con la avidez de un hombre posesivo y tirano; sabía también que debía refrenar esa conducta propia de su naturaleza árabe y que la educación de Francesca, tarde o temprano, terminaría por condenar. ¿Cómo explicarle, sin embargo, que él había tenido muchas mujeres a lo largo de sus años y que jamás había experimentado esa apremiante necesidad de protección, de derecho sobre su vida y sus actos? ¿Cómo explicarle que aquello nada tenía que ver con sus orígenes sino con ella? Sí, con ella, que justificaba su vida y le daba sentido. Caminó con rapidez en dirección al otro sector del salón cuando la mano de un amigo de Alfredo Visconti se demoró más de lo debido en la cintura de su esposa. «Mi esposa», repitió para sí, y un cálido bienestar le sofrenó el impulso de aniquilar a quien osaba tocarla. Así operaba Francesca en él, como un bálsamo.

Entre los invitados contaban, además de Sofía y Nando, algunas compañeras de Francesca del Sagrado Corazón, algunos empleados del periódico, entre ellos, Nora, la secretaria de Fredo, los empleados del palacio Martínez Olazábal y varios amigos de Fredo, la mayoría periodistas y hombres relacionados con la política y la cultura, que encontraban muy estimulante la conversación de Al-Saud, este hombre que, pronto se dieron cuenta, pertenecía a dos mundos, el occidental y el oriental. Como Antonina había invitado a sus amigos del palacio Martínez Olazábal, jamás imaginó que sus patrones se rebajarían a participar del pequeño festejo en el Crillón. Sin embargo, cuando la señora Celia, el señor Esteban y Enriqueta se presentaron en el salón, echaron por tierra con sus suposiciones. A cada miembro de la familia Martínez Olazábal lo movían distintas razones para asistir; a Esteban, el cariño por Francesca; a Celia, la curiosidad que suscitaba en la sociedad la presencia de un hombre tan ajeno a la realidad cordobesa, y a Enriqueta, la posibilidad de ver y, quizá, de conversar con Alfredo Visconti, su amor secreto.

—¡Sofía! Tu madre acaba de llegar. Te verá con Nando.

—Me importa un comino —replicó la muchacha, y su aplomo tomó por sorpresa a Francesca—. Ya les anuncié que pienso casarme con él.

—¿Qué dijeron?

—No están de acuerdo, por supuesto. Mi madre amenazó con lo de siempre, con quitarme el apoyo económico. No me importa, Nando encontrará trabajo y saldremos adelante. Si es necesario, yo también trabajaré. Es hora de que deje de pensar en mi familia y forme la mía.

Celia se dijo: «¡Qué hombre tan fascinante!», cuando Al-Saud se inclinó y le rozó apenas la mano con un beso; le sonrió de una manera seductora mostrándole una dentadura blanca y perfecta en contraste con su piel oscura. Los ojos verdes la hipnotizaron y, por un momento, se permitió mirarlo con la franqueza que siempre mantenía a raya. Se dirigió a ella en un francés exquisito, sin acentos ni errores, y se desempeñó con una galantería que hablaba de una educación europea. Tras la primera impresión, Celia sintió envidia, y, en un acto de inusual honestidad, admitió que, por una noche con ese hombre, musulmán o lo que fuera, mandaría al demonio los principios y preceptos que regían su vida. La dejó boquiabierta el anillo de compromiso que Francesca le mostró a regañadientes, y dedujo que habría costado una pequeña fortuna. En silencio, admiró el traje sastre que lucía; momentos más tarde, al descubrir en los botones de la chaqueta las dos C entrelazadas símbolo de Chanel, sólo pudo ufanarse de su ojo bien entrenado.

Enriqueta, mientras tanto, se acercó a Fredo y lo saludó tímidamente. Él la trató con la condescendencia a la que la tenía acostumbrada, la misma que usaba con su hermana Sofía y con las demás amigas de

Francesca. Para él, ella era una criatura. Se dijo que si no se comportaba como una mujer decidida y osada, Fredo la vería como una niña toda la vida. Sus ojos no lo abandonaban; lo miraba conversar, reír, saludar, le estudiaba las facciones, los gestos y ademanes. Así notó un intercambio de miradas entre él y Antonina que la dejó estupefacta. Él hizo el gesto de besarla y enseguida sus labios dibujaron la frase: «Te amo». Antonina bajó la vista, ruborizada. Enriqueta se desmoralizó. Pese a que había decidido no beber esa noche, al pasar un camarero con una bandeja, tomó una copa de champán y buscó refugio en el baño.

Kamal echó un vistazo a su alrededor y se dijo que la recepción marchaba de acuerdo con sus expectativas; incluso para él la velada había pasado agradablemente junto a los amigos de Fredo. Francesca parecía contenta y distendida, y ni siquiera ante la presencia de los patrones de su madre perdió el ánimo. Hizo girar la alianza de oro en su dedo y cayó en la cuenta de su significado: Francesca era suya y podía reclamarla, allí, frente a todos, y llevársela sin que nadie pudiera objetar. La buscó con la mirada y la encontró conversando con Sofía y Nando. ¡Qué feliz se la veía! Y qué hermosa. Sintió deseos de ella y se preguntó qué esperaban para marcharse los pocos invitados que quedaban.

—Francesca —dijo, interrumpiéndola—, creo que deberíamos irnos a descansar. Mañana partimos muy temprano hacia París.

—¡Oh, sí, claro! —interpuso Sofía—. Deben irse. Nosotros también deberíamos hacerlo.

—No, no —expresó Kamal—, ustedes sigan disfrutando de la velada.

Francesca se despidió de los pocos invitados que quedaban. Su madre y Fredo los acompañaron hasta el pie de la escalera.

—*Mamma, non piangere, ti prego* —rogó la muchacha cuando Antonina comenzó a sollozar—. *Pensi che sono felice. Ci vediamo domani* —dijo, y la despidió casualmente, como si al día siguiente no fuera a partir hacia Europa.

En la habitación, se sentó en el borde de la cama, se deshizo de los zapatos y se echó hacia atrás, con los brazos en cruz. Soltó un suspiró y sonrió, satisfecha. Kamal, que se quitaba el chaqué, la contemplaba con las comisuras apenas sesgadas en un gesto lascivo. Se desnudó por completo y se arrodilló frente a ella, que aún permanecía recostada y vestida, con los ojos cerrados. Kamal se inclinó y le dijo cerca de la boca:

—Háblame en italiano. Me he excitado al oírte hablar en italiano.

—*Tu sei la mia vita* —lo complació Francesca entre jadeos, pues Kamal se había dirigido a su entrepierna donde sus labios gruesos la acariciaban diestramente—. *Senza di te, io non potrei mai vivere. Io ti amo cosí tanto, tanto...*—siguió repitiendo hasta que el orgasmo sólo le permitió gemir.

Al día siguiente, mientras viajaban rumbo a París, Francesca le preguntó:

—¿Puedo pedirte un favor?

—Sabes que puedes pedirme lo que quieras.

—No es para mí, en realidad.

—Ya me extrañaba que pidieras algo para ti. Ahora que lo pienso, jamás me has pedido algo para ti.

—Se trata de Nando y Sofía —explicó ella—. Nando no tiene trabajo y es muy pobre. Pensé que, quizá, tú podrías ayudarlo. Sé que tienes contactos y relaciones aquí, en Argentina.

—¿Por qué supones eso? —se interesó Kamal.

—¿De qué otra manera habrías conseguido que la Cancillería me trasladara de Ginebra a Riad? Sé muy bien que pensaban enviar a otra persona. Y ni siquiera era mujer.

Kamal rió y le besó la sien.

—Sí, es cierto —concedió—. Tengo conexiones importantes en Argentina. El dinero es, por lo demás, un gran aliado cuando de conseguir un objetivo se trata. Y tú eras mi objetivo más importante. Te habría raptado de no haber logrado tu pase.

—No dudo de que habrías sido capaz. ¿Ayudarás a Nando, entonces?

—Haré lo posible.

La mansión de Al-Saud en París estaba ubicada en la avenida Foch, cerca del Arco de Triunfo. Los recibió una mujer elegante en su traje gris oscuro, el cabello prolijamente recogido y un manojo de llaves colgado al cuello. Kamal la presentó como madame Nadine Rivière, el ama de llaves.

—Madame Rivière —dijo a continuación—, le presento a mi esposa, la señora Al-Saud.

La mujer abandonó su actitud ceremoniosa y abrió grande los ojos. Aseguró que pocas veces había visto una mujer tan hermosa y agraciada. Les auguró felicidad y muchos hijos, al tiempo que pensaba que ya era hora de que el patrón sentara cabeza. A ella le había tocado presenciar el desfile de amantes, algunas muy vulgares. Ninguna de esas mujeres, que tomaban mucho champán —a pesar de que el señor Al-Saud sólo bebía jugos y agua— y que reían continuamente, le había provocado la buena impresión de aquella jovencita, y presintió que trabajaría a gusto con ella. Kamal la despidió después de algunas indicaciones.

Francesca se aproximó al ventanal, descorrió la cortina y miró hacia la Avenida Foch. La calle permanecía muda al igual que la casa. Al-Saud arrojó el saco en el sofá y Francesca lo escuchó acercarse. Sin tocarla, le habló al oído.

—¿Te ha gustado lo que has visto hasta ahora? —Francesca asintió—. Ven, quiero mostrarte el resto.

La casa era de dos plantas, con tantas habitaciones que, al terminar la visita, Francesca aseguró que no sabría cómo llegar a su dormitorio. La deslumbró la minuciosidad de cada detalle y el buen gusto. Kamal la miraba con ojos expectantes, aguardando su aprobación.

—Ésta es tu casa, mi amor —manifestó—. Tú eres ahora dueña y señora de estas paredes. Puedes hacer lo que te plazca con ella. Puedes cambiarla de techo a piso si te place.

—Es perfecta así como es. No le cambiaría nada.

Esa noche, la primera en París, cenaron en La tour d'argent. El *maître* llamó «alteza» a Kamal y, en medio de genuflexiones obsecuentes, lo acompañó a la mesa de mejor ubicación, cerca de la ventana desde donde apreciarían la noche parisina. Francesca se preguntó a cuántas mujeres habría llevado al famoso restaurante. Casi al final de la cena, como la encontraba callada y seria, Al-Saud le preguntó qué le pasaba.

—Pensaba en la cantidad de mujeres que debes de haber traído a este sitio.

Kamal sesgó los labios en una sonrisa taimada mientras encendía un cigarrillo, y su actitud displicente acendró la rabia en ella.

—Me gusta que seas celosa; una vez más demuestras el fuego que hay en tu interior, que no se limita a la cama, por lo que veo. Sí, es verdad, he traído aquí a muchas mujeres, mujeres hermosas, mundanas y divertidas; he pasado momentos agradables con ellas y sé que ellas han disfrutado conmigo.

Francesca lo miró fijamente y Kamal volvió a sonreírle con ironía.

—Sí, muchas mujeres —repitió, más para sí—. Muchas en verdad, pero puedo jurarte por la memoria de mi padre que a ninguna le dije que era y que sería el único y verdadero amor de mi vida. Eso sólo puedo decírtelo a ti. A ti, a mi esposa, Francesca Al-Saud, que se unió mí a pesar de todo, a pesar de conocer mi carácter, mis orígenes y mi vida de locos, a pesar de haber sufrido como sufrió por mi causa y de las diferencias que nos separan.

Francesca abandonó la silla y, haciendo caso omiso a las miradas escandalizadas de los comensales, que hacía rato lanzaban vistazos de recelo a la mujer blanca con el hombre de tocado, se sentó sobre las rodillas de Al-Saud, le tomó el rostro entre las manos y lo besó.

Esos días en París, Francesca los recordaría como de los más felices de su vida. Invadidos de una continua sensación de plenitud, reían por tonterías, encontraban placer en cosas simples y proyectaban el futuro que sólo deparaba buenos momentos. Veían el mundo a través de otro prisma. La pasión se desataba sin continencias y hacían el amor a cualquier hora del día. Kamal era un buen maestro y Francesca aprendía rápidamente. Le gustaba complacerlo, y más le gustaba cuando él se mostraba tan preocupado por hacerla gozar.

—Nunca te daré una excusa para que me abandones —le aseguró una noche—: tendrás dinero a manos llenas y placer en la cama como ninguna mujer ha tenido. No encontrarás en otro lo que yo puedo darte. Tenlo por seguro.

—Ya lo sé —aseguró Francesca, con acento benevolente—. Ya me lo habías dicho. Y yo te creo.

A veces, Kamal se despertaba de madrugada y se quedaba mirándola con la cabeza apoyada en la mano. Así, dormida, con las facciones relajadas y ese halo de inocencia que la circundaba, parecía una quinceañera. Se imaginó dentro de algunos años, él ya casi un viejo, ella en el apogeo de su hermosura y madurez, y con todo no dudó de que lo seguiría amando, viejo como sería. Dudar de Francesca le parecía una traición.

—¿Por qué no duermes? —lo sorprendió una vez, devolviéndolo de sus reflexiones.

—Te miraba y pensaba que podría quedarme aquí contigo toda la eternidad. Si estoy contigo no me importa dónde me encuentro.

—Te importa —rebatió ella, y le acarició la mandíbula—. Para ti no es lo mismo estar en cualquier parte, no mientras exista Arabia. Debemos volver a Riad. Presiento que si, por mi culpa, no volvieses a tu patria, terminaría perdiéndote.

—Nunca me perderás —dijo con severidad—, ni siquiera por Arabia. Quizá algún día regresemos, no ahora —agregó, con un gesto que indicaba que no volvería a referirse a esa decisión.

—Jacques me contó que una creencia beduina dice que una vez que una persona ha visto el desierto, regresa y se queda para siempre. ¿Es cierto?

—Sí, es cierto. Pero por ahora nos quedaremos aquí —insistió—. Más ahora que tu amiga Sofía y su futuro esposo vendrán a vivir a París. —Francesca medio se incorporó y Kamal la obligó a que se recostara nuevamente—. Le ofrecí a Nando un trabajo aquí, en mis oficinas de París. Él aceptó y tengo entendido que Sofía está muy conforme.

Francesca lo miró a través de lágrimas. Le acarició la mejilla y Kamal le besó la mano.

—Mi árabe galante —dijo—. Sé que lo has hecho por mí, para que tenga a mi amiga más querida cerca de mí y de ese modo no me sienta tan sola en esta ciudad.

—Claro que lo he hecho por ti. Siempre estás primero en mis pensamientos. Pero también creí que un distanciamiento entre Sofía y su familia no vendría mal.

—¿Cuándo llegarán?

—Nando me pidió dos meses. Se casarán en Córdoba y luego vendrán a París.

La boda según el rito islámico se realizó en El Cairo. Zila, hermana mayor de Fadila, casada con un potentado industrial egipcio, ofreció su mansión en los suburbios de la ciudad, y Kamal aceptó de buen grado. Llegaron una tarde en el *jet* de Al-Saud. Francesca se encontraba presa de los nervios, Kamal, relajado y feliz al reencontrarse con su familia.

Las hermanas, sobrinas y cuñadas de Kamal se encargaron de Francesca y la llevaron de compras al zoco de El Cairo, donde la abarrotaron de telas, alhajas y perfumes. Durante esos días, Fadila se mantuvo a distancia, ocupada en otros detalles de la boda, y confió la atención más personalizada de su futura nuera a Zora, la esposa de Faisal. La tensión se percibía en el ambiente, aunque Fadila se esforzaba por mostrarse gentil y considerada. A veces miraba a Francesca y, pese a su orgullo, admitía que era hermosa y simpática; había demostrado ser fértil y amaba a Kamal. De todos modos, le costaba aceptar que su primogénito y único hijo varón se uniría a una plebeya, y peor aún, católica. Callaba y rumiaba su descontento en soledad, pues sabía a quién elegiría Kamal en caso de un enfrentamiento.

A Francesca, Zora le agradó desde el primer momento y le resultó de gran apoyo los días previos a la boda, durante los cuales, según el rito, le prohibieron ver al novio. Fueron tres largas y agotadoras jornadas sin Kamal en las que se sucedieron las ceremonias y las fiestas exclusivamente de mujeres. La mañana del cuarto día, después de que Fadila presentó a Francesca la diadema de brillantes y zafiros que su hijo le ofrecía para desposarla, Zila, Fátima y Zora se afanaron en prepararla para el matrimonio que se celebraría al mediodía. La depilaron con un mejunje de melaza y aceites aromáticos que le dejó las piernas suaves como seda; le rasuraron el pubis, una costumbre ancestral que, según explicó Zora, los árabes encuentran muy excitante; la bañaron y perfumaron, la vistieron y peinaron, y, por último, se dedicaron al maquillaje, todo un arte en el cual Zila se desempeñaba con maestría. Le unieron la línea de las cejas, lo que le recordó a un retrato de Frida Kahlo; le destacaron los ojos con *khol* y sombra rosa, que entonaba con los colores del vestido. Cargaron varias jeringas con una pasta carmesí similar al lacre y le dibujaron filigranas y pequeñas flores en dedos y manos, sobre la frente y el pecho. «Sale con agua», le susurró Zora, para tranquilizarla. Francesca se miró al espejo y no le agradó lo que vio: era la antítesis de una novia occidental. «Si me viera mi madre», gimoteó.

—Eres la novia más hermosa que yo haya visto —la alentó Zora, mientras le colocaba la diadema de brillantes y zafiros sobre el velo—. Kamal morirá de amor por ti.

Kamal la encontró fascinante cuando la vio aparecer en medio de un mar de flores sobre parihuelas. Los sirvientes apoyaron la angarilla sobre el piso, y el abuelo de Kamal, el jeque Al-Kassib, que había abandonado la tribu para asistir a la boda, se apresuró a ofrecerle la mano y conducirla hasta su nieto. El derviche recitó su parte, y Francesca contestó, en un árabe mal pronunciado, aquello que Zora le había indicado.

Los festejos comenzaron alrededor de las dos de la tarde y terminaron al día siguiente, al alba. Había muchísimas personas, y Francesca, que sólo conocía a unas pocas, se sentía perdida. Aferrada a la mano de Kamal, se dejaba conducir por los salones y el parque mientras él le presentaba a los parientes. No se comentó la ausencia de Saud ni la de su esposa e hijos porque se conocían las diferencias irreconciliables que existían entre los dos hermanos. Sí preguntaron por Mauricio Dubois, acostumbrados a encontrarlo en las celebraciones importantes de familia. Pero ya se había producido el presagiado golpe de Estado en la Argentina; depuesto Frondizi, había tomado su lugar el vicepresidente José María Guido, junto al caos y a la confusión que reinaban de facto. En consecuencia, la Cancillería había convocado a Mauricio, que debió viajar a Buenos Aires.

Al caer el crepúsculo, Kamal llevó a Francesca a una habitación apartada y silenciosa donde Marina aguardaba desde hacía unos minutos. Francesca se emocionó hasta las lágrimas al verla y se le aferró al cuello con desesperación, en parte porque Marina pertenecía a su mundo, ese mundo que ella conocía tan bien. Un alivio le colmó el espíritu y pudo volver a la fiesta con mayor seguridad.

—Tu esposo me llamó por teléfono la semana pasada y me pidió que viniera. Él pagó el pasaje en avión y el hotel. Me pidió también que no te dijera nada para que fuera una sorpresa. ¡Cómo te ama ese hombre, amiga! Eres muy afortunada por ser su esposa. Nunca me habías dicho que era tan buen mozo y elegante. ¡Qué ojos, mi Dios! ¡A ver si consigo cautivar a alguno de estos árabes, que hay y de sobra! Lo mínimo que pretendo es que me rapte y me desvirgue en un oasis.

—La mezcla mejora la especie humana, hijo —manifestó Yusef Zelim, el esposo de tía Zila, a Kamal en el otro extremo de la mesa, y le guiñó un ojo antes de agregar—: Admito que has elegido el mejor ejemplar de mujer occidental que yo haya conocido.

Se comía, se bailaba, se cantaba, y, mientras algunos reponían energías, otros seguían comiendo, bailando y cantando, nunca cesaba el movimiento ni el ruido. Fátima reclamó a Francesca para sí y la llevó a la mesa de las matriarcas más importantes, donde se encontraba Juliette, tan fuera de sitio como ella. Juliette, sin embargo, la sorprendió al manifestarle que disfrutaba entre aquellas mujeres. Francesca, en cambio, juzgó intimidante al grupo de ancianas, que le hablaban al unísono, le tocaban el pelo y el género del vestido, se admiraban de la blancura de su piel y le quitaban y ponían la diadema. Terminada la minuciosa inspección, Fátima le aseguró que las matriarcas la habían aceptado como nuevo miembro de la familia.

Kamal la arrancó de la fiesta y se la llevó al centro de El Cairo, donde había reservado una habitación en el mejor hotel.

—Tu tía Zila nos había preparado una recámara en su casa para la noche de bodas. Se enojará conmigo, pensará que yo te he disuadido.

—Mi tía Zila sabrá muy bien que he sido yo el que tomó la decisión de pasar la noche en un hotel. Además, no quiero testigos. No conoces las costumbres de mi pueblo. Habrían estado todas pendientes detrás de la puerta esperando comprobar mis dotes viriles.

—En el pueblo de mi madre, en Sicilia, se espera que, al día siguiente de la boda, el marido cuelgue la sábana con la mancha de sangre en la ventana, por las mismas razones que tus tías nos habrían espiado.

—Ya ves, no somos tan distintos después de todo.

No se habían visto en tres días y, al cerrar la puerta de la habitación del hotel, fueron asaltados por un deseo carnal que, satisfecho, los dejó extenuados.

—Extrañé mucho a mi madre hoy —dijo Francesca—. Jamás habría imaginado que ella estaría ausente el día de mi casamiento. Habría deseado que fuese tío Fredo el que me llevase hasta ti.

Pasaron los primeros quince días de luna de miel en Niza, en el hotel Negresco, donde también llamaban «alteza» a Kamal y lo seguían como cortejo a la espera de sus ya conocidas propinas. Desayunaban en el amplio balcón-terraza con la inmensidad del mar desplegada frente a ellos. Francesca inspiraba una profunda bocanada de ese aire matinal y aferraba la mano de su esposo. De regreso de la playa, retozaban en la tina del baño, enorme y redonda, hasta que la piel se les arrugaba y Francesca empezaba a tiritar de frío.

Kamal se encontró con conocidos a quienes presentó a Francesca con reticencia, ciego de celos por la forma en que la miraban, en especial cuando llevaba traje de baño. Francesca, por su lado, advertía los vistazos cargados de intención que algunas mujeres dispensaban a su marido. Pero Kamal sólo tenía ojos para ella, y así se lo demostraba cada vez que la buscaba en la intimidad. Había entre ellos armonía y compañerismo, y, más allá de la pasión que despertaba uno en el otro, cuando se miraban y se sonreían lo hacían porque sentían mucha paz. El mundo externo seguía su curso en torno a una isla en la que nadie podía entrar. Con todo, Abenabó y Káder se mantenían a prudente distancia con sus Mágnum 9 milímetros disimuladas bajo el saco.

Después de Niza, volaron a Sicilia, donde alquilaron un automóvil para recorrer la costa. Iniciaron el periplo en Santo Stefano di Camastra, el pueblo natal del padre de Francesca, Vincenzo. Se trataba de una localidad a orillas del mar que parecía detenida en la Edad Media. Callejas lúgubres de adoquines sin veredas por donde circulaban en igual procesión personas, rebaños de cabras y Vespas, flanqueadas por vetustas casas, confirieron a Francesca una sensación de opresión y angustia, y de inmediato entendió la decisión de su padre de buscar nuevos horizontes en América. Se vivía una atmósfera de oscurantismo. Los paisanos sabían que ellos eran forasteros, los miraban de soslayo y comentaban en voz baja. Entraron en una *locanda* a beber algo fresco, y el silencio se apoderó del recinto; varios pares de ojos los siguieron hasta el mostrador, continuaron sobre ellos mientras tomaban la *granita* de limón y los despidieron cuando traspusieron la puerta.

En la Costa de Amalfi, en Sorrento, en la isla de Capri y en Pompeya los sedujo el brillo especial del sol, que otorgaba al mar una tonalidad turquesa indescriptible. En el paisaje se amalgamaban las montañas cubiertas de vegetación, la costa escarpada y el mar Tirreno. En Nápoles comieron pizza en el restaurante Brandy donde, según manifestó el propietario, había nacido la pizza a mediados del siglo XIX.

En Roma se detuvieron cuatro días. Kamal la conocía muy bien y resultó excelente cicerone. La sorprendió en el Vaticano, donde le contó anécdotas de papas, curas, pintores, escultores y Cruzadas que ella jamás había escuchado. Arrojaron monedas en la Fontana de Trevi, recorrieron el Coliseo, visitaron la Villa Borghese y el Palacio del Quirinal. De pie en medio del Foro Romano, Kamal le dijo: «Estás parada en el corazón mismo del cansancio del mundo».

Entre Roma y Pisa se sucedían gran cantidad de *piccoli paesi*, cada uno con su encanto propio y un plato típico a degustar, pero la magnificencia de la torre inclinada, la catedral y el baptisterio de Pisa, apostados uno tras otro en medio de un parque cubierto de gramilla, la dejaron sin aliento.

Desde allí viajaron a la bahía de Portofino, donde se internaron por una calleja angosta que, serpenteando la montaña, los condujo al Castillo de San Giorgio, el más antiguo de la zona, mal conservado, que sólo valía la pena por la vista espléndida que ofrecía del golfo del Tigullio y de las casas de colores en el muelle. La noche antes de dejar Portofino, Francesca le pidió a Kamal que la llevase directamente a la región del Valle d'Aosta donde finalmente conocería la Villa Visconti, el antiguo castillo que había pertenecido a la familia de su tío Fredo.

El Valle d'Aosta tenía más que ver con Suiza y con Francia que con la propia Italia, incluso el dialecto, con un marcado acento gabacho, evidenciaba sus verdaderos orígenes. Llegaron a Châtillon, un pequeño pueblo en los confines del país, donde Francesca se dirigió a un campesino que arreaba una vaca en el camino y le preguntó si conocía la Villa Visconti. «*Certo!*», aseguró el hombre, y explicó a continuación que ahora la llamaban sólo la Villa. Les indicó cómo llegar y, minutos más tarde, aparcaron frente al portón que marcaba el linde de la propiedad; allí dejaron el automóvil y se aventuraron a pie. En un altozano, flanqueada de cipreses y abetos, descollaba la residencia que tantas veces había admirado en el óleo del despacho de Alfredo. «¡Ojalá tío Fredo estuviese aquí!», anheló. Subieron las escalinatas que conducían a la entrada, una imponente puerta de roble con aldabas lustrosas, y llamaron.

—Quizá nos permitan entrar a conocerla —dijo Al-Saud.

Les abrió un anciano, elegante en su frac de mayordomo, que los contempló con circunspección. Kamal se presentó en francés, y el hombre los invitó a pasar. Les indicó que aguardasen, que regresaba en un momento. Francesca observó anonadada, sin poder concebir que su tío Fredo hubiese vivido en un sitio donde el boato y la elegancia eran soberanos absolutos. A través de las pesadas cortinas de terciopelo rojo del vestíbulo, entrevió la escalera principal de mármol blanco; en el descanso, un ventanal permitía ver el paisaje alpino de verano, con las estribaciones cubiertas de hierba y el amarillo de las retamas. Cada detalle del vestíbulo le arrancaba una exclamación: los frescos del techo, alegorías románticas de color pastel; los vitrales, que difuminaban la luz y matizaban el piso de rojos y verdes; las paredes estucadas en tonalidad gris, casi lavanda; los pequeños sillones tapizados en seda azul; los adornos de porcelana y los cuadros al óleo.

En la sala contigua, Alfredo y Antonina se pusieron de pie al escuchar la voz de Francesca. El mayordomo los guió hasta el vestíbulo, donde la muchacha se concentraba en una pieza de cristal de roca. Pensó que se trataba de la dueña de casa y se volvió completamente desprevenida.

—*Figliola* —balbuceó Antonina, y Francesca se quedó mirándola—. *Figliola, sono io, tua mamma.*

Fue un momento conmovedor: las mujeres se confundieron en un abrazo mientras Fredo simulaba fortaleza. Kamal se mantuvo aparte hasta que Francesca lo buscó con la mirada.

—Días atrás —comentó Fredo—, tu esposo me llamó por teléfono y me propuso que nos encontrásemos aquí, en Châtillon, más específicamente en la villa que había pertenecido a mi padre. Nos envió los pasajes de avión. Llegamos ayer a Milán, y esta mañana un chófer pasó a buscarnos para traernos aquí. Así fueron las cosas —finiquitó Alfredo—, tu esposo es el mentor y único responsable de esta sorpresa, y a él tienes que agradecerle.

—Amor mío —susurró Francesca, y acarició la mejilla de Kamal—. Amor mío —volvió a decir, incapaz de pronunciar otra palabra.

Kamal la encerró en su pecho y le susurró:

—No digas nada, Francesca, por favor, no digas nada.

—Estoy casi seguro de que nos permitirán recorrer la Villa —expresó Fredo—. El mayordomo se mostró muy amable con nosotros. Le dijimos que los esperaríamos fuera, y él insistió en que pasáramos a la sala. Incluso, nos sirvió café y una copita de jerez.

—Sería cuestión de hablar con la dueña —propuso Kamal—, quizá hasta nos invite a tomar el té.

—¿La dueña? —se sorprendió Fredo—. ¿Usted la conoce?

—Sí —respondió, muy suelto—. Francesca, amor mío, ¿nos permitirías conocer tu famosa Villa Visconti?

—¿Mi famosa Villa Visconti? —repitió ella, en un hilo de voz—. ¿Mi... villa?

—Sí, tu villa. Villa Visconti te pertenece. La compré para ti, éste es mi regalo de bodas.

Francesca paseó la mirada vidriosa en torno, y un escalofrío le surcó el cuerpo. ¿Qué había dicho Kamal, que le había comprado la Villa? No era posible, debía de haber escuchado mal. Le latía la garganta y, como un eco lejano, le llegó la voz de él que reiteraba: «Es tuya, la compré para ti».

—¿Por qué? ¿Por qué, si ya me lo has dado todo? —atinó a preguntar, aferrada a su cuello.

—Simplemente porque te amo —respondió él.

Esa noche cenaron en una vieja *locanda* en las afueras de Châtillon, donde Fredo y su hermano Pietro habían bebido las primeras cervezas y fumado los primeros cigarrillos a escondidas del padre. Todo se encontraba igual, aseguró; nada había cambiado, hasta el azul eléctrico de la puerta era el mismo. Cada pormenor lo emocionaba y traía a colación una anécdota. Pasaron una velada estupenda, que terminaron con un coñac en el *fumoir* de la Villa.

Antes de reunirse con su esposo, Francesca llamó a la puerta de la habitación de Alfredo. Leía en el sofá con los pies sobre un escabel. Una mueca de satisfacción le relajaba las facciones. Fumaba su pipa, y el aroma del tabaco holandés se apoderaba de la recámara, dejando la misma impronta que en el caótico departamento de la avenida Olmos. Fredo se quitó los lentes y le sonrió. Francesca se arrodilló a sus pies.

—¿Estás contenta?

—Mucho, tío, ¿y vos?

—Por primera vez en mi vida, me he quedado sin palabras para expresar lo que siento.

—Tío, quería hablarte de una cosa —expresó ella, y se incorporó—. Quiero poner Villa Visconti a tu nombre; es tuya, te la regalo, quiero que vuelvas a ser el señor de Villa Visconti, que la gente sepa que tu familia ha recuperado la casa. Por favor, te lo suplico, aceptá.

Alfredo la contempló largamente y pensó que había magia en ese rostro, un destello particular en los ojos negros, algo que él no había encontrado en otras personas.

—¿Qué habría sido de mi vida sin vos? —pensó en voz alta, y Francesca le tomó la mano y se la llevó a la mejilla—. Mejor dejemos la Villa a tu nombre, querida. ¿No querrás enojar a tu esposo, verdad?

—Kamal no diría nada, él respeta mis decisiones.

—Sí, puedo ver que te venera y que bajaría la luna y el sol para complacerte. Pero no se trata sólo de eso. ¿Para qué complicar las cosas? Supongamos que la Villa estuviese a mi nombre, ¿a quién crees que se la dejaría al momento de mi muerte sino a vos? Ahorremos abogados y papeles, y que mi casa sea tuya desde ahora. Tomalo como un adelanto de herencia —añadió, y le dio un golpecito en la nariz.

—Para mí ésta siempre será tu casa —expresó Francesca, y sonrió con picardía antes de preguntar—: ¿Estás enamorado de mi madre, verdad? ¡No te pongas colorado, tío!

—¡Hija! ¿Qué clase de pregunta es ésa?

—Simplemente una pregunta. Y, aunque no me respondas, yo conozco la respuesta.

Se levantó, besó a su tío en la frente y se encaminó hacia la puerta. Antes de salir, Fredo la llamó.

—Ven aquí —dijo, y le indicó una silla a su lado—. Siéntate a mi lado. —Le tomó la mano y la miró directo a los ojos—: Si ya conoces la respuesta a esa pregunta tan insolente, yo quiero hacerte otra. ¿Te molestaría si tu madre y yo nos casásemos? Se lo he pedido y ha aceptado. Pero necesito tu consentimiento.

Francesca se aferró al cuello de su tío entre risas de dicha.

—Te doy mi consentimiento. Sí, claro que te lo doy. Sí, sí, sí. Mi adorado tío Fredo.

—¿Dónde te habías metido? —quiso saber Kamal—. Hace una hora que te espero. Estaba por vestirme y salir a buscarte.

—Pasé por la habitación de mi tío y me detuve un rato a charlar con él.

—Sí, y yo aquí muriendo de amor por ti.

—Hoy sí que te has convertido en mi héroe. Encontrarme a mi madre y a tío Fredo y enterarme que compraste la Villa superó los límites de mi imaginación.

—Tenía que hacer algo sorprendente para ganarme el cariño de mi suegra.

—Bien sabes que lo has conseguido. Te la metiste en el bolsillo con tanta alharaca, hereje mío.

—Sí, sí, logré mis objetivos, lo sé, pero ahora tengo en mente otros planes.

La aferró por la cintura y le besó el cuello, y nuevamente, con el encanto del primer día, lo embriagaron los jazmines de *Diorissimo* y la tersura de su piel.

Más tarde, Francesca respiraba acompasada y profundamente entre sus brazos cuando le escuchó decir: «Te amo más que a la vida misma, Francesca Al-Saud».

EPÍLOGO

París, noviembre de 1964

Kamal se acercó a la biblioteca, eligió el libro *La civilización de los árabes* del profesor Le Bon y volvió a su escritorio. Abrió en la página 135 y releyó por enésima vez el párrafo que él mismo había subrayado años atrás. «Una gran monarquía absoluta depende siempre de un gran hombre colocado a su frente; y mientras éstos son verdaderos genios, prosperan; mientras que cuando las dirigen medianías caen mucho más deprisa de lo que se habían levantado». Pensó en Arabia, tan lejana y añorada, y se entristeció. El sonido del intercomunicador lo despabiló.

—¿Sí, Claudette? —dijo a su secretaria.

—Su hermano Faisal en la línea dos, señor.

—Pásemelo, por favor.

Faisal llamaba desde Riad, y Kamal sospechó de inmediato el motivo. Conversaron acerca de nimiedades hasta que la voz de Faisal sufrió una inflexión.

—Te llamaba, en realidad —dijo—, porque quiero ser yo quien te dé la noticia: hace una hora Saud firmó la abdicación. Tiene veinticuatro horas para dejar Arabia y, según expresó, se instalará en su mansión de la isla griega. Se pactó una renta anual más que generosa para él y su familia. Tariki partió ayer por la mañana a El Cairo y tío Abdullah ya mandó prohibir su entrada al país.

—En este punto —habló Kamal— no me resta más que felicitarte si, como supongo, la familia te ha nombrado rey. —El silencio de Faisal resultó elocuente—. Serás un gran monarca, hermano mío, y te auguro una época de paz y crecimiento. Que las generaciones futuras te recuerden como a un gran soberano, como recuerdan a nuestro padre. ¡Que Alá guíe tu camino!

—Quiero nombrarte primer ministro de mi gobierno, Kamal. Eres el único capacitado para desempeñar ese rol con éxito.

—Elimina la figura del primer ministro, sólo conseguirás opacar la del rey. Fue necesario crearla en el 58 para salir de la tormenta, pero tú no necesitas un primer ministro, tienes la fortaleza y capacidad suficientes para guiar el destino del reino.

—De una forma u otra, te quiero aquí, en Riad, tú elige el cargo a desempeñar y será tuyo. Ministro del Petróleo, quizá.

—Nombra a Ahmed Yamani ministro del Petróleo, sabes que vengo preparándolo desde hace años, él es tu hombre.

—Sé que Ahmed está más que preparado, pero como dicen tío Abdullah y Jacques, no sólo cuentan el conocimiento y la inteligencia, sino el buen nombre y las relaciones. Y eso sólo tú lo tienes. Es a ti a quien respetan y temen las multinacionales y los peces gordos del *establishment*. El reino te necesita, Kamal. No podremos superar la crisis sin tu apoyo. Colabora con mi gobierno, te lo pido por la memoria de nuestro padre.

—Haré todo lo que esté a mi alcance para ayudarte, hermano, pero no volveré a Riad.

—Sé que lo haces por Francesca —expresó Faisal, sin visos de resentimientos— y te entiendo.

Kamal colgó el auricular, apoyó los codos sobre su escritorio y se cubrió el rostro con ambas manos. Saud destronado, expulsado de la patria, denigrado frente al mundo. Había deseado que llegase ese momento, ¡por Alá que lo había esperado con ansias! Incluso había planeado una muerte lenta y dolorosa para que su hermano mayor expiara lo que Francesca había sufrido a manos de Abu Bark y de sus hombres, un tormento que vengara la pérdida de su primogénito. En ese momento que los hechos paliaban en cierto modo las amargas vivencias del pasado, no hallaba en su interior el odio acendrado de años atrás ni experimentaba el gozo por la revancha. Hacía tiempo que había borrado a Saud de sus afectos, hacía tiempo que no lo consideraba su hermano mayor, su recuerdo le resultaba inocuo y no le importaba si vivía o moría. «Debería mandarlo matar», se instó sin vehemencia. ¿Matarlo ahora que estaba indefenso como un niño? ¿Matarlo, para qué? ¿Para mancharse las manos con la sangre del hijo de su padre? Francesca estaba viva y le pertenecía, y jamás volvería a permitir que la arrancaran de su lado.

«El corazón se me está ablandando», masculló. Dejó la silla y se paseó con las manos a la espalda y la vista en el suelo. Pensó en Faisal como nuevo rey y se le mezclaron los sentimientos. El matrimonio con Francesca le había costado el trono. Aceptada por la familia, respetada incluso ahora que le había dado un hijo varón, seguía perteneciendo a un mundo ajeno y extraño y no la querían como esposa del soberano. «Francesca», dijo, y la sola mención de su nombre justificó todo cuanto había sacrificado por tenerla. Eran felices en París, él sumergido en sus negocios, ella dedicada al pequeño Shariar y a la casa. ¿Tenía derecho a romper la armonía y pedirle de regresar a Riad? Pero él añoraba la patria, extrañaba a su familia, le faltaba el desierto, cabalgar a orillas del mar Rojo, el oasis de su abuelo.

Se puso el saco y dejó la oficina. Indicó a Claudette que cancelara los compromisos de la tarde y partió hacia su hogar. Encontró a Francesca amamantando a su hijo sentada en el borde de la cama, y se quedó mudo, mirándola: el perfil parecía cincelado en alabastro blanco, el cabello recogido en la nuca revelaba un cuello delgado y esbelto; le hablaba al niño en castellano y sonreía.

—¿Vas a quedarte ahí parado toda la tarde? —habló ella, sin volverse.

—¿Cómo sabías que estaba en la puerta? —preguntó Kamal, y se acercó.

—Puedo sentirte —fue la respuesta.

Shariar soltó el pezón y movió la cabeza para enfrentar al sujeto que interrumpía el idilio con su madre. Kamal aprovechó y lo besó en la frente. Había sacado todo de él: el color cetrino, los rizos castaños del pelo, las facciones definidas, la boca carnosa, a excepción de los ojos, que eran los de la madre.

Francesca lo escuchó silenciosamente mientras Kamal le refería la conversación con Faisal. La tranquilidad de ella contrastaba con el nerviosismo de él. Lo notaba locuaz; él detallaba los hechos y las situaciones con una precisión que iba en contra de su naturaleza reservada.

—¿Y tú qué respondiste al ofrecimiento de Faisal?

—Que no volveré a Riad.

—¿Es por mi causa, verdad? —preguntó Francesca.

—Tú eres demasiado libre para vivir dentro de las limitaciones de mi pueblo. No lo soportarías.

—Sufro pensando que deseas vivir allá y que no lo haces por mí.

—¿Es que no entiendes que tú estás primero? Primero que yo, que Arabia, que el mundo entero. ¿Qué necesito hacer para que lo comprendas?

* * *

Saud murió cinco años más tarde en su isla del mar Egeo a causa de la misma enfermedad que lo había aquejado en los últimos tiempos de reinado. Saud moría, y Faisal inauguraba un período de bienestar económico y social basado en la austeridad y en el estricto cumplimiento de las normas del Corán. Resultó duro controlar las deterioradas finanzas, pero la estabilidad de los precios del petróleo y un régimen juicioso de pensiones consiguieron detener la caída y evitar la quiebra. Armonizados los ingresos con los egresos, Faisal enfocó su atención en el desarrollo interno del país, mientras Ahmed Yamani, en su rol de ministro del Petróleo, lo hizo en el ámbito externo, donde renovó la consideración y admiración que antes había suscitado el gran Abdul Aziz. La OPEP, a su criterio, aún carecía de hegemonía política, y sus propuestas y medidas sólo conseguían generar malestar y tirantez en el mercado petrolero. Como representante del reino saudí en el organismo, Yamani terminaba siempre por neutralizar las amenazas de embargo, única arma potente con la que contaba el cártel. El objetivo supremo consistía en lograr una mayor independencia en la extracción, refinamiento, transporte y distribución del oro negro, que continuaba en manos de empresas occidentales. «Desarrollar una tecnología propia», repetía Yamani a Faisal, que lo apoyaba incondicionalmente.

Kamal terminó por aceptar el cargo de embajador de Arabia Saudí en Francia. Su regreso al mundo de la política le cambió en parte el estilo de vida. Viajaba a menudo, trabajaba gran cantidad de horas al día, se reunía con las personalidades más destacadas del mundo político internacional, era convocado a seminarios y convenciones, le ofrecían cátedras en renombradas universidades estadounidenses y lo asediaban los periodistas, que soñaban con entrevistar al enigmático saudí y a su esposa sudamericana.

Nadie habría imaginado que el imponente hombre de la mirada de azor, que rara vez esbozaba una sonrisa, que no detenía su maquinal cerebro en ningún momento y que inspiraba temor y respeto, al trasponer la puerta de su casa, se tiraba en la alfombra del comedor a jugar con sus hijos, que se le subían en la espalda, lo despeinaban, le hurgaban los bolsillos y le hacían cosquillas. Y que luego, en la oscuridad y silencio de la noche, buscaba el calor de su esposa con la ansiedad de un adolescente. Para él, Francesca era el refugio de las tensiones y problemas del mundo externo, era su compañera y confidente. La amaba profundamente. Como siempre, amarla así era a lo único que temía, estaba expuesto en carne viva, dependía de ella como del aire, y solía desasosegarse cuando la idea de perderla, de que alguno se la quitase, le ocupaba los pensamientos.

Francesca vivía consagrada al cuidado de los hijos y de la casa; contaba con la ayuda de Sara y Kasem, que no habían hesitado en renunciar a la embajada argentina para trabajar bajo sus órdenes. Fieles en extremo, cuidaban de ella y de los niños como si se tratasen de tesoros de incalculable valor.

Tras el nacimiento del pequeño Shariar, Francesca dio a luz a Alamán. A diferencia de Shariar, que comenzaba a mostrar el parecido con el padre no sólo en los aspectos físicos, Alamán era un soñador romántico, y resultaba el más entusiasta a la hora de visitar al bisabuelo Harum en el desierto. No se cansaba de escuchar las leyendas de *Las mil y una noches*. Francesca lo protegía más que al resto porque advertía en él una fragilidad que, quizá, había heredado de ella. Alamán canalizaba su pasión por la naturaleza a través de una devoción ciega a los caballos, leía sobre el tema cuanto libro caía en sus manos y en ocasiones dejaba a su padre con la boca abierta cuando comentaba sobre la cría de los *muniqui*. En su décimo cumpleaños, Francesca le regaló a Rex, que perdía las mañas y los vicios sólo con el hijo de su patrona.

Cuando Alamán tenía tres años, nació el tercer hijo varón de los Al-Saud, el pequeño Eliah, el preferido de Jacques Méchin. Jacques siempre proclamaba: «Eliah será rey de Arabia Saudí. El más grande», agregaba, henchido de orgullo como si se tratase de su propia sangre. En Eliah, Jacques encontraba una réplica mejorada del fundador del reino. En su compleja personalidad, el pequeño de los Al-Saud sintetizaba la sagacidad, la inteligencia y una gran pasión por la vida. Méchin tomó a su cargo la educación del niño como lo había hecho tanto tiempo atrás con la de Kamal, haciendo caso omiso de sus casi ochenta años y de una persistente gota que lo postraba a menudo. Eliah entraba en su recámara y le levantaba el ánimo: era imponente, alto como el padre, de una belleza que quitaba el aliento; su sola presencia acallaba las voces e imponía respeto. Serio y circunspecto, con todo, distendía el ceño y sus labios esbozaban una sonrisa frente a su madre.

Cuando le dijeron que su tercer hijo era varón, Kamal perdió las esperanzas de la tan anhelada niña. Por eso, cuando Yasmín llegó a su vida una tarde calurosa de finales de julio, le robó el corazón. Era su princesa, su Francesca en miniatura, con esos bucles color azabache que le pendían en la espalda, la piel blanca y un par de ojos negros que parecían ocuparle todo el rostro. En las fiestas familiares, Yasmín cantaba, bailaba y recitaba; se mostraba como pavo real; era coqueta y presumida, le gustaba zambullirse en el vestidor de su madre y arrastrar sus vestidos por la casa y caminar con tacones altos; le robaba el maquillaje y se pasaba horas frente al espejo llenándose de sombra y rímel los ojos. Su padre siempre la alentaba, le permitía cualquier cosa; no soportaba verla llorar, y por años debieron dormir con la luz del pasillo encendida porque Yasmín le temía a la oscuridad. Él veía en Yasmín a Francesca de pequeña, la que había sufrido la muerte prematura del padre, el desprecio de la patrona de su madre, la carencia de dinero y de una familia. Él ponía el mundo a los pies de su hija como si, al hacerlo, lo pusiese a los pies de su adorada Francesca.

La Villa Visconti se convirtió en un refugio para Al-Saud y, cuando las responsabilidades lo agobiaban, organizaba una escapada de tres o cuatro días junto a Francesca. Durante las vacaciones de verano, la familia en pleno se trasladaba a la Villa donde se reunían con los abuelos de la Argentina, como los chicos llamaban a Fredo y a Antonina. Aquella misma noche, después de que Francesca le preguntó si estaba enamorado de su madre, Alfredo se envolvió en su salto de cama y llamó a la puerta de Antonina. La encontró encantadora con el pelo suelto, el camisón y las pantuflas. Se contemplaron bajo el dintel antes de que Fredo la tomara entre sus brazos y la besara apasionadamente. Antonina se le entregó sin oponer resistencia, como si lo hubiese estado esperando desde hacía tiempo. Durmieron juntos, y Alfredo creyó tocar el cielo con las manos cuando la hizo suya. Contrajeron matrimonio de regreso a Córdoba, y vivieron en el caótico departamento de la calle Olmos hasta marzo de 1976, cuando se produjo el golpe militar. Entonces, Alfredo vendió el departamento, renunció a *El Principal* y se marchó junto a su esposa a pasar los últimos años de su vida donde la había comenzado: en la Villa Visconti.

Faisal murió a los setenta y cinco años a manos de un terrorista que lo apuñaló al ingreso de una mezquita. El pueblo entero lloró su muerte y miles de personas se congregaron en las calles de Riad para unirse al cortejo fúnebre al cual asistían grandes personalidades del mundo.

Después de la muerte de Faisal, Kamal se retiró definitivamente del ámbito político, sin atender a las súplicas de su hermano Jalid, el nuevo rey, que le imprecó que se quedase. Pero Kamal estaba cansado y la muerte de su hermano lo había devastado. Francesca y él cerraron la casa de París y se retiraron a la finca de Jeddah, donde se establecieron definitivamente en contra del deseo de sus hijos. Ellos no podían entender lo que ese lugar significa para ellos.

Sadún, el mayordomo, demasiado viejo para encargarse de las cuestiones de la casa, delegó el mando en su sobrino Yaluf, que se desempeña diestramente. Las caballerizas seguían siendo esplendorosas y el sitio predilecto de Kamal. La fama de sus sementales y caballos de carrera no había menguado, y compradores de todo el mundo se acercaban para concretar negocios millonarios. Pero hace tiempo que Kamal ha confiado en sus hijos el manejo de los negocios y de las finanzas familiares. Él sólo quiere estar con Francesca.

Después de tantos años, han vuelto a reencontrarse en la soledad del suelo árabe. Pasean del brazo bajo las palmeras del camino, se bañan en la piscina del caballo alado, se mojan los pies a orillas del mar Rojo, cenan en el jardín al lado de la fuente con nenúfares y se admiran como la primera vez del encanto de la luna y del cielo estrellado. A cada momento, Kamal la observa y piensa: «Ya estoy arrugado como una nuez y aún la tengo a mi lado. ¡Alá sea loado por ello!».

Suma de Letras es un sello editorial del Grupo Santillana

www.sumadeletras.com.ar

Argentina
Avda. Leandro N. Alem, 720
C 1001 AAP Buenos Aires
Tel. (54 114) 119 50 00
Fax (54 114) 912 74 40

Bolivia
Avda. Arce, 2333
La Paz
Tel. (591 2) 44 11 22
Fax (591 2) 44 22 08

Chile
Dr. Aníbal Ariztía, 1444
Providencia
Santiago de Chile
Tel. (56 2) 384 30 00
Fax (56 2) 384 30 60

Colombia
Calle 80, 10-23
Bogotá
Tel. (57 1) 635 12 00
Fax (57 1) 236 93 82

Costa Rica
La Uruca
Del Edificio de Aviación Civil 200 m al Oeste
San José de Costa Rica
Tel. (506) 22 20 42 42 y 25 20 05 05
Fax (506) 22 20 13 20

Ecuador
Avda. Eloy Alfaro, 33-3470 y Avda. 6 de Diciembre
Quito
Tel. (593 2) 244 66 56 y 244 21 54
Fax (593 2) 244 87 91

El Salvador
Siemens, 51
Zona Industrial Santa Elena
Antiguo Cuscatlan - La Libertad
Tel. (503) 2 505 89 y 2 289 89 20
Fax (503) 2 278 60 66

España
Torrelaguna, 60
28043 Madrid
Tel. (34 91) 744 90 60
Fax (34 91) 744 92 24

Estados Unidos
2023 N.W 84th Avenue
Doral, FL 33122
Tel. (1 305) 591 95 22 y 591 22 32
Fax (1 305) 591 74 73

Guatemala
7ª Avda. 11-11
Zona 9
Guatemala C.A.
Tel. (502) 24 29 43 00
Fax (502) 24 29 43 43

Honduras
Colonia Tepeyac Contigua a Banco Cuscatlan
Boulevard Juan Pablo, frente al Templo
Adventista 7º Día, Casa 1626
Tegucigalpa
Tel. (504) 239 98 84

México
Avda. Universidad, 767
Colonia del Valle
03100 México D.F.
Tel. (52 5) 554 20 75 30
Fax (52 5) 556 01 10 67

Panamá
Vía Transísmica, Urb. Industrial Orillac,
Calle Segunda, local 9
Ciudad de Panamá
Tel. (507) 261 29 95

Paraguay
Avda. Venezuela, 276,
entre Mariscal López y España
Asunción
Tel./fax (595 21) 213 294 y 214 983

Perú
Avda. Primavera, 2160
Surco
Lima 33
Tel. (51 1) 313 40 00
Fax. (51 1) 313 40 01

Puerto Rico
Avda. Roosevelt, 1506
Guaynabo 00968
Puerto Rico
Tel. (1 787) 781 98 00
Fax (1 787) 782 61 49

República Dominicana
Juan Sánchez Ramírez, 9
Gazcue
Santo Domingo R.D.
Tel. (1809) 682 13 82 y 221 08 70
Fax (1809) 689 10 22

Uruguay
Juan Manuel Blanes, 1132
11200 Montevideo
Tel. (598 2) 402 73 42 y 402 72 71
Fax (598 2) 401 51 86

Venezuela
Avda. Rómulo Gallegos
Edificio Zulia, 1º - Sector Monte Cristo
Boleita Norte
Caracas
Tel. (58 212) 235 30 33
Fax (58 212) 239 10 51

Este libro se terminó de imprimir en
Gráfica Pinter, Diógenes Taborda 48,
Ciudad Autónoma de Buenos Aires,
en el mes de enero de 2014.